Стефани Майер

Стефани Майер

НОВОЛУНИЕ

МОСКВА

УДК 821.111(73)-312.9
ББК 84(7Сое)-44
М14

Stephenie Meyer

New Moon

Перевод с английского А. Ахмеровой

Майер, С.

М14 Новолуние / Стефани Майер; пер. с англ. А. Ахмеровой. — М.: АСТ: АСТ МОСКВА, 2010. — 543, [1] с.

ISBN 978-5-17-063729-4 (ООО «Изд-во АСТ») (С.: Кино)
ISBN 978-5-403-02641-3 (ООО «АСТ МОСКВА»)

Компьютерный дизайн переплета *Н.А. Хафизовой*

Это вторая книга знаменитой вампирской саги, возглавившая списки бестселлеров семи стран. Влюбиться в вампира — страшно и романтично... Но потерять любимого, решившего ценой разрыва спасти свою девушку от роли пешки в вечном противостоянии кланов «ночных охотников», — это просто невыносимо. Белла Свон мучительно переживает исчезновение возлюбленного и безуспешно ищет забвения в дружбе с мальчишкой-индейцем Джейком Блэком. Она даже не подозревает, что ее лучший друг — порождение еще одного «народа Тьмы». Народа, куда более жестокого и опасного, чем аристократы-вампиры...

Читайте «Сумерки», «Новолуние», «Затмение» и ждите продолжения.

УДК 821.111(73)-312.9
ББК 84(7Сое)-44

Подписано в печать с готовых диапозитивов заказчика 20.10.2009.
Формат 84×108$^{1}/_{32}$. Бумага газетная. Печать высокая с ФПФ.
Усл. печ. л. 28,56. С.: Кино. Доп. тираж 20 000 экз. Заказ 1984.

ISBN 978-985-16-7644-2
(ООО «Харвест»)(С.: Кино)

Посвящается моему отцу,
Стивену Моргану.
Ни один человек на свете не дарил мне столько
любви и поддержки.
Папа, я тоже тебя люблю.

У бурных чувств неистовый конец,
Он совпадает с мнимой их победой.
Разрывом слиты порох и огонь,
Так сладок мед, что наконец и гадок:
Избыток вкуса отбивает вкус.
Не будь ни расточителем, ни скрягой:
Лишь в чувстве меры истинное благо.

«Ромео и Джульетта», акт 2, сцена 6,
пер. Б. Пастернака

ПРОЛОГ

Похоже, меня засосало в один из жутких кошмаров, в которых бежишь, бежишь так, что легкие разрываются, — а скорости все равно не хватает. Ноги двигались все медленнее и медленнее, я пробиралась сквозь безжалостную толпу, но стрелки часов на огромной башне не останавливались ни на секунду. С беспощадной стремительностью они лишали меня последних крупиц надежды.

Однако это не сон, не кошмар, и бежала я не ради себя, а хотела спасти нечто несравнимо более дорогое. Моя жизнь в тот момент не значила практически ничего.

Элис сказала: вполне вероятно, мы обе погибнем. Все сложилось бы иначе, не сдерживай ее ослепительный солнечный свет, а так через раскаленную площадь могла пробираться лишь я.

И то недостаточно быстро.

Вокруг смертельно опасные враги, но разве это сейчас важно? Когда часы начали бить и площадь под моими усталыми ногами задрожала, я поняла: поздно. И даже обрадовалась, что скоро погибну. Зачем жить, раз не успела и проиграла?

Снова раздался бой часов... Стоящее в зените солнце нещадно палило.

Глава первая

ВЕЧЕРИНКА

Я была на девяносто девять процентов уверена, что сплю.

Уверенность основывалась, во-первых, на том, что ярко светило солнце. Такого в вечно хмуром, залитом дождями Форксе, куда я недавно переехала, не было никогда. Во-вторых, передо мной стояла бабушка Мари. Она умерла шесть лет назад, и в том, что я сплю, не оставалось ни малейших сомнений.

Бабуля не изменилась: кожа на лице мягкая, морщинистая, тысячей мелких складочек натянутая на округлый череп. Совсем как печеное яблоко с пышным облаком седых волос.

Наши губы одновременно изогнулись в удивленной полуулыбке.

Старушка явно не ожидала меня увидеть.

Вопросов накопилась уйма: что она делает в моем сне? Чем занималась последние шесть лет? Встретилась ли с дедушкой? Как он?

Бабуля открыла рот одновременно со мной, и я решила: пусть заговорит первой. Но Мари тоже молчала, и мы смущенно улыбнулись друг другу.

— Белла!

Позвала меня вовсе не бабушка — мы синхронно обернулись посмотреть, кто к нам присоединился. Вообще-то я могла даже не оборачиваться: этот голос я узнала бы везде, узнала бы и откликнулась и во сне и наяву... наверное, даже после смерти. Ради этого голоса я пошла бы в огонь, воду или, более прозаично, целый день брела бы под мелким холодным дождем.

Эдвард!

Вообще-то я всегда радовалась, видя его, однако сейчас, даже уверенная, что сплю, я запаниковала, когда Эдвард двинулся к нам под палящим солнцем.

Ведь бабуля не знает, что я люблю вампира; вообще никто не знает. Как же объяснить, что солнце сотней тысяч радуг отражается от кожи Эдварда, будто его посыпали хрустальной пылью или алмазами?

Ну, бабуля, заметила, как переливается мой бойфренд? На солнце так всегда, не беспокойся...

Что Эдвард творит? Он специально обосновался в Форксе, где осадков выпадает больше, чем на всей территории Соединенных Штатов, чтобы выходить на улицу днем, не выдавая семейного секрета. А сейчас шествует ко мне с обворожительной улыбкой, словно на раскаленной площади больше никого нет.

Эх, почему на меня не распространяются его удивительные способности, почему мои мысли он не слышит отчетливо, как произнесенные вслух слова? Жаль, что не слышит он и предупреждения, которое я мысленно выкрикиваю.

Бросив испуганный взгляд на бабулю, я поняла, что снова опоздала: в глазах Мари тревога.

Эдвард, по-прежнему улыбаясь так, что мое сердце готово разорваться и выпрыгнуть из груди, обнял меня за плечи и посмотрел на старушку.

Однако Мари, вместо того чтобы ужаснуться, взглянула на меня робко, будто ожидая нагоняя. А поза... одна рука вытянута вперед и обнимает пустое пространство. Можно подумать, она держится за кого-то, кого-то невидимого...

Только потом, вблизи, я увидела вокруг бабули золотую раму и, по-прежнему ничего не понимая, протянула ей навстречу руку. Мари, словно копируя меня, сделала то же самое. Но наши пальцы не встретились, я коснулась холодного стекла.

Р-раз — и мой странный сон стал кошмаром.

Это не бабушка Мари.

В зеркале мое отражение. Это я — древняя, увядшая, морщинистая.

Эдвард в зеркале не отражался, хотя и стоял рядом, нестерпимо обворожительный и навсегда семнадцатилетний.

Красивые холодные губы прижались к моей щеке.

— С днем рождения! — прошептал он.

Я резко проснулась — глаза распахнулись, будто обладая собственной волей, — и вздохнула с облегчением. За окном вместо ослепительного солнца — до боли знакомый серый свет пасмурного утра.

«Это сон, — прошептала я, — просто сон, в какой-то степени пророческий», — и, не успев прийти в себя, чуть не подпрыгнула — зазвонил будильник.

Маленький календарь в углу дисплея сообщил: сегодня тринадцатое сентября, мой день рождения, мне исполнилось восемнадцать лет.

Этого дня я с содроганием ждала несколько месяцев.

Целое лето — самое счастливое в моей жизни, самое счастливое во всей истории человечества — унылая дата маячила на горизонте, предвкушая свой эффектный приход.

Теперь, когда этот день наконец настал, я чувствовала себя старой. Конечно, я старела ежесекундно, но сегодня старости придали некий официальный характер: мне исполнилось восемнадцать.

А вот Эдварду восемнадцать никогда не будет.

Посмотрев в большое зеркало ванной комнаты, я даже удивилась, не заметив перемен в лице. Разглядывая оливковую кожу, я пыталась обнаружить признаки первых морщин.

Это просто сон, напомнила себе я. Просто сон... а еще настоящий кошмар.

Чтобы скорее выбраться из дома, я пропустила завтрак. С папой мы все-таки столкнулись, так что целых пятнадцать минут я честно пыталась радоваться подаркам, которые просила не дарить, и чуть не плакала, вымучивая улыбку.

С трудом взяв себя в руки, поехала в школу. Лицо бабушки — о том, что это я, лучше не думать — не шло из головы. На душе было совсем скверно, пока я, припарковавшись на знакомой стоянке средней школы Форкса, не заметила Эдварда, застывшего у серебристого «вольво», словно мраморная статуя языческого бога. Так что сон всего лишь отражал реальность.

Отчаяние тут же сменилось удивлением. Мы встречались с Эдвардом целый год, а я все никак не могла поверить в свое счастье.

Рядом с братом стояла Элис Каллен.

На самом деле Элис с Эдвардом никакое родство не связывает (в Форксе считают, что их обоих усыновили доктор Карлайл Каллен и его жена Эсми, оба, вне всякого сомнения, слишком молодые, чтобы иметь детей подросткового возраста), но кожа у них одинаково бледная, в темных глазах тот же золотой отлив, и под ними круги, похожие на багровые синяки. Лица у брата с сестрой пугающе красивые; для посвященных, например для меня, поразительное сходство — отметина, указывающая на их сущность.

Увидев Элис — золотисто-карие глаза блестят от волнения, руки сжимают маленький серебристый сверток, — я нахмурилась. Говорила же: на день рождения не хочу ничего, абсолютно ничего: ни подарков, ни других знаков внимания. Похоже, меня никто не услышал...

Захлопнув дверцу старенького пикапа, я направилась к Калленам. Элис бросилась навстречу; ее бледное лицо эльфа так и сияло под задорным ежиком иссиня-черных волос.

— С днем рождения, Белла!

— Тш-ш! — прошипела я, с тревогой оглядываясь по сторонам: не дай бог, кто-нибудь услышит. Мне совсем не хотелось отмечать эту черную дату.

На мой хмурый вид девушка не обратила ни малейшего внимания.

— Откроешь подарок прямо сейчас или потом? — беззаботно спросила она, когда мы шли к Эдварду.

— Никаких подарков! — мрачно буркнула я.

Похоже, Элис наконец почувствовала, в каком я настроении.

— Ну, ладно... Тогда потом. Тебе понравился альбом, что прислала мама, и фотоаппарат от Чарли?

Я вздохнула: конечно, Элис знает про мои подарки — в этой семейке удивительные способности не только у Эдварда. Его сестра сразу «увидела» планы моих родителей.

— Да, очень!

— По-моему, здорово придумано! Восемнадцать бывает только раз в жизни, можешь документально запечатлеть день своего совершеннолетия!

— А сколько раз тебе было восемнадцать?

— Ну, я другое дело!

Эдвард совсем близко, вот он протянул руку. Я тотчас ее пожала, на мгновение забыв о своем унынии. Его кожа, как всегда, гладкая, упругая и очень холодная. Заглянув в тигриные, цвета жидких топазов глаза, я почувствовала, как судорожно сжалось сердце, а Эдвард, уловив мой бешеный пульс, снова улыбнулся.

Прохладные, как осеннее утро, пальцы очертили контур моих губ.

— Значит, я не имею права поздравить тебя с днем рождения?

— Ага, точно. — Копировать его безупречно поставленную, с паузами и логическими ударениями речь у меня никогда не получалось. Наверное, такой речи можно было научиться только в прошлом веке.

— Решил на всякий случай уточнить. — Каллен взъерошил бронзовую гриву. — Вдруг ты передумала? Людям, как правило, нравятся дни рождения и подарки.

Смех Элис напоминал звон серебряного колокольчика.

— Брось, Белла, тебе тоже понравится! Сегодня все будут потакать любому твоему желанию. Что плохого? — В устах девушки вопрос звучал как риторический.

— Возраст, — все-таки ответила я, и голос предательски дрогнул.

Губы Эдварда превратились в тонкую полоску.

— Восемнадцать — это немного, — заметила Элис. — Мне казалось, из-за таких проблем начинают волноваться после двадцати девяти.

— Немного, но больше, чем Эдварду, — пробормотала я.

Каллен вздохнул.

— Практически только на год, — как можно беззаботнее проговорила я.

Вообще-то... будь я уверена в желанном для меня будущем, уверена, что навсегда останусь с Эдвардом, Элис и остальными Калленами (хорошо бы не в облике сморщенной старухи), плюс-минус один год особой роли бы не сыграл. Но Эдвард категорически возражает против любого способного изменить мою сущность будущего, которое уподобит меня ему и сделает бессмертной.

Словом, тупик, как он сам часто говорит.

Если честно, его позицию я совсем не понимаю. Какие плюсы у смертности? Быть вампиром, по крайней мере таким, как Каллены, совсем неплохо.

— Когда будешь дома? — решив сменить тему, поинтересовалась Элис. Судя по выражению ее лица, она думает о том, чего я искренне надеюсь избежать.

— Разве я что-то запланировала?

— Да ладно тебе, Белла! — не выдержала сестра Эдварда. — Неужели испортишь нам все веселье?

— Мне казалось, день рождения проходит так, как желает именинник!

— Сразу после школы я ее заберу, — пообещал Каллен, начисто игнорируя мое присутствие.

— У меня ведь работа! — возразила я.

— Уже нет, — самодовольно заявила Элис. — Я договорилась с миссис Ньютон. Она меняется с тобой сменами и поздравляет с днем рождения.

— Н-не м-могу праздновать. — Заикаясь, я спешно придумывала отговорку. — Мне... «Ромео и Джульетту» для литературы нужно посмотреть.

— «Ромео и Джульетту» ты знаешь чуть ли не наизусть, — фыркнула девушка.

— Мистер Берти считает, что нужно обязательно увидеть постановку. Мол, шекспировское произведение задумывалось именно как зрелище.

Эдвард закатил глаза.

— Ты уже смотрела фильм! — напомнила Элис.

— Да, но современный, а не шестидесятых годов. По мнению мистера Берти, та экранизация — самая лучшая.

— Знаешь, милая, не мытьем, так катаньем, но ты... — разозлилась девушка, мгновенно потеряв всю самоуверенность.

— Успокойся, Элис, — прервал гневную тираду Каллен. — Раз Белла хочет, пусть смотрит фильм, это же ее день рождения.

— Вот именно, — вставила я.

— К семи я ее привезу, — продолжал Эдвард, — так что у тебя будет больше времени все приготовить.

— Да, здорово! — снова засмеялась Элис. — До вечера, Белла! Тебе понравится, вот увидишь!

Широко улыбнувшись, девушка обнажила ровные блестящие зубы и, прежде чем я успела ответить, чмокнула в щеку и упорхнула на первый урок.

— Эдвард, пожалуйста, — взмолилась я, но он прижал к моим губам прохладный палец.

— Обсудим позднее, на урок опаздываем!

Когда мы заняли свои обычные места на задней парте, никто не обратил на нас ни малейшего внимания (в этом году наши расписания совпадали почти полностью — это необыкновенное одолжение Эдвард сумел выжать из женской части школьной администрации), да и встречались мы слишком давно, чтобы быть объектом сплетен. Даже Майк Ньютон не удостаивал мрачным взглядом, который когда-то внушал мне чувство вины. Теперь он просто улыбался, а я радовалась, что парень наконец сможет стать мне другом. За лето Ньютон сильно изменился: вместо детской пухлости заметные скулы, вместо популярной «площадки» длинная светлая грива — этакий тщательно продуманный беспорядок. Нетрудно догадаться, кто был примером для подражания, однако образ Эдварда так просто не скопируешь.

Как же выяснить, что ждет меня вечером в доме Калленов? Плохо уже то, что придется праздновать, когда на душе настоящий траур, однако самое страшное — подарки и повышенное внимание.

От внимания (тут со мной согласится любой недотепа) вообще одни неприятности. Когда боишься опозориться, совсем не хочется, чтобы на тебя смотрели во все глаза.

Я ведь ясно дала понять, скорее даже приказала: в этом году никаких подарков!.. Увы, похоже, моим желанием пренебрегли не только Чарли с Рене.

С деньгами было не особенно густо, но я не беспокоилась. Рене вырастила меня на жалованье учительницы начальных классов, да и работа Чарли к роскоши не располагала — он начальник полиции в крошечном Форксе. На личные расходы я зарабатывала, три раза в неделю помогая в магазине спорттоваров. В таком городке, как Форкс, для старшеклассницы найти работу — большая удача, и практически каждый цент я откладывала на колледж. (Колледж был планом Б; вообще-то я возлагала огромные надежды на план А, однако Эдвард хотел оставить меня человеком...)

Вот у кого денег хоть отбавляй, столько, что и подумать страшно! Как и для всех Калленов, для Эдварда они не имели никакого значения. Ничего странного, если у тебя есть сестра, обладающая невероятной способностью предсказывать изменения на фондовом рынке. Эдвард не понимал, почему я не позволяю тратить на себя деньги: почему смущаюсь в самом дорогом ресторане Сиэтла, почему отказываюсь от машины, способной развивать скорость больше девяноста километров в час, или подготовительных курсов (естественно, план Б привел его в полный восторг). По мнению моего бойфренда, все это — пустые женские капризы.

Но как я могла что-то принимать, не имея возможности вернуть? По совершенно непостижимой причине Эдварду хотелось быть со мной, и все, чем он одаривал меня помимо этого, еще больше нарушало равновесие.

На протяжении дня ни Эдвард, ни Элис о празднике не заговаривали, так что я немного успокоилась.

Во время ленча мы, как обычно, заняли целый столик, и, как всегда, в нашей компании царило напряженное перемирие. Эдвард, Элис и я устроились с одной стороны, а поскольку старшие и самые грозные на вид Каллены (в первую очередь, конечно, Эмметт) школу закончили, мы были не одни. Мои друзья: Майк и Джессика (уже не влюбленные, но еще приятели), Бен и Анжела (их роман длился с весны), Эрик, Коннер, Тайлер и Лорен (последняя в категорию друзей не входила) — все сидели за тем же столом по другую сторону невидимой демаркационной линии. В редкие солнечные дни, когда Эдвард с Элис пропускали школу, воображаемая граница исчезала, и завязывался общий разговор, в котором я с удовольствием принимала участие.

Эдвард с Элис переносили этот своеобразный остракизм гораздо лучше, чем я, точнее, почти не замечали. В присутствии Калленов людям становилось неловко, даже страшно, по причине, которую они не могли объяснить. На меня это правило не распространялось. Порой Эдвард переживал, что мне с ним так хорошо: мол, он представляет опасность для моего здоровья, — а я это категорически отвергала.

Вторая половина дня пролетела быстро и незаметно. Уроки закончились, Эдвард, по обыкновению, проводил меня к пикапу, но почему-то открыл пассажирскую дверь. Наверное, на «вольво» уехала Элис, специально.

Сложив на груди руки, я даже не пошевелилась.

— Сегодня мой праздник, ты что, и за руль не пустишь?

— Как ты и хотела, я делаю вид, что день самый обычный.

— Раз самый обычный, зачем ехать к тебе домой?

— Ладно, договорились. — Захлопнув пассажирскую дверцу, Каллен открыл для меня водительскую. — С днем рождения!

— Тш-ш! — испуганно зашипела я и села в машину. Ну зачем он обиделся, лучше бы домой отвез!

Пока я выезжала со стоянки, Эдвард крутил ручки радио, неодобрительно качая головой.

— Приемник у тебя ужасный!

Я нахмурилась: терпеть не могу, когда он цепляется к пикапу. Лично я свой транспорт обожаю: у него есть характер!

— Хочешь новый приемник — води свою машину! — Настроение — швах, плюс я сильно переживала из-за планов Элис; в общем, мои слова прозвучали резче, чем хотелось.

Я так редко взрывалась при Эдварде, что мой сердитый тон вызвал лишь сдавленную улыбку.

Мы остановились у дома Чарли, и Каллен нежно прикоснулся ладонями к моему лицу. Умеет он сбить с меня спесь, сделать ранимой. Я чувствовала себя слабой, по крайней мере по сравнению с ним.

— Сегодня настроение у тебя должно быть просто замечательным, — прошептал Эдвард, шелестя свежим дыханием по моей коже.

— А если я не хочу? — буквально задыхаясь от страсти, упрямилась я.

— Очень жаль! — вспыхнули тигриные глаза.

Голова закружилась: Каллен притянул меня к себе и наши губы встретились. Поцелуй — словно глоток живительной прохлады; и наверняка в соответствии с его корыстным планом, я мгновенно забыла все проблемы. Боже, да я с трудом вспомнила, что нужно дышать!

Холодные как лед губы порхали над моими, пока, обняв Эдварда за шею, я не впилась в него более страстным, требовательным поцелуем. Каллен тут же отстранился, осторожно выбравшись из моих объятий.

Желая сохранить мне жизнь, он наложил на физическую сторону наших отношений многочисленные табу. Естественно, я понимала: от ядовитых, острых как бритва зубов нужно держаться подальше. Но когда я находилась в его объятиях, условности начисто вылетали из головы.

— Пожалуйста, будь умницей. — Он еще раз чмокнул меня в губы и, прежде чем отодвинуться, аккуратно положил мои руки на колени.

Бешеный пульс эхом отдавался в ушах, и я накрыла сердце ладонью. Боже, как боевой барабан!

— Это когда-то изменится? — спросила я, обращаясь в первую очередь к себе. — Сердце перестанет нестись галопом всякий раз, когда ты ко мне прикоснешься?

— Надеюсь, нет, — самодовольно отозвался Эдвард.

Я закатила глаза.

— Пошли смотреть, как рубятся Монтекки и Капулетти.

— Твое желание для меня закон.

Пока я вставляла диск и перематывала титры, Эдвард растянулся на диване, а когда присела на краешек, обнял за талию и притянул к себе. Грудь мускулистая и холодная, словно лед; конечно, не так удобно, как на диванной подушке, но для меня гораздо приятнее.

— Знаешь, Ромео мне вообще не нравится, — заявил он, когда начался фильм.

— А что с ним не так? — обиделась я. Ромео — мой любимый литературный герой. До встречи с Эдвардом именно о таком и мечтала.

— Ну, поначалу он крутит шашни с Розалиной — разве это не признак ветрености? А потом за несколько минут до свадьбы убивает двоюродного брата Джульетты — по-моему, не слишком умный поступок. Парень совершает ошибку за ошибкой; вернее способа разрушить свое счастье не придумаешь.

— Хочешь, чтобы я смотрела одна?

— Я все равно здесь сижу... — Его пальцы чертили на моем предплечье холодные узоры, от которых появилась гусиная кожа. — Плакать будешь?

— Если смотреть внимательно, то, скорее всего, да, — призналась я.

— Обещаю не отвлекать, — проговорил он, а сам легонько чмокнул в макушку — как тут не отвлечься?!

В конце концов удалось сосредоточиться на фильме, в основном благодаря Эдварду, шептавшему мне на ухо реплики Ромео. По сравнению с его серебряным баритоном голос актера казался сущим карканьем. К величайшему удивлению Каллена, я и правда рыдала, когда Джульетта обнаружила своего новоиспеченного супруга мертвым.

— Вот здесь я страшно ему завидую, — признался Эдвард, вытирая мне слезы моим же локоном.

— Она очень хорошенькая!

— Да не из-за девушки! — презрительно фыркнул Эдвард. — Из-за того, как легко он совершил самоубийство! Вам, смертным, вообще повезло: небольшой порции растительного экстракта достаточно...

— Что? — ахнула я.

— Ну, однажды я об этом думал, хотя по опыту Карлайла знал: дело нелегкое. Трудно сказать, сколько раз он пытался покончить с собой после того... после того, как понял, кем стал... — Бархатный голос омрачился, затем вновь просветлел. — А здоровье у него до сих пор отменное.

Я обернулась, чтобы заглянуть ему в глаза:

— Что ты имеешь в виду? Что значит «однажды об этом думал»?

— Прошлой весной, когда тебя... чуть не убили. — Эдвард глубоко вздохнул, с трудом возвращаясь к привычному насмешливому тону. — Разумеется, я надеялся найти тебя живой, однако в глубине души прикидывал и альтернативный план. Говорю же, для меня это куда сложнее, чем для людей.

На долю секунды услужливая память воскресила поездку в Финикс, и сразу стало не по себе. Я все видела с потрясающей четкостью: ослепительное солнце, раскаленный асфальт, по которому я неслась, разыскивая вампира, решившего замучить меня до смерти. Джеймс поджидал в зеркальной комнате, якобы удерживая в заложниках маму. Вернее, так думала я, не подозревая: все это — просто уловка, а Джеймс, в свою очередь, не подозревал, что мне на помощь спешит Эдвард. К счастью, он успел, едва-едва успел...

Совершенно бездумно мои пальцы коснулись серповидного шрама на запястье, который всегда был чуть холоднее, чем кожа.

Я покачала головой, пытаясь одновременно отрешиться от плохих воспоминаний и разобраться, что задумал Эдвард. Желудок болезненно сжался.

— Что еще за альтернативный план?

— Без тебя я жить не собирался, — сказал Каллен спокойно, будто это было прописной истиной. — Только как и что делать, понятия не имел. Само собой, Эмметт с Джаспером помогать бы не стали, вот я и подумал: может, направиться в Италию и каким-то образом спровоцировать Вольтури?

Даже слушать не хотелось, но золотисто-карие глаза затуманились и смотрели куда-то вдаль. Боже, да он замыслил самоубийство! Я была в ярости.

— Кто такие Вольтури?

— Такая семья, — пояснил Каллен, судя по голосу, по-прежнему размышляя о смерти.

Я едва сдерживалась.

— Очень старая и влиятельная семья, подобная нам. Наверное, в мире людей им ближе всего королевская династия. Одно время Карлайл жил с ними в Италии, до того как перебрался в Америку. Ты помнишь его историю?

— Да, конечно.

Никогда не забуду, как впервые попала в дом Калленов — огромный белый особняк в лесной глуши у самой реки — и в комнату, где у Карлайла, которого Эдвард по многим причинам считал отцом, была целая стена рисунков, отображающих его личную историю. Самое большое и яркое полотно относилось к его пребыванию в Италии. Конечно, я запомнила четверых мужчин с ангельски спокойными лицами, которые стояли на балконе над пестрой беснующейся толпой. Рисункам несколько веков, а белокурый ангел Карлайл совершенно не изменился. Трех остальных, его старых знакомых, я тоже не забыла. Значит, это Вольтури; мистер Каллен фамилию не упоминал, он назвал их Аро, Каем и Марком, ночными ангелами-хранителями науки и искусства...

— Так вот, Вольтури раздражать не рекомендуется, — неожиданно прервал мои мысли Эдвард. — Если, конечно, не хочешь умереть, или что там с нами происходит... — Бархатный голос такой спокойный, будто ему невыносимо скучно.

Мой гнев превратился в ужас, и я сжала мраморное лицо в ладонях.

— Никогда, никогда больше не говори ни о чем подобном! Что бы ни случилось со мной, ты не имеешь права причинять себе боль!

— Тобой я больше рисковать не намерен, так что и спорить не о чем!

— Рисковать мной?! Разве мы не договорились, что все беды из-за моей катастрофической невезучести? — С каждым словом я распалялась еще сильнее. — Не смей даже думать о таком! — При мысли о том, что после моей смерти Эдвард перестанет существовать, становилось невыносимо.

— Как бы в такой ситуации поступила ты?

— А случись нечто подобное с тобой, — смертельно побледнев, начала я, — ты бы захотел, чтобы я наложила на себя руки?

Прекрасное лицо исказила гримаса боли.

— Пожалуй, я понимаю... — признал Эдвард. — Отчасти... Но что мне без тебя делать?

— То же самое, что делал, прежде чем появилась я и усложнила твое существование.

— Можно подумать, все так просто... — вздохнул Каллен.

— Так и есть, а я — довольно неинтересная девушка.

Эдвард хотел возразить, но в последний момент передумал.

— Спорный вопрос. — Внезапно он сделал постное лицо и пересадил меня на диван, чтобы наши тела не соприкасались.

— Чарли? — догадалась я.

Каллен улыбнулся, и через секунду я услышала, как на подъездную аллею въехала патрульная машина. Я решительно взяла Эдварда за руку — ничего, папа переживет.

Вошел Чарли с большой коробкой пиццы в руках.

— Привет, ребята! — бодро прокричал он и хитро подмигнул мне. — Решил, что по случаю дня рождения тебя можно освободить от готовки и мытья посуды. Есть хотите?

— Конечно! Спасибо, папа!

Явное отсутствие аппетита у Эдварда отец деликатно оставил без внимания. Он привык, что мой бойфренд пропускает ужин.

— Разрешите похитить Беллу на остаток вечера? — спросил Эдвард, когда мы с папой расправились с пиццей.

Я с надеждой взглянула на Чарли. Вдруг он считает день рождения домашним праздником? Мы же впервые вместе отмечаем с тех пор, как мама вышла замуж и перебралась во Флориду, кто знает, какие у него привычки.

— Без проблем! Тем более сегодня бейсбол: «Чикаго уайт сокс» принимают «Сиэтл маринерс», — пояснил Чарли, и мои надежды рассыпались прахом. — Боюсь, со мной будет не очень весело. Вот! — Он схватил фотоаппарат, который выбрал по предложению Рене (нужно же чем-то заполнять ее альбом) и бросил мне.

Зря он так: у меня ведь с координацией проблемы. Выскользнув из рук, фотоаппарат полетел на пол. Эдвард поймал его в каких-то миллиметрах от линолеума.

— Отличная реакция! — похвалил Чарли. — Давай, Белла, как следует развлекись у Калленов и обязательно сфотографируйся. Ты же знаешь маму: фотографии ей нужны еще раньше, чем ты успеешь их сделать.

— Чудесная идея, Чарли! — воскликнул Эдвард, передавая мне фотоаппарат.

Повернув к нему объектив, я щелкнула затвором.

— Работает!

— Вот и отлично. Передай привет Элис, что-то она давно не заходила, — чуть заметно ухмыльнулся Чарли.

— Пап, прошло всего три дня! — Чарли обожает сестру Эдварда. Их «роман» начался весной, когда Элис помогала мне выздоравливать. Отец был страшно благодарен девушке за то, что спасла от настоящего ужаса: необходимости купать почти взрослую дочь. — Не беспокойся, передам.

— Ладно, ребята, веселитесь хорошенько! — Ясно, папе не терпится от нас отделаться, да он уже к гостиной пятится. Конечно, там же телевизор...

Торжествующе улыбнувшись, Эдвард повел меня с кухни.

У пикапа он снова открыл пассажирскую дверь, и на этот раз я не спорила: чуть заметный поворот к дому Калленов в темноте мне ни за что не найти.

Эдвард погнал на север, не скрывая досады на то, что доисторический «шевроле» не позволял развить приличную скорость. Чуть больше шестидесяти километров в час, и двигатель начинал обреченно стучать.

— Да хватит! — возмутилась я.

— Знаешь, что тебе подойдет? Маленькая «ауди-купе»! Быстрая, бесшумная, надежная.

— У меня отличный пикап, а что касается баснословно дорогих излишеств, не помню, чтобы ты тратился на подарки родственникам!

— Верно, ни цента! — подтвердил щедрый Эдвард.

— Вот так-то!

— Можешь кое-что для меня сделать?

— Смотря что.

Каллен вздохнул, и самое любимое на свете лицо посерьезнело.

— Белла, в нашей семье последний настоящий день рождения отмечал Эмметт аж в тысяча девятьсот тридцать пятом году. Так что будь любезна, не капризничай! Они так старались...

Когда Эдвард выгораживал семью, мне почему-то становилось немного страшно.

— Хорошо, буду паинькой.

— Наверное, стоит тебя предупредить...

— Да уж, пожалуйста.

— Они все очень волнуются... Все!

— Все? — сдавленно переспросила я. — А разве Эмметт с Розали не в Африке? — Жители Форкса думают, что брат с сестрой уехали в Дартмуртский колледж, но я-то знаю правду.

— Эмметту очень хотелось присутствовать.

— А... Розали?

— Ну, ты же понимаешь... Не волнуйся, она умеет держать себя в руках!

Я не ответила. Как не волноваться? В отличие от Элис, вторая «сестра» Эдварда, золотая блондинка Розали, не особенно меня жаловала. «Не жаловала» сказано довольно мягко; для изящной Розали я была незваной гостьей, без спросу проникшей в их тайный мир.

Я очень переживала, подозревая, что виновата в затянувшемся отсутствии родственников Эдварда. Не могу сказать, что мне не хватало надменной Розали, а вот по Эмметту, игривому медведю-гризли, я действительно скучаю. Мне всегда хотелось иметь старшего брата, ну, возможно, не такого устрашающего на вид.

Эдвард решил сменить тему:

— Раз на «ауди» ты не согласна, какой подарок примешь?

— Ты знаешь, что мне хочется, — чуть слышно прошептала я.

Мраморный лоб прорезали глубокие морщины: Каллен пожалел, что сменил тему.

Да, видимо, спорам сегодня не будет конца...

— Только не в такой день, Белла, пожалуйста!

— Ну, может, Элис уговорю.

Эдвард зарычал.

— Это не последний твой день рождения! — поклялся он.

— И где справедливость?

Неужели я слышала, как клацнули зубы?

Мы подъезжали к дому Калленов.

В окнах первых двух этажей горел яркий свет. У крыльца с карнизов свисали японские фонарики. Надо же, целая гирлянда, красноватыми отблесками играющая на стволах исполинских кедров. У парадной двери — цветы в больших вазах.

Розовые розы... Я застонала.

Пытаясь успокоиться, Эдвард набрал в грудь побольше воздуха.

— Это вечеринка, — напомнил он. — Расслабься.

— Хорошо, — пробормотала я.

Выбравшись из машины, Каллен протянул мне руку.

— Можно вопрос?

Эдвард настороженно ждал.

— Когда проявят пленку, — начала я, крутя в руках фотоаппарат, — ты на снимке будешь?

Он расхохотался, помог мне выйти, затащил на крыльцо и, продолжая веселиться, подтолкнул к двери.

Каллены ждали в просторной белой гостиной и, увидев меня, проскандировали: «С днем рождения, Белла!», а я, зардевшись, опустила глаза. Казалось, каждый квадратный сантиметр пола Элис заставила розовыми свечами и хрустальными вазами чуть ли не с сотней роз.

Рядом с роялем Эдварда — застланный белой скатертью стол, а на нем именинный пирог с малиновой глазурью, еще розы, высокая стопка тарелок и небольшая горка подарков в серебристой упаковочной бумаге.

Да, все в тысячу раз хуже, чем я предполагала.

Почувствовав мое настроение, Эдвард обнял меня и чмокнул в макушку.

Карлайл и Эсми — неправдоподобно молодые и обаятельные родители четверых детей — стояли ближе всех к двери. Эсми осторожно коснулась моего запястья, а когда целовала в лоб, карамельного цвета волосы скрыли нас от остальных шелковистым облаком. Через секунду на плечо легла твердая ладонь Карлайла.

— Прости, Белла, — прошептал доктор Каллен, — Элис невозможно было остановить.

Рядом с родителями поджидали Эмметт с Розали. Девушка, конечно, не улыбнулась, но и свирепым взглядом не обожгла. Крупный рот Эмметта растянулся в широкой ухмылке. Мы не виделись несколько месяцев, и я подзабыла, как обворожительна Розали, глаз не отвести. А Эмметт... Неужели он такой... здоровяк?

— Ты совсем не повзрослела! — с поддельным упреком воскликнул Эмметт. — Я-то надеялся заметить разительные перемены, а ты, как всегда, растрепанная и покрасневшая.

— Спасибо, Эмметт, — пробормотала я, краснея еще гуще.

Старший брат Эдварда хохотнул.

— Я выйду буквально на секунду, — объявил он и заговорщически подмигнул Элис. — Пока меня нет, не делай ничего смешного, ладно?

— Постараюсь.

Высокий светловолосый Джаспер остался у лестницы. За проведенные в Финиксе дни он так и не преодолел неприязнь ко мне и старался меня избегать — естественно, когда была не его очередь дежурить. Понятно, ничего личного, обычная предосторожность, и расстраиваться не стоит. К диете Калленов парень приспосабливался с бóльшим трудом, чем остальные. Запах человеческой крови преследовал Джаспера повсюду... да, вегетарианского опыта у него меньше!

— Пора открывать подарки, — объявила Элис, ледяной ладошкой взяла меня за локоть и повела к столу с тортом и блестящими свертками.

— Слушай, я ведь просила...

— А я пропустила мимо ушей! Открывай! — Забрав фотоаппарат, она вручила мне квадратную коробочку в серебристой упаковке.

Такая легкая, можно подумать, пустая... Судя по нарядной этикетке, подарок от Эмметта, Розали и Джаспера. Смущаясь, я порвала бумагу и бездумно уставилась на картонную коробку.

Название какой-то фирмы и множество цифр... Так, похоже на электронный прибор. Надеясь увидеть сверкающий дисплей, я приподняла крышку. Под ней... ничего!

— М-м-м, спасибо...

Надменные губы Розали изогнулись в улыбке.

— Автомагнитола! — прыснул Джаспер. — А Эмметт ее сейчас устанавливает, чтобы отрезать тебе пути к отступлению.

Наверняка идея Элис!

— Джаспер, Розали, спасибо огромное! — Я вспомнила нелестные комментарии Эдварда в адрес моего приемника. Теперь понимаю, он нарочно меня распалял. — Спасибо, Эмметт! — громко прокричала я.

С улицы послышалось что-то напоминающее раскаты грома: «старший брат» веселился вовсю.

— Теперь наш с Эдвардом!..

От восторга голос Элис стал похож на птичий клекот. В руках девушки был маленький квадратный сверток.

— Ты же обещал! — гневно взглянув на Эдварда, прошипела я.

Не дав младшему брату ответить, в гостиную с шумом ворвался Эмметт.

— Я как раз вовремя! — Он встал за Джаспером, который подошел ближе, чтобы как следует рассмотреть подарок.

— И доллара не потратил! — убирая с моего лица прядь, поклялся Эдвард. От прикосновения его пальцев по коже будто прошел электрический разряд.

Глубоко вздохнув, я повернулась к Элис:

— Ладно, давай!

Эмметт аж закудахтал от удовольствия.

Я взяла сверточек и, сделав большие глаза, дернула за ленту.

— Черт! — пробормотала я, когда бумага царапнула кожу. Из крошечного пореза вытекла капелька крови.

Дальше все произошло очень быстро.

— Не-ет! — прорычал Эдвард и бросился на меня, толкнув на красиво сервированный стол. Стол опрокинулся, цветы с тарелками полетели на пол. Я упала на крошево битого хрусталя.

Из груди белокурого вампира вырвался звук, похожий на утробное ворчание, и Джаспер протиснулся мимо моего бойфренда, клацнув зубами в каких-то сантиметрах от его лица.

В следующую секунду на Джаспера набросился Эмметт, сжал в стальных объятиях; тот отчаянно сопротивлялся, буравя меня глазами.

Кроме потрясения и ужаса, я чувствовала обжигающую боль. Казалось, в запястье впились тысячи голодных ос.

Сбитая с толку и перепуганная, я смотрела на алую кровь, что хлестала из руки, а подняв голову, увидела лихорадочные глаза шести внезапно проголодавшихся вампиров.

Глава вторая

ШРАМЫ

Карлайл был единственным, кто сохранил спокойствие. Голос его прозвучал невозмутимо и властно, видимо, сказались века работы в больнице:

— Эмметт, Роуз, выведите Джаспера из дома!

Кивнув, «старший брат» тотчас перестал улыбаться.

— Пойдем, Джаспер!

Пытаясь вырваться из железных объятий, молодой вампир клацал зубами, сверля брата неестественно пустыми глазами.

Эдвард, белее мела, прикрывал меня собой, готовый к любым нападениям. Челюсти его были стиснуты, в горле клокотал звериный рык. Боже, он что, совсем не дышит?

Прекрасное лицо Розали превратилось в самодовольную маску: встав перед Джаспером — на безопасном расстоянии от его зубов, — она помогла Эмметту вывести братца через стеклянную дверь, которую заботливо приоткрыла Эсми. Тонкая рука зажала рот и нос, красноречиво выражая отношение ко всему происходящему.

Судя по побелевшим губам миссис Каллен, ей было стыдно.

— Мне жаль, Белла, — чуть не плакала она, вместе со всеми выходя во двор.

— Эдвард, пусти меня к ней! — пробормотал Карлайл.

Секундное колебание — и парень медленно кивнул, позволив мне оторваться от пола.

Опустившись на колени, доктор Каллен осмотрел руку. Чувствуя, как лицо искажает гримаса боли, я изо всех сил держалась.

— Вот, возьми. — Элис протянула полотенце.

— В ране мелкие осколки, — покачал головой доктор Каллен, оторвал от крахмальной скатерти длинный лоскут и завязал на моем предплечье наподобие жгута. От запаха крови кружилась голова, в ушах звенело. — Белла! Отвезти тебя в больницу или обработаем рану здесь?

— Лучше здесь, — прошептала я. Попаду в больницу — проблем с Чарли не оберешься.

— Сейчас найду твой чемоданчик! — пообещала Элис.

— Давай перенесем ее на кухонный стол, — сказал сыну Карлайл.

Эдвард поднял меня словно пушинку, а доктор Каллен что есть силы сжимал предплечье.

— Как ты себя чувствуешь?

— Все в порядке. — Мой голос практически не дрожал, что не могло не радовать.

Лицо Эдварда застыло в непроницаемой маске.

Вернулась Элис с чемоданчиком Карлайла. Эдвард бережно усадил меня на стул, а доктор Каллен, опустившись рядом, не мешкая приступил к работе.

Мой бойфренд по-прежнему стоял неподалеку, хмурый и надежный, как скала.

— Эдвард, можешь отойти, — промолвила я.

— Ничего, справлюсь, — упрямился он, хотя его губы побледнели, а глаза полыхали от напряжения. Бороться с жаждой ему куда сложнее, чем остальным.

— Не надо геройствовать! Карлайл справится без твоего участия. Иди, подыши воздухом!

Я поморщилась: доктор Каллен чем-то обжег мою многострадальную руку.

— Лучше останусь...

— Ты что, мазохист?

— Эдвард, пока не поздно, найди Джаспера, — решил вмешаться Карлайл. — Наверное, он очень расстроен и в таком состоянии не будет слушать никого, кроме тебя.

— Да, — с жаром согласилась я, — сходи за Джаспером!

Эдвард презрительно сузил глаза: надо же, мол, вдвоем набросились, но потом кивнул и выскользнул из двери черного хода. Такое впечатление, что с момента, как я порезала палец, он ни разу не вздохнул.

Жгучая боль в руке постепенно уходила, однако время от времени напоминала, что рана все-таки есть. Может, отвлекусь, если удастся сосредоточиться на лице Карлайла? Вот он склонился над моим локтем, и золотистые волосы сверкнули в ярком свете лампы. Что-то обожгло руку — я старательно терпела. Нечего изображать кисейную барышню!

Не стой Элис все это время у меня перед глазами, я бы и не заметила, что она, не выдержав, выбралась из кухни. Смущенная улыбка — и девушка-эльф скользнула за дверь.

— Ну вот, всех распугала, — вздохнула я.

— Ты не виновата, — усмехнувшись, подбодрил меня Карлайл. — Такое могло случиться с кем угодно.

— Могло, — повторила я, — но случилось, как обычно, со мной.

Доктор Каллен снова усмехнулся.

Его невозмутимое спокойствие разительно контрастировало с реакцией остальных. На красивом лице ни тени волнения, движения быстрые, уверенные.

— Как вам это удается? — вырвалось у меня. — Даже Элис с Эсми... — Я не договорила, изумленно качая головой.

Все члены его семьи соблюдали необычную для вампиров диету с одинаковым тщанием, но только Карлайл вдыхал запах моей крови, не борясь с тайным соблазном. Конечно, на самом деле ему сложнее, чем кажется со стороны.

— Благодаря многолетней практике, — отозвался Карлайл. — Запах крови я практически не чувствую.

Пим! пим! пим! — падали на стол осколки, извлеченные из раны. Удивительно, сколько стекла в моей руке! Очень хотелось взглянуть на растущую горку но при моей склонности к тошноте это далеко не лучшая мысль.

— А почему вы так держитесь за больницу? — Во-первых, я не могла представить, сколько лет отец Эдварда боролся со своим естеством, чтобы так себя контролировать, а во-вторых, я надеялась, что беседа отвлечет от намечающейся в желудке революции.

Темные глаза Карлайла сохраняли безмятежное спокойствие.

— Хм-м, мне нравится, когда... Когда мои необыкновенные способности помогают больным, у которых иначе не было бы шанса. Приятно сознавать, что моя работа делает жизнь некоторых людей легче и лучше. Знаешь, обостренное обоняние порой позволяет ставить более точные диагнозы... — Сочные губы изогнулись в кривоватой полуулыбке.

Пока я обдумывала услышанное, доктор Каллен проверял, все ли осколки удалены. Потянулся к чемоданчику... Надеюсь, не за иголкой!

— По-моему, вы пытаетесь искупить то, что и виной не назовешь. — Я почувствовала, как рану снова засаднило. — Ну, у вас же все так не нарочно получилось... Вы не выбирали такую судьбу и тем не менее вынуждены лезть из кожи вон, чтобы быть хорошим.

— Я и не намерен что-то искупить или исправить, — покачал головой Карлайл. — Скорее, как все, стараюсь максимально использовать то, что есть.

— Вас послушать — никаких проблем...

Доктор снова осмотрел рану.

— Ну вот, готово. — Промокнув большую ватную палочку, с которой капала густая жидкость карамельного цвета, он обработал все порезы. «Карамель» пахнет немного странно, даже голова кружится, и сильно жжет.

— В самом начале, — допытывалась я, пока Карлайл накладывал повязку, — почему вы вдруг решили жить иначе, чем остальные?

Доктор Каллен усмехнулся:

— Разве Эдвард не рассказывал?

— Рассказывал, но я пытаюсь понять, как вы рассуждали.

Лицо доктора неожиданно посерьезнело: неужели мы с ним думаем о том же? Как поступлю я, когда — именно «когда», а не «если» — придет мое время?

— Мой отец был священником, — сложив инструменты, Карлайл протер поверхность стола влажной марлей, затем еще раз; едко запахло спиртом, — и придерживался довольно консервативных взглядов, которые лично у меня вызывали сомнения еще до того, как я начал меняться.

Доктор Каллен сложил использованные бинты и осколки на пустое блюдо. Я не сообразила зачем, даже когда он зажег спичку, но вот она полетела на проспиртованные повязки, и неожиданно яркое пламя заставило меня подпрыгнуть.

— Прости, — извинился Карлайл, — так нужно. В общем, я не принял слепую веру отца, хотя почти за четыреста лет со дня моего рождения ни разу не усомнился в существовании Бога. Сомнений не возникает, даже когда смотрюсь в зеркало и не вижу отражения.

Якобы разглядывая безупречно наложенную повязку, я тихонько удивлялась обороту, который приняла беседа. Вот уж не думала, что речь зайдет о религии! В моей собственной жизни веры не было. Чарли считал себя лютеранином, потому что именно к этой церкви принадлежали его родители, однако выходные предпочитал проводить на реке с удочкой в руках. Что касается Рене, она вспоминала о религии периодически в перерывах между теннисом, керамикой и французским, причем о маминых увлечениях я узнавала, когда она уже переключалась на что-то новое.

— Понимаю, странно слышать подобное от вампира, — ухмыльнулся доктор, походя произнеся слово, от которого у меня до сих пор холодок по спине бежал, — тем не менее я верю: в жизни каждого должна быть цель, даже у нас. Конечно, на многое рассчитывать не стоит, — беззаботно продолжал Карлайл, — по всем без исключения данным мы прокляты. Но я наивно надеюсь, что нам воздастся хотя бы за то, что мы старались.

— Ничего наивного не вижу, — пробормотала я. По-моему, никто, в том числе и Господь, не остался бы равнодушным к словам Карлайла. К тому же среди святых, которым я была согласна поклоняться, обязательно присутствовал бы Эдвард. — И со мной наверняка согласится подавляющее большинство.

— Вообще-то ты у меня первая союзница.

— Разве в семье с вами не солидарны? — спросила я, на деле интересуясь конкретным ее членом.

Карлайл догадался, о ком речь.

— Эдвард поддерживает меня — до определенной степени. Мол, Бог и рай существуют... так же, как и ад. Но в загробную жизнь для таких, как мы, он не верит. — Доктор Каллен говорил очень тихо, глядя через открытое окно в темноту. — Видишь ли, ему кажется, что душу мы утратили.

Тут же вспомнилось, что сказал Эдвард после школы: «Если, конечно, не хочешь умереть, или что там с нами происходит...» От перепада напряжения одна из ламп несколько раз мигнула.

— В этом все дело? — догадалась я. — Вот почему он из-за меня так упрямится...

— Смотрю на... сына, — спокойно продолжал Карлайл, — сила, ум и доброта горят в нем словно яркие звезды, многократно укрепляя мою веру и надежду. Почему на свете только один такой Эдвард? С другой стороны, если бы я мыслил так же, как он... — доктор Каллен буравил меня взглядом бездонных глаз, — если бы ты мыслила так же, как он, согласилась бы украсть его душу?

Ну что тут скажешь? Вот так вопрос... Спроси он, готова ли я отдать за Эдварда душу, — ответила бы не задумываясь, но ставить на карту *его* душу... Разве это равноценный обмен?

— По-моему, ты понимаешь, в чем дело...

Я покачала головой, осознавая, что веду себя как капризная девчонка.

Карлайл вздохнул.

— Решать мне! — настаивала я.

— И ему... — увидев, что я собралась спорить, мистер Каллен поднял руку, — если, конечно, превращение совершит он.

— Ну, такая возможность есть не только у Эдварда, — задумчиво напомнила я.

— Это уж на ваше усмотрение, — хохотнул доктор Каллен, а потом вздохнул. — Вот у меня полной уверенности нет: вроде бы всегда хотел, как лучше, но имел ли право обрекать на такое существование других?

Я не ответила, представив, какой была бы моя жизнь, не реши Карлайл покончить со своим одиночеством.

— Это мать Эдварда меня подвигла, — чуть слышно проговорил доктор Каллен, глядя куда-то вдаль.

— Его мать? — Каждый раз, когда заговаривали о родителях, Эдвард отвечал: они умерли так давно, что в памяти остались лишь смутные образы. А Карлайл, похоже, отлично их помнит, хотя и знал совсем недолго.

— Да, ее звали Элизабет, Элизабет Мейсен. Несмотря на все старания медиков, отец, Эдвард-старший, так в себя и не пришел. Он умер во время первой волны гриппа, а вот Элизабет оставалась в сознании до самого конца. Эдвард очень на нее похож: те же густые, с необычным бронзовым отливом волосы и зеленые глаза.

— У него были зеленые глаза? — переспросила я, пытаясь себе это представить.

— Да... — В золотисто-карем взгляде Карлайла светилась многовековая грусть. — Элизабет очень переживала за сына... Теряя последние силы, то и дело подходила к кроватке, чтобы проверить, как он. Я боялся, что мальчик умрет первым: он казался намного слабее матери. Однако смерть, стремительная и неумолимая, пришла за Элизабет. Случилось это вечером, когда я сменил работавших в первую смену докторов. Соблюдать условности было невыносимо сложно — столько работы, отдыхать совершенно не хотелось... До сих пор помню, с какой безысходностью я возвращался под утро домой и притворялся спящим, в то время как в больнице умирали десятки людей...

Итак, первым делом я решил проведать Элизабет с сыном. Я к ним привязался, что, учитывая слабость человеческого тела, делать не стоило. Увидев ее, я сразу понял: наступило ухудшение. Лихорадка набирала обороты, а обессилевшее тело сопротивляться не могло.

Впрочем, когда женщина оторвалась от колыбельки, силы в свирепом взгляде было предостаточно.

«Спасите его!» — приказала она хриплым голосом, на который еще было способно воспаленное горло.

«Сделаю все, что смогу», — пообещал я, взяв миссис Мейсен за руку. Из-за сильного жара моя рука ей холодной не показалась; думаю, ей все казалось холодным.

«Вы обязаны, — настаивала Элизабет, сжимая мою ладонь с такой решимостью, что появилась надежда: вдруг поправится? Глаза блестели, как драгоценные камни, как изумруды! — Вы должны подключить все свои способности! Дайте Эдварду то, что другие не могут!»

Я не на шутку перепугался: ее взгляд был так пронзителен, словно миссис Мейсен знала мой секрет. А потом лихорадка взяла свое: бедняжка умерла, не приходя в сознание, через час после того, как высказала свою странную просьбу.

Я уже несколько десятилетий мечтал завести друга, который знал бы меня настоящего, а не такого, каким я притворялся перед людьми. Но разве можно намеренно обрекать человека на подобное существование?

Эдвард умирал, ему осталось всего несколько часов. Малыш лежал рядом с мамой, чье лицо даже после смерти казалось встревоженным.

Века не властны над чудесной памятью доктора Карлайла: он воскрешал события с поразительной четкостью. Вместе с ним я увидела и почувствовала холодное отчаяние больницы и мрачное торжество смерти, горящего в лихорадке Эдварда, его тщедушное тельце, из которого стремительно уходила жизнь... Ужас! Я покачала головой, пытаясь избавиться от жуткого наваждения.

— В ушах звенели последние слова Элизабет. Откуда она узнала? Разве мать может желать для сына подобной участи? Я посмотрел на Эдварда: слабый, бледный, мучительно красивый. Лицо чистое, благородное... Именно о таком сыне я всегда мечтал.

После многолетних колебаний и нерешительности я просто поддался порыву. Коллеги не заметили, что мальчик дышит: в ту пору не хватало ни рук, ни глаз, чтобы и за половиной больных уследить. В морге не было никого... то есть никого из живых; я пронес его на чердак и по крышам — к себе домой.

Не зная, с чего начать, я вспоминал, как несколькими веками ранее в Лондоне ранили меня самого.

И с трудом решился. И все-таки о сделанном я не жалею: я ведь спас Эдварда...

Возвращаясь к настоящему, доктор Каллен покачал головой:

— Наверное, нужно отвезти тебя к отцу.

— Я сам отвезу, — заявил мой бойфренд, беззвучно появившись из столовой. Лицо безмятежное, но глаза... Эдвард явно что-то скрывает. Сердце в предчувствии сжалось.

— Лучше Карлайл. — Его рубашка вся была в кровавых пятнах, а правое плечо измазано розовой глазурью с торта.

— Я в порядке, — сухо произнес Эдвард, — а вот тебе нужно переодеться. У Чарли случится инфаркт, если увидит тебя такой. Скажу Элис, пусть принесет что-нибудь из одежды. — Каллен-младший решительно шагнул к двери.

— Он очень расстроен, — с тревогой взглянув на доктора, отметила я.

— Да. Сегодня случилось именно то, чего больше всего боится Эдвард: из-за наших естественных потребностей ты оказалась в опасности.

— Он не виноват.

— Ты тоже.

Я не хотела соглашаться с Карлайлом. Ну зачем он так грустно и понимающе смотрит на меня!

Протянув руку, доктор помог мне встать и повел в гостиную. Вернувшаяся Эсми протирала пол, судя по запаху, неразбавленным отбеливателем.

— Позвольте мне... — церемонно предложила я, чувствуя, что снова заливаюсь румянцем.

— Да я уже заканчиваю, — улыбнулась миссис Каллен. — Как ты?

— В порядке. Карлайл штопает раны быстрее, чем все мои предыдущие доктора.

Родители Эдварда засмеялись.

В гостиную вошли Элис с Эдвардом; девушка бросилась ко мне, а ее брат с непроницаемым лицом встал чуть поодаль.

— Пошли, — позвала Элис, — подберем что-нибудь поприличнее.

Оказывается, она уже нашла блузку Эсми практически того же оттенка, что и моя. Чарли в жизни не заметит подмену! Папа нередко видит меня в бинтах, надеюсь, не слишком удивится.

— Элис! — шепотом позвала я, заметив, что она направляется к двери.

— Да? — наклонив голову, негромко спросила девушка.

— Все очень плохо? — Шептала я, конечно же, напрасно: мы на втором этаже, дверь закрыта, но Эдвард все равно может услышать.

— Пока не знаю.

— Как Джаспер?

— Сильно расстроился. Это было испытанием прежде всего для него, а он не любит показывать слабость и проигрывать.

— Джаспер не виноват. Передай, что я ничуть на него не злюсь, ладно?

— Да, конечно.

Эдвард ждал у входной двери и, едва завидев нас на лестнице, тотчас ее открыл.

— Подарки возьми! — напомнила Элис, когда я робко подошла к ее брату. Я быстро собрала серебристые свертки, отыскала фотоаппарат и сунула в здоровую руку. — Спасибо скажешь потом, когда откроешь!

Эсми с Карлайлом пожелали мне доброй ночи, так же, как и я, украдкой поглядывая на подозрительно апатичного парня.

На улице было прохладно и свежо. Я поспешила прочь от японских фонариков и ваз с розами, которые отныне будут напоминать о неприятном инциденте. Эдвард молча шел рядом, затем открыл пассажирскую дверь, и я покорно села в машину.

Новую магнитолу украсили красным бантом; его пришлось сорвать и бросить на пол. Когда за руль сел Каллен, я поспешно спрятала злосчастную ленту под сиденье.

На подарок он даже не взглянул, и я не решилась опробовать радио. В гнетущей тишине мотор ревел оглушительно. Эдвард гнал по темной дороге с невероятной для моего пикапа скоростью.

Затянувшееся безмолвие сводило с ума.

— Скажи что-нибудь! — взмолилась я, когда мы свернули на шоссе.

— Что, например? — холодно спросил Каллен.

Зачем он так?!

— Скажи, что меня прощаешь!

Бесстрастное, словно маска, лицо на мгновение ожило, перекосившись от гнева.

— Прощаю? За что?

— Будь я аккуратнее, ничего бы не случилось.

— Белла, ты порезалась упаковочной бумагой — за такое на электрический стул не сажают.

— Все равно я виновата.

Мои слова будто прорвали невидимую плотину.

— Виновата? Представь, что случилось бы, порежь ты палец в доме Майка Ньютона перед Джессикой, Анжелой и другими нормальными друзьями! В худшем случае они не смогли бы правильно наложить повязку. Даже если бы ты просто споткнулась и упала — а не была в панике сбита с ног, — чем бы это грозило? Ну, по дороге в больницу могла перепачкать кровью сиденья... Пока накладывали швы, Майк Ньютон держал бы тебя за руку, а не боролся с желанием убить на месте. Белла, не перекладывай вину на себя, от этого мне только хуже.

— Каким образом в наш разговор попал Майк Ньютон?

— Майк Ньютон попал в наш разговор, потому что он, черт возьми, подходит тебе гораздо больше.

— Лучше умру, чем буду встречаться с Майком Ньютоном, — заявила я. — Лучше умру, чем буду встречаться с кем угодно, кроме тебя.

— Пожалуйста, только мелодрам не надо!

— А ты ерунду не говори!

Каллен не ответил, мрачно, без всякого выражения глядя в лобовое стекло.

Боже, ну как мне все исправить? Я ломала голову, но вот мы подъехали к дому, а на ум так ничего и не пришло. Эдвард заглушил мотор и сидел, судорожно сжав руль.

— Может, останешься? — спросила я.

— Мне нужно домой.

Больше всего на свете я боялась, что он впадет в депрессию.

— Ну, в честь моего дня рождения!

— Слушай, нельзя же и так и эдак: либо ты хочешь, чтобы окружающие игнорировали твой праздник, либо нет.

Голос звучал строго, но уже не так мрачно, как прежде, и из моей груди вырвался чуть слышный вздох облегчения.

— Ладно! Я не хочу, чтобы ты игнорировал мой праздник. Жду тебя наверху.

Выбравшись из машины, я обернулась, чтобы взять подарки.

— Не нравятся — не бери, — хмуро сказал Эдвард.

— Нравятся! — заявила я и подумала, что он, возможно, просто поддразнивает меня.

— Как же так? Карлайл с Эсми кучу денег потратили!

— Ничего, переживу. — Неловко зажав подарки в здоровой руке, я громко захлопнула дверцу. Доля секунды — и Эдвард стоял рядом.

— Может, хоть нести помогу? — забирая свертки, предложил он. — Давай, жду тебя в комнате.

— Спасибо, — улыбнулась я.

— С днем рождения! — вздохнул он и, наклонившись, прильнул к моим губам.

Я встала на носочки, чтобы поцелуй длился подольше, но Каллен отстранился. Его лицо озарила привычная кривоватая улыбка, и он исчез в темноте.

Бейсбол еще не кончился, и, не успев войти, я услышала, как диктор пытается перекричать ропот беснующихся трибун.

— Беллз! — позвал Чарли.

— Да, пап, я! — Нужно подойти поближе, а порезанную руку держать как можно естественнее. Любое движение причиняет жгучую боль: наверное, анестезия перестает действовать.

— Как все прошло? — Чарли развалился на диване, положив босые пятки на подлокотник. Вьющиеся каштановые волосы, вернее, то, что осталось от некогда густой шевелюры, с одной стороны примялось, словно блин.

— Эллис превзошла саму себя: цветы, свечи, торт, подарки, в общем, все как полагается.

— Что подарили?

— Стереоустановку в машину и еще кучу подарков, которые даже не вскрыла.

— Вау!

— Да уж, — кивнула я. — Ладно, пойду спать.

— Что с рукой?

Беззвучно выругавшись, я залилась краской.

— Ничего, поскользнулась.

— Белла! — вздохнув, покачал головой Чарли.

— Спокойной ночи, папа!

Я поспешила в спальню, где хранилась пижама для ночей вроде этой, и вместо заношенного до дыр флисового костюма кое-как втиснулась в просторные брюки-карго и подходящий по цвету топ. Рана ныла, я даже морщилась от боли. Одной рукой я ополоснула лицо, вычистила зубы и побежала в комнату.

Каллен сидел на кровати, лениво играя с одним из серебристых свертков.

— Привет! — без всякой радости проговорил он. Ну вот, депрессия...

Я подошла ближе, забрала подарки и уселась к нему на колени.

— Эй!.. — Я прильнула к каменной груди. — Можно открыть?

— Откуда такой энтузиазм?

— Сам заинтриговал!

Первым выбрала плоский длинный сверток, по всей вероятности, от Карлайла с Эсми.

— Лучше дай мне, — со вздохом предложил Каллен, стремительным движением сорвал серебристую обертку и протянул белую прямоугольную коробочку.

— Доверишь поднять крышку? — съязвила я.

Внутри был длинный картонный формуляр с огромным количеством мелко набранного текста. Пока сообразила, что к чему, прошло не менее минуты.

— Мы летим в Джексонвилл? — Плохого настроения как не бывало. Туристический ваучер на два авиабилета для нас с Эдвардом!

— Так и было задумано.

— Поверить не могу! Рене с ума сойдет! Слушай, а ты-то согласен? Там ведь солнечно, придется весь день сидеть взаперти.

— Постараюсь справиться, — нахмурился Эдвард. — Знал бы, какая будет реакция, заставил бы открыть подарок перед Карлайлом и Эсми. Мне почему-то казалось, что ты рассердишься.

— Ну, конечно, все это слишком, зато полетим вместе!

— Теперь жалею, что сам не купил подарок. Оказывается, здравый смысл у тебя все-таки присутствует.

Я отложила ваучер и, сгорая от любопытства, потянулась за его подарком. Однако распаковать мне его так и не позволили.

Доля секунды — и Каллен протянул подарочный футляр с серебристым диском внутри.

— Что это? — растерянно спросила я.

Эдвард молча забрал диск, вставил в плеер, пылившийся на прикроватной тумбочке, и нажал на воспроизведение.

Полилась музыка.

Я слушала с широко раскрытыми от изумления глазами. Эдвард явно ждал какой-то реакции, но язык не повиновался. Откуда ни возьмись, появились непрошеные слезы, их пришлось вытереть, пока не покатились по щекам.

— Рука болит? — с тревогой спросил Каллен.

— Нет, дело не в этом... Милый, музыка просто чудо, о лучшем подарке и мечтать нельзя. Даже не верится... — Я осеклась, вся обратившись в слух.

Это музыка Эдварда, композиции его собственного сочинения, а первой шла моя колыбельная.

— Ты ведь не позволила бы купить рояль, чтобы я мог играть прямо здесь?

— Конечно, нет!

— Как рука?

— В полном порядке!

На самом деле под повязкой будто пожар полыхал. Лед, мне срочно нужен лед! Ладонь Эдварда тоже подойдет, однако просить нельзя — сразу обо всем догадается.

— Сейчас принесу тайленол.

— Ничего не нужно, — возразила я, но Каллен пересадил меня на кровать и направился к двери.

— Чарли!.. — прошипела я.

Папа не подозревал, что мой бойфренд частенько остается ночевать. Узнай он об этом, у него инфаркт случится. Однако виноватой я себя не чувствовала: ничем предосудительным мы не занимались.

— Он меня не поймает, — пообещал Эдвард, беззвучно исчез за дверью и... вернулся еще раньше, чем она коснулась рамы, держа чистый стакан и упаковку тайленола.

Таблетки я выпила, не сказав ни слова: что толку спорить, если наверняка проиграю? Тем более рука с каждой секундой беспокоила все сильнее.

В комнате до сих пор звучала колыбельная: звуки мягкие, спокойные, умиротворяющие.

— Уже поздно, — заявил Эдвард. Р-раз — он сгреб меня в охапку, два — приподнял одеяло, три — уложил на кровать и заботливо укрыл. Сам лег рядом, но поверх одеяла, чтобы я не замерзла, и обнял.

Положив голову на его плечо, я счастливо улыбнулась:

— Спасибо...

— Не за что!

Мы долго молчали, а колыбельная тем временем кончилась, и зазвучала любимая песня Эсми.

— О чем думаешь? — шепотом спросила я.

— Ну... взвешиваю все «за» и «против», — после секундного колебания ответил он.

По спине побежали мурашки.

— Помнишь, я попросила не игнорировать мой день рождения? — Надеюсь, отвлекающий маневр был не слишком явным.

— Да, — осторожно проговорил Эдвард.

— Так вот, поскольку праздник еще не закончился, хочу, чтобы ты снова меня поцеловал.

— Ты сегодня такая жадная!

— Ну, если не хочешь, не надо себя заставлять, — съязвила я.

Хохотнув, Каллен тяжело вздохнул.

— Не дай бог мне себя заставлять! — с непонятным отчаянием проговорил он и, обняв за шею, прильнул ко мне.

Поцелуй начался как всегда: Эдвард соблюдал осторожность, а мое сердце неслось бешеным галопом. Однако потом что-то изменилось: его губы стали требовательнее и настойчивее, а руки, зарывшись в мои волосы, не давали отстраниться. Я и не желала, и, хотя, играя с бронзовыми прядками, фактически перешла дозволенные границы, он впервые не сказал «стоп». Через тонкое одеяло тело Эдварда казалось очень холодным, но я к нему так и льнула.

Вдруг все резко закончилось: ласковые и сильные руки Каллена просто держали меня на расстоянии.

Я откинулась на подушки: голова кружилась, как после американских горок, и мучили обрывки каких-то воспоминаний...

— Прости... — Господи, да у него тоже дыхание сбилось! — Я не имел права...

— Разве кто возражает? — Я буквально умирала от желания.

— Белла, постарайся заснуть, — нахмурился Эдвард.

— Нет, хочу еще один поцелуй!

— Похоже, ты переоцениваешь мои волевые качества.

— Что соблазнительнее: мое тело или моя кровь?

— Пожалуй, одинаково. — Усмехнувшись, он мгновенно посерьезнел. — Слушай, может, перестанешь испытывать судьбу и попытаешься заснуть?

— Договорились, — кивнула я, покрепче к нему прижимаясь. Сил в самом деле почти не осталось. Во многих отношениях день получился трудным, но, как ни странно, облегчения я не испытывала. Казалось, завтра будет еще хуже. Конечно, глупо: что может быть хуже, чем сегодня? Наверное, так с некоторым опозданием проявляется шок.

Я украдкой коснулась рукой плеча Каллена, чтобы прохладная кожа успокоила пылающий под повязкой пожар. М-м-м, сразу полегчало.

Уже засыпая, я наконец сообразила, о чем напомнил поцелуй. Весной, когда пришлось разделиться, чтобы сбить со следа Джеймса, Эдвард поцеловал меня, не зная, увидит ли снова. Его губы казались горько-сладкими, как и сегодня... Но почему, где связь? Содрогаясь, будто в предвкушении кошмара, я провалилась в забытье.

Глава третья

КОНЕЦ

Наутро я чувствовала себя просто ужасно. Естественно, не выспалась, рука пылала, голова раскалывалась. Еще хуже стало после того, как Эдвард, чмокнув меня в лоб, выскользнул в окно. Наверное, пока я спала, взвешивал свои «за» и «против»... От страха и волнения голова загудела еще сильнее.

Каллен, как всегда, ждал у школы. Лицо по-прежнему чужое, а глаза скрывали тайну, которую я не могла разгадать. Про вчерашнее говорить не хотелось, но вдруг, умолчав о своих тревогах, сделаю еще хуже?

Эдвард открыл дверцу пикапа:

— Как себя чувствуешь?

— Отлично, — соврала я и поморщилась: грохот захлопнувшейся дверцы безжалостно терзал уши.

Мы молча шли к школе: чтобы не обогнать меня, Каллену приходилось делать шаги в два раза короче обычных. Накопилась масса вопросов, однако большую часть придется задать позднее, потому что они предназначаются Элис. Как Джаспер вел себя утром? О чем они говорили после того, как Эдвард меня увез? Как держалась Розали? И самое главное: что показывают ее странные, порой обманчивые видения? Известно, почему брат погрузился в апатию? Есть ли причина у безотчетного страха, от которого мне никак не удается избавиться?

Казалось, утро никогда не кончится. Страшно хотелось увидеть Элис, хотя я понимала, что при Эдварде с ней поболтать не удастся. Он вел себя как чужой, лишь время от времени спрашивал, как рука.

На ленч подруга всегда приходила одной из первых: она ведь не такая копуша, как я! Но сегодня столик пустовал: ни Элис, ни подноса с едой, к которой она не притрагивалась.

Эдвард ее отсутствие никак не объяснил. Я решила было: ее класс задержали, однако тут увидела Коннера и Бена, у которых четвертым уроком тоже стоял французский.

— Где Элис? — с тревогой спросила я Каллена.

Золотистые глаза сосредоточились на батончике мюсли, который он крошил пальцами.

— С Джаспером.

— С ним все в порядке?

— Некоторое время будет отсутствовать.

— Что? Куда направился Джаспер?

— Да так...

— И Элис, значит, тоже, — с безысходностью прошептала я.

— Да, сестра на время отлучилась. Убедила Джаспера поехать в Денали.

В Денали жила еще одна необычная семья вампиров — дружелюбных «вегетарианцев», вроде Калленов. Таня и ее родственники — я то и дело о них слышала. Прошлой зимой, когда мое появление сделало Форкс небезопасным, Эдвард сам их навещал. Там же нашел пристанище Лоран — самый цивилизованный из спутников Джеймса, вместо того чтобы вместе с ним выступить против Карлайла. В общем, неудивительно, что Элис решила отвезти Джаспера в Денали.

Нервно сглотнув, я пыталась избавиться от образовавшегося в горле комка. Чувство вины сутулило плечи и не давало поднять глаза. Боже, из-за меня они сорвались с насиженного места! Я как чума, самая настоящая чума...

— Рука болит? — заботливо спросил Каллен.

— Кого волнует чертова рука? — раздраженно пробормотала я.

Он не ответил, и я закрыла лицо руками.

К концу дня молчание стало просто нелепым. Нарушать его не хотелось, но, похоже, выбора не было, если, конечно, я рассчитываю продолжить общение с Эдвардом.

— Приедешь вечером? — поинтересовалась я, когда он молча провожал меня до пикапа.

— Вечером?

Хорошо хоть удивился!

— Я же работаю! Мы с миссис Ньютон поменялись сменами, чтобы освободить вчерашний день.

— Ах да... — пробормотал Эдвард.

— Так приедешь, когда я вернусь домой? — Я очень боялась, что нет.

— Если хочешь.

— Конечно, хочу, как всегда! — напомнила я, пожалуй, даже с чрезмерным пылом.

Надеялась, он засмеется, улыбнется... хоть както отреагирует.

— Ну, тогда ладно, — равнодушно проговорил Каллен, чмокнул в щеку, захлопнул дверцу и грациозно, как танцор, зашагал к своему «вольво».

Отчаянно борясь с паникой, я выехала со стоянки.

Время, Эдварду просто нужно время. Может, он грустит, потому что семья разъезжается? Но ведь Элис с Джаспером скоро вернутся, и Эмметт с Розали тоже. Если нужно, близко не подойду к белому дому у реки, ноги моей там не будет. Это совсем не важно: с Элис мы будем в школе видеться. Она ведь вернется в школу, верно? Да и к нам домой постоянно заходит... Она же не разобьет сердце Чарли, неожиданно перестав навещать?!

По Карлайлу тоже скучать не придется: в операционную я попадаю с завидной регулярностью. Если разобраться, вчера вечером ничего страшного не произошло. Все в полном порядке... Подумаешь, упала! Со мной такое происходит сплошь и рядом. Пустяк по сравнению с тем, что случилось весной. Джеймс тогда высосал все силы, я чуть не умерла от кровопотери, и все-таки бесконечные недели в больнице Эдвард переносил куда лучше, чем нынешнюю ситуацию. Может, потому, что на этот раз пришлось бороться не с врагом, а со сводным братом?

А что, если мы уедем? Тогда его семья не будет распадаться... Как представила нашу совместную жизнь, на душе тотчас полегчало. Продержаться бы до конца учебного года — тогда и Чарли помешать не сможет. Поступим вместе в колледж... или притворимся, как сделали Эмметт и Розали. Эдвард подождет... Что для бессмертного год? Это и для меня недолго.

Почти спокойная, я заглушила двигатель и выбралась из пикапа. Майк Ньютон сегодня приехал первым и, увидев меня, помахал рукой. Взяв форменный жилет, я рассеянно кивнула: перед глазами до сих пор мелькали соблазнительные картинки жизни с Эдвардом в разных экзотических местах.

— Как день рождения? — прервал сладкие грезы Майк.

— Ну-у, — протянула я, — хорошо, что все позади.

Ньютон посмотрел на меня как на ненормальную.

Смена тянулась скучно и медленно. Страшно хотелось увидеть Эдварда. Боже, только бы он справился с тем, что его терзает! «Все в порядке, все в полном порядке, — словно мантру повторяла про себя я. — Все наладится».

Вечером, свернув к дому Чарли, я увидела серебристый «вольво». Волны облегчения накрыли с головой, даже неловко стало.

— Папа! Эдвард! — закричала я, открывая входную дверь. Из гостиной доносились характерные звуки спортивного канала.

— Мы здесь! — отозвался Чарли.

Повесив плащ, я поспешила на голос.

Эдвард — в кресле, отец — на диване, глаза обоих прикованы к телевизору. Для Чарли вполне обычно, а вот для Каллена...

— Привет! — неуверенно проговорила я.

— Привет, Белла! — даже не взглянув на меня, отозвался папа. — Мы только что перекусили холодной пиццей, по-моему, еще осталось.

— Угу... — Я остановилась у двери.

Наконец Эдвард обернулся: на губах вежливая улыбка.

— Сейчас приду, — пообещал он и снова приклеился к телевизору.

Не зная, на что решиться, я прождала целую минуту. Меня не замечали. Что-то подозрительно похожее на панику стальным обручем сжало грудь. Ладно, пойду на кухню.

Пицца меня не интересовала. Устроившись на любимом стуле, я подтянула колени к груди.

Случилось нечто ужасное, я чувствую это. Из гостиной доносился шум трибун и добродушное подшучивание комментатора.

Нужно успокоиться и взять себя в руки. «Какая самая страшная из всех бед?» — содрогаясь, думала я. Нет, вопрос неправильный. У меня от страха сбилось дыхание.

«Какая самая страшная из всех бед, что я смогу пережить?» Эта версия тоже не нравилась, хотя некоторые варианты ответов я уже обдумала.

Разрыв с Калленами. Элис, конечно, в этом участвовать не станет, но, не встречаясь с Джаспером, я и ее буду видеть реже. Ладно, это точно смогу пережить.

Отъезд. Вдруг Эдвард не захочет дожидаться окончания учебного года и уезжать придется сейчас?

Передо мной на столе подарки Чарли и Рене — там же, где я их оставила: фотоаппарат, который у Калленов я так и не опробовала, альбом... Я погладила декоративную обложку и вздохнула. Мама... Мы уже год живем порознь, но от этого смириться с полным разрывом ничуть не легче. А Чарли останется совсем один... Да, для папы с мамой это будет настоящий удар!

Но ведь мы вернемся? И конечно же, будем приезжать в гости?

Кто знает...

Прижавшись щекой к колену, я смотрела на материальное воплощение родительской любви. Конечно, избранный мной путь легким быть не мог, да и накручивать себя ни к чему — это крайность, наихудший из возможных сценариев.

Машинально я открыла альбом. А что, запечатлеть мое пребывание в Форксе не такая уж плохая идея. Не терпелось взяться за дело: кто знает, сколько времени осталось провести в этом городке?

Взяв фотоаппарат, я вдруг вспомнила первый снимок. Интересно, он получится близким к... хм... оригиналу? Сомневаюсь! Хотя, по-моему, Эдварда это не особо волнует. Вспомнив его беззаботный смех, я улыбнулась, а потом улыбаться расхотелось: столько всего изменилось, и так внезапно! Я будто застыла на краю бездонной пропасти...

Все, не могу больше об этом думать! Прихватив фотоаппарат, я понеслась на второй этаж.

За семнадцать лет, что прошли с маминого отъезда, моя комната практически не изменилась: те же бледно-голубые стены и желтоватые занавески. Правда, место колыбели заняла кровать, но Рене узнала бы небрежно брошенное на матрас одеяло — его давным-давно подарила бабушка.

Я решила сфотографировать комнату. На улице темнело, а странное желание с каждой секундой становилось все настойчивее. Итак, до отъезда зафиксирую на пленке весь Форкс!

Чувствовалось: грядут перемены. Ощущение не из приятных, но ведь жизнь вообще трудная штука.

Нарочно растягивая время, я вернулась на лестницу. Даже под ложечкой засосало: боже, только бы не видеть в глазах Каллена ледяную отчужденность! Наверняка сейчас заявит, что пора уезжать... А я не буду капризничать, ни слова не скажу, потому что к такому повороту событий давно готова.

Я прокралась с фотоаппаратом в гостиную. Казалось, Эдварда невозможно застигнуть врасплох, — а он даже глаз не поднял. По спине пробежал предательский холодок, но я быстро взяла себя в руки и сделала снимок.

Лишь тогда на меня обратили внимание: папа нахмурился.

— Белла, зачем? — с упреком спросил Чарли.

— Да ладно тебе! — Растянув губы в улыбке, я опустилась на пол перед диваном. — Сам знаешь, мама будет звонить и интересоваться, пользуюсь ли я подарками. Обижать ее не хочется, значит, пора браться за работу!

— Но меня-то зачем снимать?

— Потому что ты такой красавчик! — беззаботно отозвалась я.

Чарли пробормотал что-то нечленораздельное.

— Эй, Эдвард, — с восхитительным спокойствием и равнодушием позвала я, — щелкни меня с папой!

Бросив ему фотоаппарат, я опустилась на диван рядом с Чарли.

— Улыбнись, Белла! — шепотом попросил папа.

Я сделала счастливое лицо, и гостиную озарила яркая вспышка.

— Давайте теперь я вас вдвоем, — предложил Чарли. Понятно, пытается отвести от себя объектив!

Фотоаппарат полетел к отцу.

Я встала рядом с Эдвардом, принимая формальную и столь необычную для себя позу. Каллен меня обнял, а я прильнула к его груди. Хотелось заглянуть в золотисто-карие глаза, только смелости не хватило.

— Белла, давай повеселее! — напомнил папа.

Набрав в легкие побольше воздуха, я растянула губы в улыбке. Вспышка меня ослепила.

— Хватит на сегодня снимков, — заявил папа, пряча фотоаппарат среди диванных подушек. — Необязательно использовать целую пленку.

Эдвард тотчас вырвался из объятий и уже через секунду вновь сидел в кресле.

Умирая от страха, я опустилась на диван. Руки тряслись; зажав их между коленями, я подняла к телевизору невидящие глаза. Пока матч не кончился, я даже пошевелиться боялась, а потом краем глаза заметила: Эдвард встал.

— Мне пора, — объявил он.

— Ладно, пока, — не отрываясь от рекламы, пробормотал Чарли.

Я неловко поднялась — от долгого сидения затекли ноги — и вслед за Эдвардом двинулась к двери. Каллен, не останавливаясь, прошел к машине.

— Не останешься? — безнадежно спросила я.

Предугадать ответ было несложно, поэтому особой боли он не причинил.

— Не сегодня.

Пожалуй, причину лучше не выяснять...

Эдвард сел в машину и уехал, а я не могла пошевелиться, будто примерзла к подъездной дорожке. Начался дождь, а я все ждала, сама не зная чего, пока за спиной не открылась дверь.

— Беллз, ты что тут делаешь? — спросил Чарли.

— Ничего. — Обернувшись, я побрела в дом.

Той ночью наконец удалось выспаться.

Едва за окнами забрезжил свет, я проснулась, механически собралась в школу и терпеливо ждала, пока тучи из свинцовых не стали серыми. Когда доела корнфлекс, скупых лучей солнца для фотосъемок было вполне достаточно. Я сняла пикап, фасад дома, а затем, повернувшись к нему спиной, лесную опушку. Удивительно, но лес уже не казался зловещим; напротив, я поняла, что буду скучать по зелени, вековым тайнам, прохладе — всему, что так или иначе с ним связано.

Захватив фотоаппарат в школу, я старалась думать о своем новом хобби, а не о том, справился ли Эдвард с депрессией.

Помимо страха родилась тревога: как долго все это будет продолжаться?

В первой половине дня ничего не изменилось: Каллен следовал за мной словно тень, но не заговаривал и в глаза не смотрел. Я попыталась сосредоточиться на уроках, однако витала в облаках даже на любимой литературе. Мистеру Берти пришлось дважды повторить вопрос о Капулетти, прежде чем я поняла, что он обращается ко мне. Эдвард подсказал правильный ответ и снова отдался необъяснимой депрессии.

Во время ленча молчание продолжалось. Все — еще чемного и я закричу! Чтобы отвлечься, я пересекла невидимую демаркационную линию и заговорила с Джессикой:

— Эй, Джесс, не поможешь?

— А что такое?

— Ну... — я полезла в рюкзак, — мама хочет увидеть фотографии моих друзей. Сними всех, кто сидит за столиком ладно?

— Да, конечно, — ухмыльнулась девушка, взяла фотоаппарат и уже через секунду щелкнула Майка с набитым ртом.

Все, классные фотографии гарантированы! На моих глазах одноклассники чуть не дрались из-за подарка Чарли, кокетничали, прихорашивались. Надо же, как дети! Или дело в моем настроении? Обычные шутки воспринимать разучилась!

— Ой-ой! — возвращая фотоаппарат, покачала головой Джессика. — Мы почти всю пленку истратили.

— Ничего страшного, я специально кадры оставила.

После уроков Эдвард проводил меня на стоянку.

По дороге в магазин я оставила пленку в фотолаборатории, а вечером забрала готовые снимки. Вернувшись домой, чмокнула в щеку Чарли и понесла коричневый пакет с фотографиями к себе в комнату.

Опустившись на кровать, я с любопытством и некоторой опаской разорвала плотную бумагу. Почти уверенная: первый кадр будет пустым.

Достав снимок, я громко ахнула: Эдвард, не менее красивый, чем в жизни, смотрел на меня теплым золотым взглядом. Боже, ну как можно быть таким.. непостижимо прекрасным?! Сотни тысяч слов не хватит, чтобы описать любимое лицо!

Быстро просмотрев остальные снимки, я отложила три на прикроватную тумбочку.

Первый — портрет Каллена, он сидит на кухне и смотрит в объектив с мягким, всепрощающим изумлением. На втором они с Чарли следят за бейсбольным матчем. Господи, как он изменился: в глазах опасение, тревога, настороженность. Мой любимый по-прежнему обворожителен, но красота эта холодная, безжизненная, как у статуи.

На третьей — мы с Эдвардом в заштампованно-формальной позе. В глазах у него ни света, ни тепла; а самое ужасное — колоссальная, невооруженным глазом заметная разница между нами. Он настоящий бог, я воплощение заурядности, серость и посредственность, причем до обидного непривлекательная. Не сдержавшись, я швырнула фотографию на пол.

Вместо домашнего задания я занялась заполнением альбома: раскладывала снимки и аккуратно надписывала имена и даты. Дойдя до нашего совместного снимка, недолго думая, согнула его пополам и заправила в металлический уголок так, чтобы было видно только Эдварда.

Закончив, я упаковала второй набор снимков в чистый конверт и написала длинное благодарственное письмо Рене.

Эдвард не появился... Когда в последний раз он оставлял меня одну, вот так, без предупреждения?

Выспаться не удалось.

В школе царила гнетущая тишина, к которой за последние два дня я начала понемногу привыкать. Увидев ждущего на стоянке Эдварда, я было обрадовалась, а потом сникла: лицо по-прежнему чужое.

С чего все началось, уже и не вспомнить: день рождения-то давно отгремел... Только бы Элис вернулась! Скорее, пока все не зашло слишком далеко...

Хотя рассчитывать на нее не стоит. Значит, так: если сегодня не поговорим, по-настоящему не поговорим, завтра поеду к Карлайлу. Сил нет сидеть и ждать неизвестно чего.

После уроков обязательно все выясню, хватит, больше никаких отговорок!

Мы вместе шли к пикапу, и я собиралась с духом, чтобы выполнить задуманное.

— Можно я к тебе приеду? — опередив меня, спросил Каллен.

— Да, конечно.

— Прямо сейчас? — уточнил он, открывая передо мной дверцу

— Естественно. — Я старалась говорить спокойно, но настойчивость Эдварда казалась подозрительной. — Только по дороге заскочу на почту, отправлю письмо Рене.

Золотисто-карие глаза метнулись к пухлому конверту, что лежал на пассажирском сиденье, а проворные пальцы ловко его схватили.

— Лучше я сам отправлю, — тихо предложил он. — Все равно быстрее тебя приеду. — На губах заиграла моя любимая кривая улыбка, однако глаза остались холодными и настороженными.

— Ладно, — не в силах ответить на улыбку согласилась я.

Каллен захлопнул дверцу и зашагал к «вольво».

Эдвард в самом деле меня опередил. Когда свернула к дому Чарли, серебристая машина уже стояла на подъездной дорожке. Плохой знак: видимо, на ночь он не останется. Покачав головой, я сделала несколько глубоких вдохов: нужно собрать всю свою отвагу.

Каллен вышел из машины одновременно со мной и зашагал навстречу. Протянув руку, забрал у меня рюкзак. Это вполне нормально, только зачем бросать его на заднее сиденье?

— Пойдем прогуляемся, — бесцветным голосом произнес он.

«Не к добру все это, ой не к добру», — заявил мой внутренний голос.

Не дождавшись ответа, Эдвард потащил меня через двор к лесной опушке. Я неохотно послушалась: страх парализует мозги, но думать-то надо! Вроде бы именно об этом и мечтала, мечтала прояснить ситуацию раз и навсегда.

Так откуда паника?

Несколько шагов в сторону леса, и Эдвард остановился. Раз видно дом, значит, мы еще даже на тропу не вышли.

Вот и вся прогулка.

Прислонившись к дереву, Каллен пронзил меня пустым, ничего не выражающим взглядом.

— Ладно, давай поговорим, — храбрилась я.

Эдвард тяжело вздохнул:

— Белла, мы уезжаем.

Теперь пришла моя очередь вздыхать. Что же, вариант вполне приемлемый, я к нему готова.

— Почему сейчас? Еще один год...

— Белла, время пришло. Да и вообще, сколько можно сидеть в Форксе? Карлайл с трудом на тридцатилетнего тянет, а утверждает, что ему тридцать три. Все равно пришлось бы трогаться...

Честно говоря, ответ меня смутил. Я ведь собралась уезжать для того, чтобы оставить в покое Калленов. Раз они сами покидают Форкс, зачем нам сниматься с места? Я непонимающе смотрела на Эдварда.

Любимые глаза холодно блеснули, и у меня земля ушла из-под ног: вот в чем дело...

— «Мы» означает... — шепотом начала я.

— Мою семью и меня, — лишая последней надежды, отчеканил Каллен.

Пытаясь сосредоточиться, я качала головой туда-сюда, словно китайский болванчик. Дар речи вернулся лишь через несколько минут.

— Ладно, я поеду с вами.

— Нет... Там, куда мы отправляемся, людям не место.

— Мое место рядом с тобой.

— Белла, я тебе не пара.

— Чепуха! — Вопреки ожиданиям, мой голос звучал не нервно, а умоляюще. — Ты самое лучшее, что есть в моей жизни.

— Наш мир тебе не подходит.

— Инцидент с Джаспером — ерунда, самая настоящая ерунда!

— Да, верно, чего-то подобного и стоило ожидать.

— Ты же обещал! Помнишь, в Финиксе обещал не бросать...

— Пока тебе это на пользу, — перебив меня, поправил Эдвард.

— Нет! Это из-за моей души, верно? — брызгала слюной я, но в голосе по-прежнему слышалась мольба. — Карлайл объяснил, и мне все равно. Да, представь, все равно! Моя душа принадлежит тебе... И сердце, и жизнь!

Набрав в легкие побольше воздуха, Эдвард целую минуту сверлил землю невидящим взглядом. Губы скривила чуть заметная ухмылка. Когда он посмотрел на меня, в глазах вместо золотого сияния появился холодный зимний блеск.

— Белла, я не хочу, чтобы ты со мной ехала, — с расстановкой четко проговорил он, глядя на меня ледяными глазами.

Несколько раз повторив про себя его слова, я постепенно усвоила их смысл.

— Ты... не хочешь... меня... знать? — выдавила я. Боже, какой ужасный вопрос!

— Да.

Я непонимающе смотрела на Эдварда, а он без тени смущения — на меня. Его глаза как топазы, жесткие, прозрачные, бездонные. Утопая в их ледяной глубине, я нигде не видела опровержения тому, что он сказал.

— Ну, это все меняет... — Удивительно, мой голос звучит спокойно и рассудительно... Наверное, все дело в шоке сознание отказывается воспринимать слова.

Каллен нерешительно взглянул на деревья.

- Конечно я всегда буду любить тебя... По-дружески... Но то что произошло в твой день рождения, доказывает: пришло время перемен. Потому что я... устал притворяться. Белла, я не человек! — Он отвел глаза, и ледяные черты его лица действительно показались нечеловеческими. — Прости. что я позволил нашим отношениям зайти слишком далеко.

— Пожалуйста, не делай этого... — Мой голос превратился в чуть слышный шепот; страшная правда постепенно проникала в сознание, разъедая его, словно кислота.

Каллен, не мигая, смотрел на меня, в безжалостных глазах я прочла приговор. Ничего не поможет. он уже принял решение.

— Белла, ты мне не пара. — Он перекроил произнесенную раньше фразу, чтобы мне было нечего возразить. Я же прекрасно понимаю, что недостаточно хороша для Эдварда Каллена.

Я открыла рот, потом безвольно закрыла. Эдвард терпеливо ждал: на красивом лице ни следа эмоций. Нужно попробовать снова.

— Если... если ты правда так хочешь...

Каллен коротко кивнул.

По телу расползалось оцепенение, я даже шею не чувствовала.

— Если можно, я бы хотел попросить об одолжении.

Вероятно, Каллен что-то уловил в моем взгляде, потому что ледяные черты на секунду потеплели. Однако не успела я оценить ситуацию, как он снова надел маску.

— Да, конечно! — воскликнула я чуть окрепшим голосом.

В долю секунды все изменилось: лед растаял, замерзшие топазы закипели, увлекая в обжигающий водоворот.

— Не смей творить глупости! Поняла?

Я бессильно кивнула.

Топазы остыли, на лицо снова легла отчужденность.

— В первую очередь я думаю о Чарли. Ты единственный близкий ему человек. Береги себя хотя бы ради него.

— Хорошо, — механически кивнув, прошептала я.

Каллен немного успокоился.

— Я тоже кое-что пообещаю. Обещаю, что это наша последняя встреча. Я не вернусь и страданий тебе больше не причиню. Ты сможешь жить полноценной жизнью, будто никогда меня не знала.

Наверное, колени у меня задрожали, потому что деревья вдруг начали раскачиваться. В висках громко стучала кровь, а голос Эдварда с каждой секундой звучал все тише.

— Не переживай. Ты человек, а память у вас словно сито. Время залечит все раны...

— А как с твоими воспоминаниями? — прохрипела я. Казалось, в горле что-то застряло и мешает дышать.

— Ну... — на секунду Эдвард запнулся, — я-то, конечно, не забуду. Но мне подобные... мы умеем отвлекаться. Ладно, — он отступил к чаще, — мы тебя больше не побеспокоим.

«Мы», почему он сказал «мы»? Странно, что я вообще заметила это в таком состоянии!

Ясно, Элис не вернется. Удивительно, что Эдвард услышал мои слова, вслух-то я их не произнесла.

Внимательно за мной наблюдая, Каллен покачал головой:

— Нет, они ушли. Остался один я, чтобы попрощаться.

— Элис тоже ушла? — бесцветным от боли голосом спросила я.

— Она хотела задержаться, но я убедил: полный разрыв будет менее болезненным.

Кружилась голова, сосредоточиться никак не удавалось. Слова Эдварда вернули в больницу Финикса. «Полный разрыв и чистый перелом всегда лучше, — заявляет доктор, показывая рентгеновский снимок моей разбитой руки. — Быстрее заживают».

Я попыталась привести в порядок дыхание. Нужно сосредоточиться и найти выход из этого кошмара.

— Прощай, Белла! — спокойно, как ни в чем не бывало, проговорил Каллен.

— Подожди! — выдавила я и, приказывая онемевшим ногам двигаться, потянулась к нему.

Казалось, Эдвард хотел меня обнять... но холодные пальцы сомкнулись вокруг запястий, отводя мои руки за спину. Он наклонился и на сотую долю секунды прильнул губами к моему воспаленному лбу. Я зажмурилась.

— Береги себя!

Неожиданно налетел прохладный ветерок, и я испуганно распахнула глаза. Маленький клен хлопал листьями.

Ушел...

На дрожащих ногах я бросилась за ним в лес, прекрасно понимая, что спешу напрасно. Следы Каллена мгновенно исчезли, не осталось ни примятой травы, ни отпечатков подошв на влажной земле, а я бездумно брела вперед. Что мне оставалось? Только идти в никуда. Если брошу поиски и сдамся, все будет кончено. И любовь, и имеющая смысл жизнь — кончатся...

Шаг за шагом, метр за метром в лесную чащу... Время будто застыло: секунды казались часами, а часы секундами. Возможно, так получилось потому, что лес везде был одинаковым. Кто знает, вдруг я хожу по кругу? И все равно надо идти, останавливаться нельзя... Я то и дело спотыкалась и все чаще падала.

Под конец я налетела на что-то черное, не удержалась на ногах и не смогла подняться. Повернувшись на бок, чтобы привести в порядок дыхание, свернулась в клубок на мокром папоротнике.

Я так и лежала, понимая: времени прошло больше, чем кажется. Интересно, как давно сгустились сумерки? Здесь всегда так темно? Да нет, лунный свет наверняка проникает в просветы между облаками и сквозь густой полог листьев.

Только не сегодня. Сегодня царила кромешная тьма. Наверное, новолуние...

Я дрожала, хотя холода не чувствовала.

А затем послышались голоса.

Кто-то звал меня по имени. Влажная листва приглушала крик, но звали, вне всякого сомнения, меня. Голос незнакомый, и я не знала, стоит ли отвечать. От горя и потрясения мысли текли медленно, и, когда я все-таки решила откликнуться, звать уже перестали.

Через некоторое время меня разбудил дождь. На самом деле я не спала, просто всеми силами цеплялась за ступор и оцепенение, помогающие отрешиться от ужасной правды.

Больше всего беспокоил не дождь, а холод. Отпустив судорожно сжатые колени, я закрыла лицо руками и вновь услышала голоса; на этот раз вдалеке. Как будто несколько человек зовут меня хором. Нужно набрать в грудь побольше воздуха и ответить. Только вот получится ли? Смогу ли я крикнуть достаточно громко?

Потом послышался совсем другой звук — сопение, звериное сопение. Причем зверь, похоже, не из мелких. Испугаться? Страха я не чувствовала, вообще ничего не чувствовала. Подумаешь, зверь!.. Сопение постепенно стихло.

Дождь лил как из ведра, по лицу текли ручейки холодной воды. Я собиралась с силами, чтобы повернуть голову, когда увидела свет.

Сначала это было неяркое, отражающееся от влажной листвы сияние. Озаряя ночной лес, оно становилось все ярче и ярче, пока не сконцентрировалось в луч фонаря. Фонарь вроде пропановый, но больше ничего понять не удалось — меня ослепило.

— Белла!

Мужчина не спрашивал, а словно подтверждал, что поиски увенчались успехом.

— Тебя ранили?

Вероятно, эти два слова имели какое-то значение, но я продолжала тупо смотреть перед собой. Разве сейчас меня волнуют вопросы совершенно незнакомого человека?

— Я Сэм Адли.

Впервые слышу!

— Меня прислал Чарли.

Чарли? Уже теплее, нужно слушать повнимательнее. Чарли для меня по-настоящему важен.

Высокий мужчина протянул руку, а я тупо на нее смотрела, не зная, на что решиться.

Темные глаза смерили меня оценивающим взглядом; Сэм — р-раз! — поднял меня на ноги и сгреб в охапку.

Словно безвольную резиновую куклу!.. Наверное, следовало расстроиться: незнакомый мужчина схватил и тащит, будто так и надо. Но меня уже ничего не расстраивало.

Прошло не так много времени, прежде чем я увидела свет и услышала мужские голоса. Сэм Адли сбавил шаг.

— Я ее нашел!

На секунду гомон стал тише, потом снова усилился. Вокруг в бешеном калейдоскопе закружились лица. Однако в этом хаосе я слышала только голос Сэма, и то потому, что прижималась ухом к его груди.

— По-моему, она не пострадала. Только повторяет «он ушел».

Неужели я говорю вслух? М-м-м, лучше прикусить губу.

— Белла, милая, ты в порядке?

Этот голос я узнаю среди тысячи голосов, даже искаженный тревогой.

— Чарли? — испуганно пропищала я.

— Я здесь, дорогая.

Началась какая-то возня, а потом я почувствовала кожаный запах папиной куртки.

Чарли покачнулся: неужели я такая тяжелая?

— Давайте лучше я! — предложил Сэм Адли.

— Нет-нет, держу, — задыхаясь, прохрипел Чарли.

Папа двигался с трудом. Пусть поставит на ноги, пойду сама... Нет, не хватало сил сказать ни слова.

Повсюду свет, люди с фонарями... Надо же, как на параде или на похоронах. Я зажмурилась.

— Милая, мы почти дома, — то и дело бормотал папа.

Услышав, как щелкнул замок, я открыла глаза: мы на пороге, высокий смуглый Сэм придерживает дверь, протягивая одну руку к Чарли, чтобы в случае чего меня подхватить.

Но папа справился: занес меня в гостиную и положил на диван.

— Я мокрая и грязная...

— Ничего страшного, — хрипло ответил Чарли, потом обратился к кому-то другому: — Одеяла в шкафу на втором этаже.

— Белла! — позвал незнакомый голос.

Я увидела седовласого старика и через несколько бесконечных секунд узнала его.

— Доктор Джеранди!

— Да, милая! Ты ранена?

Я задумалась. В лесу Сэм Адли задал подобный вопрос немного иначе: «Тебя ранили?» Разница есть, и довольно существенная.

Доктор Джеранди ждал. Седая бровь изогнулась, и морщины стали еще глубже.

— Нет, не ранена, — соврала я. Хотя для доктора это правда: сердечные раны его не интересуют.

Правая рука легла на мой лоб, а пальцы левой сжали запястье. Губы беззвучно шевелились: поглядывая на часы, доктор считал пульс.

— Что же случилось?

Пылающий лоб остыл, в горле появился отвратительный привкус паники.

— В лесу заблудилась? — не унимался доктор, и я почувствовала, как находящиеся в комнате прислушались. Трое высоких смуглых мужчин — наверное, из Ла-Пуш, резервации квилетов, что тянулась вдоль побережья, — в их числе и Сэм Адли, смотрели на меня во все глаза. В нашей гостиной мистер Ньютон с Майком, мистер Уэбер, отец Анжелы... Из кухни и коридора тоже доносились голоса. Похоже, меня искало пол-Форкса!

Ближе всех Чарли; дожидаясь ответа, нагнулся над диваном.

— Да, — прошептала я, — заблудилась.

Доктор кивнул, тонкие пальцы ощупывали лимфатические узлы. Папа нахмурился.

— Ты устала? — спросил доктор Джеранди.

— Угу... — Я послушно закрыла глаза.

— Думаю, с ней все в порядке, — через несколько минут произнес доктор. — Обычное переутомление. Пусть выспится, а завтра я заеду. Точнее, уже сегодня, — добавил Джеранди, взглянув на часы.

Заскрипели пружины дивана: мужчины одновременно поднялись на ноги.

— Так это правда? — чуть слышным шепотом спросил Чарли. — Они действительно уехали?

— Доктор Каллен просил не распространяться, — ответил Джеранди. — Предложение поступило неожиданно, и ответ ждали срочно. Карлайл не хотел пышных проводов.

— Мог хотя бы предупредить, — буркнул папа.

— Ну да, особенно в такой ситуации, — смущенно пробормотал доктор Джеранди.

Дальше неинтересно... Нащупав уголок одеяла, которым меня укутали, я накрылась с головой.

Я то проваливалась в забытье, то просыпалась. Краем уха слышала: Чарли благодарит участников поисков и они один за другим уходят. Папа осторожно коснулся моего лба и накрыл вторым одеялом. Несколько раз звонил телефон, и он, не желая меня будить, брал трубку чуть ли не после первого гудка.

— Да, мы ее нашли, — шептал он звонившим. — Белла заблудилась. Да, с ней все в порядке, — и так снова и снова.

Судя по шорохам и скрипам, Чарли готовился ко сну.

Через несколько минут опять позвонили.

Чертыхаясь, папа встал и поплелся на кухню.

— Алло! — пробормотал он, а потом в его голосе зазвучала тревога. — Где? — Повисла пауза. — Уверены, что за территорией резервации? — Снова пауза. — Но что они там жгут? — В голосе страх и тревога. — Конечно, сейчас позвоню и выясню.

Так, папа снова набирает номер... Надо сосредоточиться.

— Привет, Билли, это я, Чарли, извини, что беспокою в такую рань... Нет, с ней все в порядке. Отдыхает... Спасибо, но звоню не поэтому. Меня только что разбудила миссис Стэнли. Говорит, у нее с третьего этажа видно, как на прибрежных скалах полыхают костры. Я конечно же... О боже! — В папином голосе зазвенел металл: это раздражение или... злость? — Зачем? А-а... Неужели? — саркастически спросил он. — Передо мной можешь не извиняться. Смотри только, чтобы пламя не вышло из-под контроля... Знаю, знаю, удивительно, что в такую погоду костры вообще разгорелись... — Отец долго слушал, затем будто нехотя добавил: — Спасибо, что прислал Сэма и остальных. Ты прав: эти леса они знают куда лучше нас. Беллу нашел Адли, так что с меня причитается... Ладно, созвонимся.

Бормоча что-то несвязное, Чарли побрел обратно в гостиную.

— В чем дело? — спросила я.

Он тут же бросился ко мне.

— Прости, милая, мы тебя разбудили...

— Что-то горит?

— Ничего страшного. Просто на скалах жгут костры.

— Костры? — переспросила я. В моем голосе ни тени любопытства. Он какой-то... мертвый.

— Детишки из резервации хулиганят.

— Почему? — равнодушно поинтересовалась я.

Опустив голову, папа рассматривал узор на ковре.

— Отмечают хорошую новость, — с горечью произнес он.

Новость, как ни обманывай себя, была только одна. Да, все сходится...

— Каллены уехали... Как же я забыла: индейцам не нравится, что они живут в Ла-Пуш.

Квилеты верят в то, что «холодные», или кровопийцы, — исконные враги их племени, не меньше, чем в легенды о великом потопе и предков-оборотней. Обычные сказки, фольклор, однако некоторые относятся к этому серьезно, например старый друг отца Билли Блэк, хотя его собственный сын Джейкоб считает все это предрассудками. Билли велел мне держаться подальше от Калленов...

Имя всколыхнуло душу, и на поверхность стало подниматься нечто спрятанное глубоко внутри, о чем не хотелось даже думать.

Целую минуту мы молчали. Чернильное небо за окном стало кобальтовым: за дождевыми облаками занималась заря.

— Белла! — позвал Чарли.

Полная дурных предчувствий, я обернулась.

— Он бросил тебя в лесу?

Лучше ответить вопросом на вопрос.

— Откуда ты знал, где меня искать? — Я старательно пряталась от реальности, которая надвигалась, словно асфальтовый каток.

— Из твоей записки, — удивленно ответил папа, доставая из заднего кармана клочок бумаги, грязный и затертый, сотни раз перечитанный. Чарли протянул его, словно вещественное доказательство. Небрежный почерк удивительно похож на мой собственный.

«Ушла в лес с Эдвардом. Скоро буду. Б.».

— К ужину ты не вернулась, я стал звонить Калленам. Никто не отвечал, — тихо произнес Чарли. — Тогда я связался с госпиталем, и доктор Джеранди ответил, что Карлайл уехал.

— Куда они уехали? — спросила я.

— А Эдвард не сказал?

Внутренне съежившись, я покачала головой. Ну зачем папа назвал его по имени? Боль вырвалась наружу, налетела, ошеломила.

— Карлайлу предложили работу в крупной клинике Лос-Анджелеса. Думаю, хорошим жалованьем заманили.

Солнечный Лос-Анджелес... Туда они точно не поедут! Я вспомнила палящие лучи, отражающиеся от кожи, любимое лицо... и содрогнулась от невыносимой боли.

— Так Эдвард бросил тебя в лесу? — не унимался Чарли.

Боже, ну хватит меня мучить!.. Пытаясь избавиться от боли, я бешено мотала головой.

— Сама виновата. Он оставил меня на опушке, недалеко от дома, а я пошла за ним... Остановить пыталась...

Чарли начал что-то говорить, но я по-детски заткнула уши.

— Папа, я больше не могу это обсуждать! Хочу в свою комнату...

Прежде чем он успел ответить, я соскочила с дивана и понеслась по лестнице.

В доме кто-то был, кто-то оставил записку, чтобы Чарли знал, где меня искать. Как только я это поняла, возникло страшное подозрение. Скорее в комнату! Закрыть дверь на замок и проверить плеер!

Вроде все точно так, как было утром. От нажатия кнопки медленно поднялась крышка.

Пусто!

Альбом, который подарила Рене, на кровати, там же, где я его оставила. Дрожащими руками я открыла обложку. Листать дальше первой страницы не пришлось. Металлические уголки на месте, а вот фотография... Осталась только моя кособокая надпись: «Эдвард Каллен. Кухня Чарли, 13 сентября».

Все, больше смотреть незачем, он вряд ли что-нибудь пропустил...

«Ты сможешь жить полноценной жизнью, будто никогда меня не знала», — обещал Каллен.

Пол в моей комнате гладкий, деревянный. Касаюсь его ступнями, теперь ладонями, а теперь — виском. Милый Господи, пусть я потеряю сознание! Увы... Волны страшной боли, прежде лизавшие ноги, поднялись и накрыли с головой.

А мне и не хотелось всплывать...

ОКТЯБРЬ

НОЯБРЬ

ДЕКАБРЬ

ЯНВАРЬ

Глава четвертая

ПРОБУЖДЕНИЕ

Время идет. Идет вопреки всему. Даже когда любое движение секундной стрелки причиняет боль, словно пульсирующая в синяке кровь. Идет неровно: то несется галопом, то тянется, как кленовый сироп. И все же оно идет. Даже для меня.

Чарли ударил кулаком по столу:

— Все, Белла, ты едешь домой!

Я оторвала глаза от корнфлекса, который скорее изучала, чем ела, и изумленно уставилась на отца. Нить беседы давно потеряна — разве мы вообще беседуем? — и я не знала, как понимать папины слова.

— А это разве не дом? — сконфуженно пробормотала я.

— Вернешься к Рене в Джексонвилл, — пояснил он.

Кипя от гнева, папа наблюдал, как до меня доходит смысл его слов.

— Что я сделала? — Как несправедливо! Четыре месяца я вела себя просто безупречно. После первой недели, о которой мы тактично молчали, ни разу не пропустила школу. Отлично училась. Не нарушала комендантский час (как же его нарушить, если вечерами сидишь дома?) и чуть ли не каждый день готовила горячий ужин.

— Ты ничего не делаешь — в этом вся беда, — нахмурился Чарли. — Никогда ничего не делаешь!

— Хочешь, чтобы у меня появились проблемы? — удивилась я. Как трудно поддерживать разговор! Я так привыкла отвлекаться от происходящего, что пробки в ушах образовывались сами собой.

— Лучше проблемы, чем... чем вечная хандра!

Обидно! Я же старалась не замыкаться в себе и не хандрить!

— Я не хандрю!

— Извини, неправильно выразился, — съязвил папа. — Даже хандра — это какая-то активность, а у тебя ею и не пахнет. Ты просто неживая... Да, Белла, именно неживая.

Обвинение попало точно в цель. Тяжело вздохнув, я попыталась ответить как можно эмоциональнее:

— Прости, папа! — Боюсь, получилось вяловато. Я-то думала, что обманываю Чарли для того, чтобы уберечь его от страданий. Тяжело сознавать, сколько усилий потрачено напрасно.

— Не надо извиняться.

— Хорошо, — вздохнула я, — тогда скажи, что делать.

— Белла, — нерешительно начал Чарли, внимательно следя за моей реакцией, — милая, ты ведь не первая, на чью долю выпадают подобные испытания...

— Да, знаю. — Моя ухмылка получилась слабой и неубедительной.

— Слушай, думаю... думаю, тебе нужна помощь.

— Помощь?

Папа заговорил не сразу, тщательно подбирая слова.

— Когда твоя мама уехала, — хмуро начал он, — и забрала тебя... Я впал в настоящую депрессию.

— Понимаю, — пробормотала я.

— Но я справился, — продолжил папа, — а вот ты не справляешься. Я ждал, надеялся, что дело пойдет на поправку. — Он взглянул на меня так, что пришлось отвести глаза. — Мы оба чувствуем: дело на поправку не идет.

— Со мной все в порядке.

Чарли не слушал.

— Может, тебе стоит с кем-нибудь поговорить? С профессионалом...

— Хочешь отправить меня к психоаналитику? — чуть резче ответила я, догадавшись, к чему клонит папа.

— Думаю, это поможет.

— А если нет?

Я не особо разбиралась в психоанализе, но понимала: не будучи честной, нельзя рассчитывать на помощь. Сказать правду? И провести остаток жизни в обитой войлоком палате?

Поняв, что я настроена решительно, Чарли изменил план действий.

— Белла, я бессилен. Вдруг мама...

— Слушай, — проговорила я бесцветным голосом, — если хочешь, я сегодня вечером пойду развлекаться. Сейчас позвоню Джесс или Анжеле.

— Я хочу вовсе не этого! — раздраженно проговорил он. — Ни разу не видел, чтобы человек так себя насиловал!

Я тупо уставилась в стол.

— Пап, я тебя не понимаю! Сначала злишься, что я ничего не делаю, потом запрещаешь гулять с подружками...

— Я хочу, чтобы ты была счастлива. Нет, даже не так: я не желаю, чтобы ты страдала, и думаю, что за пределами Форкса шансов будет больше.

В моих глазах полыхнула искра тщательно скрытого чувства.

— Я никуда не поеду.

— Почему?

— Я же школу заканчиваю, последний семестр, зачем все портить?

— Ты хорошо учишься — проблем не возникнет.

— Не хочу стеснять маму и Фила.

— Рене мечтает, чтобы ты вернулась.

— Во Флориде слишком жарко.

Папа снова треснул кулаком по столу:

— Белла, мы оба знаем, в чем тут дело! — Он набрал в грудь побольше воздуха. — За несколько месяцев ни писем, ни весточек, ни телефонных звонков. Нельзя же вечно его ждать!

Я мрачно посмотрела на Чарли. Щеки заливал густой румянец. Давно я не краснела от избытка чувств!

— Я ничего не жду. Ничего и никого.

— Белла... — глухо начал папа.

— Мне пора в школу, — перебила я, встала и схватила со стола нетронутый завтрак. Поставив миску в раковину, даже не потрудилась ее вымыть. — Мы с Джессикой что-нибудь придумаем, — бросила я через плечо. — Может, к ужину не вернусь. — Стараясь не встречаться с папой глазами, я застегнула рюкзак. — Съездим в Порт-Анжелес, какой-нибудь фильм посмотрим.

Я бросилась вон из дома, не давая ему шанса ответить.

Сбежав от Чарли, я приехала в школу одной из первых. В результате, с одной стороны, удалось занять удобное место на стоянке, а с другой — образовалась уйма свободного времени, которого я сознательно себя лишала.

Быстро, стараясь не думать об обвинениях Чарли, я достала учебник по матанализу и, открыв новый раздел (именно его мы должны проходить сегодня), попыталась разобрать, что к чему. Читать про интегральные вычисления еще хуже, чем слушать, но я успешно боролась с отвращением. За последние несколько месяцев я уделила матанализу больше времени, чем за весь предыдущий семестр, и в результате выбилась чуть ли не в отличницы. Мистер Варнер считал мои успехи целиком и полностью результатом новаторских педагогических методик. Хочет в это верить — пожалуйста, зачем разрушать его иллюзии?

Я давилась математикой до тех пор, пока стоянка не заполнилась и не пришлось бежать на литературу. Мы проходили «Скотный двор» Оруэлла, произведение довольно незамысловатое. В принципе, я не против коммунизма, особенно после любовных романов, составляющих львиную часть программы. Устроившись на своем обычном месте, я с удовольствием слушала мистера Берти.

На уроках время летело быстро и незаметно. Не успела оглянуться — прозвенел звонок, пора собираться домой.

— Белла!

Узнав голос Майка, я заранее догадалась, что он скажет.

— Работаешь завтра?

Я подняла голову: с соседнего ряда на меня озабоченно смотрит Ньютон. Каждую пятницу он задавал один и тот же вопрос, при том что я ни разу не брала отгул. Ну, за исключением одного дня несколько месяцев назад... Между тем оснований для тревоги у Майка не было: я примерная работница.

— Завтра ведь суббота?

— Точно, — согласился Майк. — Ладно, увидимся на испанском. — Помахав рукой, он вышел из класса. До двери меня больше не провожает...

В мрачном расположении духа я поплелась на матанализ: придется сидеть с Джессикой, а она несколько недель, даже месяцев со мной не разговаривает. Понимаю, ей надоело мое вечное уныние и хандра... Да уж, разговорить ее будет непросто, тем более попросить об одолжении. Взвешивая все «за» и «против», я топталась у двери в класс.

Не выберусь куда-нибудь с подружками — папа заклюет. Врать нельзя, хотя прокатиться в Порт-Анжелес одной, чтобы спидометр показывал нужный километраж (на случай, если Чарли проверит), очень соблазнительно. Мать Джессики — первая сплетница в городе, рано или поздно Чарли с ней встретится и спросит о поездке. Нет лучше не врать!

Тяжело вздохнув, я открыла дверь

Мистер Варнер обжег мрачным взглядом: урок уже начался. Я поспешила к своему месту а Джессика даже глаз не подняла. Как хорошо что на подготовку у меня целых пятьдесят минут!

Матанализ прошел быстрее литературы; отчасти благодаря моим утренним усилиям, но в основном потому что перед неприятными событиями время несется галопом.

Мистер Варнер отпустил нас на пять минут раньше. Я покачала головой, а учитель расплылся в довольной улыбке: разве он не молодец?!

Сморщившись, будто от невыносимой боли, я обратилась к подруге:

— Джесс!

Оглянувшись, девушка закатила глаза:

— Белла, неужели ты обращаешься ко мне?

— Конечно, — сделала я невинные глаза.

— В чем дело? Нужна помощь с матанализом?

— Нет, просто хотела спросить... Пойдем сегодня в кино? Мне срочно нужна женская компания. — Слова прозвучали неестественно, как заученные назубок стихи, и Джессика подозрительно прищурилась:

— А почему меня приглашаешь?

— Потому что для девичника лучшей кандидатуры не найти! — улыбнулась я, надеясь, что получилось естественно. Хотя это почти правда: с Джесс — легче всего втирать очки Чарли.

— Ну, не знаю... — немного смягчилась Джессика.

— У тебя какие-то планы?

— Нет... Пожалуй, я с тобой пойду. Фильм уже выбрала?

— А что сейчас идет? — уклончиво переспросила я. Здесь надо быть очень осторожной... Так, какое кино в последнее время обсуждают одноклассники?

Какие афиши висят по городу? — Может, про женщину-президента посмотрим?

— Белла, — искоса взглянула на меня Джессика, — этот фильм прошел три месяца назад!

— Правда? — нахмурилась я. — А у тебя есть предложения?

Как ни старалась подруга, естественную веселость скрыть не удавалось.

— Идет новая романтическая комедия, о которой сейчас столько пишут, — вслух рассуждала она. — Можно на нее сходить... А мой папа смотрел «Тупик», и ему очень понравилось.

«Тупик»? Какое подходящее название!

— Про что?

— Вроде про зомби. По словам папы, лучшая страшилка на свете.

— Здорово! — По-моему, лучше встретиться с настоящими зомби, чем смотреть про любовь.

— Ладно... — искренне удивилась Джессика. Разве мне раньше не нравились страшилки? Не помню... — Подождать тебя после уроков?

Робко улыбнувшись, подруга вышла из класса. Моя улыбка немного запоздала, но, кажется, она ее заметила.

Остаток дня пролетел незаметно. Все мысли о сегодняшней поездке. По опыту знаю: стоит разговорить Джессику и начнется словоизвержение — односложных ответов с моей стороны будет более чем достаточно.

Густая, окутавшая жизнь дымка творила настоящие чудеса. Не помню, как ехала домой, как открывала входную дверь... И хорошо: потерять счет времени — наилучший для меня вариант.

Открывая комод, я и не думала сражаться с дымкой — иногда оцепенение даже на пользу — и едва поняла, что передо мной, когда сдвинула влево кучу хлама.

Глаза не задержались на черном пакете, где лежали подарки со дня рождения, скользнули мимо магнитолы, выпиравшей из плотного полиэтилена, а память не желала воскрешать кровавое месиво, в которое превратились ногти, когда я вырывала ее из приборной панели.

Схватив сумку, я бросилась вон из комнаты и захлопнула дверь.

В тот же момент за окном засигналила машина. Может, если спешить, то и вечер пройдет быстрее?

Перед тем как открыть дверь, я глянула в большое зеркало и растянула губы в улыбке. Вот, пусть так и останется...

— Спасибо, что согласилась со мной поехать, — устроившись на пассажирском сиденье, сказала я, стараясь, чтобы в голосе звучала благодарность. Вообще-то я тщательно подбираю слова только при Чарли. С Джесс будет труднее: кто знает, какие чувства нужно изображать!

— Всегда пожалуйста! Лучше скажи, что на тебя нашло? — спросила Джесс, выезжая на шоссе.

— В каком смысле «нашло»?

— С чего ты вдруг решила... сходить в кино?

Судя по паузе, моя подруга перестроилась на ходу.

— Просто нужно развеяться, — пожала плечами я. По радио крутили известный шлягер, и я машинально потянулась к ручкам. — Можно что-нибудь другое?

— Конечно, давай!

Пройдясь по нескольким станциям, я нашла вполне безобидную композицию и воровато глянула на подругу: как отреагирует?

— С каких пор ты слушаешь рэп? — удивленно прищурилась она.

— Ну, не знаю... некоторое время.

— И тебе нравится? — В голосе девушки звучало недоверие.

— Очень.

Как общаться с Джессикой, если даже за музыкой я слежу с огромным трудом? Я закивала головой, надеясь, что попадаю в такт с пульсирующим ритмом

— Тогда ладно...

— Как дела у вас с Майком? — поспешно спросила я.

— Ну, ты сама с ним чаще видишься!

Почему-то, вопреки моим надеждам, вопрос не развязал ей язык.

— На работе особо не поговоришь, — буркнула я и попробовала снова: — Ты с кем-нибудь встречаешься?

— Как сказать... Иногда с Коннером, а пару недель назад гуляла с Эриком. — Джесс зажмурилась, и я почувствовала: настроение у подруги улучшается. Такой шанс просто нельзя упускать!

— С Эриком Йорки? Кто кого пригласил?

— Ясное дело, он меня! — закатив глаза, простонала Джессика. — Не знала, как отмазаться!

— Куда водил? — не унималась я, зная: моя настойчивость будет расценена как любопытство — Давай, выкладывай подробности'

Девушка пустилась в долгий обстоятельный рассказ, а я откинулась на спинку сиденья. Теперь нужно внимательно следить за сюжетом, делать большие глаза, ахать и охать в зависимости от обстоятельств.

Закончив с Эриком, Джессика без всякого принуждения с моей стороны начала сравнивать его с Коннером.

Сеанс начинался рано, так что подруга решила: сначала кино, потом ужин. Я тут же согласилась: пусть делает что хочет, для меня главное — сбить с толку Чарли.

Пока шли анонсы и реклама, я вполуха слушала болтовню Джесс, но, когда начался фильм, не на шутку разволновалась. На экране парень с девушкой: идут по пляжу и с приторной слащавостью воркуют о своих чувствах. Страшно захотелось зажать уши и что-нибудь запеть. Я вовсе не на любовную историю рассчитывала!

— Мы ведь на страшилку собирались! — прошипела я подруге.

— Это и есть страшилка!

— Тогда почему никто никого не лопает? — в отчаянии спросила я.

— Подожди, сейчас начнется! — шепнула Джессика.

— Схожу за попкорном. Тебе принести?

Сидящие сзади возмущенно зашикали.

У киоска я намеренно тянула время и, поглядывая на часы, гадала, какую часть полуторачасового фильма потратили на сентиментальные сцены. Наверное, не более десяти минут, но лучше не спешить. Из зала послышались испуганные вопли и визг, я поняла: пора.

— Ты пропустила самое интересное — прошептала Джессика, когда я села на место. — Почти все уже превратились в зомби.

— В очереди стояла, — протягивая ведерко с попкорном, пожаловалась я.

Теперь на экране одна за другой сменялись жуткие атаки зомби, сопровождаемые жалобными криками людей, число которых стремительно таяло. Казалось, ничем подобным меня не проймешь, но все равно было как-то не по себе, и я сначала не поняла почему.

Лишь в самом конце, когда изможденный зомби бросился за последней оставшейся в живых девушкой, я догадалась, в чем дело. Расстояние между охотником и добычей стремительно сокращалось, и на экране крупным планом мелькало то перепуганное лицо главной героини, то мертвое и неподвижное — ее преследователя.

Вылитая я... Все, сил моих нет дальше смотреть!

— Ты куда, осталось-то пара минут, не больше! — прошипела Джесс.

— Пить хочу, — ответила я, бросаясь к выходу

Опустившись на скамейку возле кинотеатра. я изо всех сил старалась не думать о горькой иронии увиденного. А ведь в перспективе превратиться в зомби ирония, вне всякого сомнения, присутствует Такое даже в голову не приходило!

Ну, вообще-то, в снах я превращалась в сказочное чудовище, но чтобы в живой труп — никогда. В панике я качала головой пытаясь отрешиться от ужасных мыслей. Нет, сейчас не время вспоминать сны!

Как жаль, что я уже не главная героиня и моя сказка закончилась...

Джессика вышла из кинотеатра и стала озираться по сторонам, пока не заметила меня.

— Ты что, ужастика испугалась?

— Угу, наверное, я дикая трусиха.

— Странно... — нахмурилась она. — Я-то весь фильм визжала, а твоего голоса даже слышно не было. Не понимаю, зачем ты ушла?

— Просто испугалась, — пожала плечами я.

Подруга немного успокоилась.

— Давно такой жути не видела... Все, кошмары сегодня гарантированы!

— Это точно! — с фальшивым жаром ответила я. Кошмары сегодня действительно будут, только не о зомби...

Джессика окинула меня удивленным взглядом. Неужели мой ответ прозвучал неубедительно?

— Где хочешь поужинать?

— Не знаю, все равно.

— Ладно.

Джесс начала рассказывать про молодого исполнителя главной роли: такой красивый, обаятельный, сексапильный... Удивительно, мне запомнились одни зомби.

Я не обращала внимания, куда ведет подруга, только почувствовала: стало темнее и тише, а почему воцарилась тишина, поняла лишь через непростительно долгое время — Джесс перестала болтать! Я сконфуженно заглянула ей в глаза: надеюсь, не обиделась?

Подруге было не до меня: напряженная, словно струна, она смотрела прямо перед собой и уже не шла, а бежала. Взгляд Джессики испуганно метался взад-вперед.

Так, нужно все-таки осмотреться.

Мы шагали по неосвещенному участку тротуара. Частные магазины и лавочки уже закрыты на ночь. Окна темные, лишь впереди, в квартале от нас, горели фонари и яркая вывеска «Макдоналдса» — туда и направлялась Джессика.

Через дорогу бар. Надо же, открыт! На окнах плотные жалюзи, а с внешней стороны неоновая реклама различных сортов пива. Самая большая вывеска ярко-зеленая, с названием бара «Одноглазый Пит». Интересно, в интерьере пиратская тематика как-то обыграна? Металлическая дверь была приоткрыта, внутри горел неяркий свет, доносились голоса. У двери стояли четверо мужчин.

Я оглянулась на Джессику: у той глаза прилипли к тротуару; вид не испуганный, а скорее просто осторожный. Понятно, старается не привлекать к себе внимание.

Чисто автоматически я посмотрела на четверых, чувствуя: где-то их уже видела. В другой раз и на другой дороге, но при сходных обстоятельствах. Один невысокий, темный, коренастый. Когда остановилась, он взглянул на меня с неподдельным интересом.

Словно окаменев, я безвольно подняла глаза.

— Белла! — прошипела Джесс. — Что ты делаешь?

Я неуверенно покачала головой.

— Кажется, мы с ними знакомы, — пролепетала я.

Что со мной? Нужно поскорее забыть, выбросить из головы воспоминания о четверых праздношатающихся... Почему же я застыла как в трансе?

Какое совпадение: я снова в Порт-Анжелесе, с Джессикой, на темной улице. Я прищурилась, пытаясь сопоставить черты стоящего передо мной парня с воспоминаниями о хулигане, который напал на меня почти год назад. Интересно, смогу я точно определить, он это или нет? Та часть далекого вечера будто расплывчатое пятно... Оказывается, тело помнит лучше, чем душа: дрожь в ногах, когда решала — бежать; сухость в горле, когда пыталась закричать; саднящее чувство, когда сжимала руки в кулаки; гусиную кожу, когда темноволосый крепыш назвал меня крошкой...

Парни источали вполне очевидную опасность, с той ночью никак не связанную. Они чужие, в чужом для нас городе, превосходят числом — вроде ничего особенного, но страшно, да так, что в испуганном вопле подруги слышалась паника:

— Белла, пойдем!

Я совершенно бездумно передвигала ноги. Как ни странно, смутная угроза, которую представляли те четверо, притягивала словно магнитом. Порыв совершенно бессмысленный, ничего подобного я уже несколько месяцев не испытывала.

В венах пульсировало что-то незнакомое, наверное, адреналин разогревал кровь и пробивался сквозь толщу апатии. Странно: откуда адреналин, если страха нет? Я будто слышала эхо собственных шагов на пустынных улицах Порт-Анжелеса.

Чего мне бояться? Физической боли? Она мне давно не страшна. Вот один из немногих плюсов душевного потрясения.

Я переходила улицу, когда Джесс схватила меня за руку:

— Белла, в бар идти нельзя!

— Да, знаю, — отмахнулась я, — просто хочу проверить...

— Ты что, с ума сошла? — шепнула подруга. — Жить надоело?

Вопрос больно резанул по ушам, и я повернулась к своей спутнице.

— Нет, вовсе нет, — оправдывалась я и душой не кривила. На суицид я не способна; даже в самом начале, когда смерть казалась лучшим обезболивающим, подобных мыслей у меня не было. Я слишком многим обязана Чарли и не хочу причинять боль Рене.

А еще я обещала не совершать опрометчивых поступков. Наверное, поэтому еще дышу...

Вспомнив, что дала слово, я поморщилась от чувства вины, хотя то, что делала, в счет принимать не стоит. Не вены же себе вскрываю!

Вопрос Джесс был чисто риторическим, но я поняла это слишком поздно.

— Иди ешь! — велела я, махнув рукой в сторону «Макдоналдса». Эх, не нравится мне тяжелый взгляд подруги! — Буду через пять минут!

Я повернулась к парням, которые с любопытством на меня поглядывали.

— Белла, сейчас же прекрати!

Ноги так и примерзли к асфальту. Боже, это ведь не Джессика сейчас меня упрекает. Голос гневный, до боли знакомый голос, бархатно красивый даже в гневе.

Его голос — имя лучше не упоминать!.. Удивительно, как я не упала на колени и не забилась в агонии на тротуаре. Однако никакой боли не было, вообще ничего...

Как только я услышала серебряный баритон, все сразу встало на свои места, будто из топкого болота вынырнула. Теперь воспринимались и свет, и звук, и холодный, обдувающий лицо ветер, и характерные запахи бара.

Вздрогнув, я огляделась по сторонам.

— Возвращайся к Джессике! — гневно приказал голос. — Ты же обещала: никаких глупостей.

Рядом никого: перепуганная Джесс с одной стороны улицы, парни — с другой, наверняка недоумевают, почему я застыла посреди проезжей части.

Так, нужно разобраться, что к чему: его ведь нет, а присутствие ощущается неимоверно остро, совсем как... в момент расставания. В дрожащем от гнева баритоне ясно чувствуется тревога... боже, прошла уже целая вечность.

— Помни свое обещание... — Голос слабел, будто уменьшали громкость радио.

Неужели галлюцинации? Вызвали их в первую очередь воспоминания и странная схожесть ситуации.

Я быстро прикинула наиболее вероятные объяснения.

Вариант первый: я схожу с ума, ведь именно так обыватели говорят про тех, кто слышит голоса.

Вполне возможно.

Вариант второй: подсознание выдает желаемое за действительное — *ему* не все равно, жива я или нет; или подсказывает, как отреагировал бы *он*, если бы а) оказался рядом; б) за меня переживал.

Вполне возможно.

Третьего варианта я не видела и очень надеялась: это второй, то есть вырвавшееся из-под контроля подсознание, и мне не придется обращаться к психиатру.

Я старалась о *нем* не думать и поблажек себе не давала, однако, как у любого человека, у меня случались срывы. Хотя со временем становилось проще, и сейчас получалось соблюдать мораторий по нескольку дней подряд. За скромные успехи приходилось расплачиваться всепоглощающей апатией — из боли и пустоты я выбирала пустоту.

Значит, сейчас вернется боль. Оцепенение спало, впервые за много месяцев дымка рассеялась, и чувства обострились до предела. Странно, я испытывала лишь разочарование из-за того, что голос стихал.

Пора решать.

Разумнее всего пуститься наутек от непредсказуемой, потенциально опасной и, главное, губительной для психики сцены. Зачем стимулировать галлюцинации?

Но серебряный баритон затихал; чтобы убедиться, я сделала шаг вперед.

— Белла, иди обратно!

Из груди вырвался вздох облегчения. За гневом скрывалось то, что мне хотелось услышать, — фальшивое, притянутое за уши подтверждение его участия, сомнительный дар моего подсознания.

Разобраться в себе удалось далеко не сразу. Немногочисленная публика застыла в ожидании. Наверное, со стороны кажется, что я не могу решить, переходить дорогу или нет. Откуда этим парням знать, что я наслаждаюсь неожиданным приступом безумия?

— Привет! — позвал один из них уверенно и даже слегка язвительно. Парень — очень светлый блондин с гладкой кожей, наверняка считает себя красивым. Возможно, так оно и есть, просто я слишком пристрастна.

Воображаемый голос ответил гневным воплем. Мои губы растянулись в улыбке, которую самоуверенный блондин принял за поощрение.

— Тебе помочь? Похоже, ты потерялась, — ухмыльнулся парень.

— Нет, я не потерялась.

Приблизившись, я всмотрелась в лицо коренастого. С глаз будто пелена спала: боже, парень мне совершенно незнаком! Какая жалость: это не он в прошлом году пытался меня обидеть!

Звучащий в подсознании баритон затих окончательно.

Коренастый перехватил мой взгляд.

— Хочешь выпить? — предложил он, польщенный, что я выделяю именно его.

— Мне только семнадцать, — тотчас соврала я.

Парень смутился, не понимая, что мне от них нужно.

Придется объяснять.

— Издалека мне почудилось, что мы знакомы. Извините.

Опасность, что притягивала меня, как магнит, мгновенно испарилась. Это не хулиганы, которых я помнила, а обычные ребята, безобидные, возможно, даже славные... Интереса как не бывало.

— Ничего страшного, — заверил блондин. — Оставайся, погуляем вместе.

— Простите, не могу.

Джессика так и стояла на тротуаре, гневно сверкая глазами. Наверняка чувствует себя преданной.

— Да ладно тебе, оставайся.

Покачав головой, я вернулась к подруге.

— Пошли ужинать!

Пожалуй, в глаза сейчас ей лучше не смотреть. Про зомби я больше не вспоминала, но мыслями попрежнему была очень далеко. Голова так и гудела: привычное немое оцепенение не возвращалось и с каждой минутой становилось все тревожнее.

— О чем ты только думала?! — не выдержала Джесс. — Какие-то незнакомые парни... Могли оказаться настоящими психопатами!

Я пожала плечами, надеясь, что она сменит тему.

— Мне показалось, что одного из них я где-то видела.

— Белла Свон, ты такая странная!.. Я совсем тебя не знаю!

— Извини...

Ну что тут еще скажешь?

Мы молча шли к «Макдоналдсу». Похоже, Джесс жалеет, что пошла пешком: гамбургеры можно было заказать прямо в машину, а окончания «культурной программы» она ждет еще больше, чем вначале я.

Во время ужина я несколько раз пыталась завести разговор, но Джесс упорно молчала. Видимо, сильно обиделась.

Когда мы наконец сели в машину, она поймала любимую станцию и прибавила громкость, наверное, чтобы я не докучала.

Что же, на этот раз отрешиться от музыки оказалось нетрудно. Привычная апатия исчезла, и на душе было слишком тревожно, чтобы вслушиваться в текст песен.

Я ждала, когда вернутся боль и оцепенение. Ведь боль обязательно вернется... Я нарушила свои личные правила и, вместо того чтобы бороться с воспоминаниями, шагнула к ним в объятия. А еще слышала голос, причем отчетливо... Даром мне это не пройдет, можно не сомневаться. И спасительную дымку не вернешь, а ведь в ней я была как в вате. Сейчас все чувства так обострены, что становится страшно.

Зато каждой клеточкой тела я чувствовала облегчение.

Конечно, я старалась не думать о нем, но и забывать совершенно не хотелось. Ночами, когда усталость и постоянная бессонница подрывали самооборону, я боялась, что воспоминания стираются. Вдруг моя память действительно сито, и в один прекрасный день я не смогу вспомнить оттенок его глаз, бархатистую гладкость кожи, тембр голоса... Думать об этом нельзя, а помнить нужно.

Для того чтобы жить, мне достаточно верить в то, что он существует. Остальное вполне можно вынести. Главное, чтобы на свете был он.

Поэтому я и застряла в Форксе, поэтому и взбеленилась, когда Чарли пригрозил отправить во Флориду. Если честно, это ничего не изменит: в наш город никто не возвращается. Но вдруг в Джексонвилле или в любом другом месте, ярком и незнакомом, воспоминания обернутся заурядной сказкой? Там, где ничто не напоминает о его существовании, уверенность может ослабнуть, а я... я этого не переживу.

Помнить нельзя, забывать страшно — рамки довольно узкие.

Я удивилась, когда Джессика притормозила возле моего дома. Обратная дорога показалась совсем короткой, но, как бы то ни было, я и не предполагала, что подруга сможет столько выдержать без единого слова.

— Спасибо, что поехала со мной, Джесс, — проговорила я, открывая дверцу. — Было очень... весело.

Надеюсь, «весело» — подходящее слово!

— Угу, — промычала девушка.

— Извини за то, что случилось... после кино.

— Все в порядке, — буркнула она, не сводя глаз с лобового стекла.

— Тогда до понедельника?

— Да, пока.

Видимо, ничего уже не исправишь...

Я захлопнула дверцу, и Джесс, ни разу не оглянувшись, укатила прочь.

Не успев зайти в дом, я тотчас забыла о ее существовании.

Чарли ждал в гостиной: руки скрещены на груди, настрой воинственный.

— Привет, папа! — рассеянно проговорила я и, шмыгнув мимо, поднялась по лестнице. Лучше спрятаться, прежде чем наступит возмездие.

— Где была? — требовательно сказал отец.

Я удивленно на него посмотрела:

— Мы с Джессикой ездили на фильм в Порт-Анжелес.

— Хм-м...

— Что-то не так?

Вглядевшись в мое лицо, папа удивился, будто заметил что-то неожиданное.

— Да нет... Хорошо повеселились?

— Не то слово! Смотрели, как зомби пожирают людей. Очень весело!

Чарли прищурился.

— Спокойной ночи, папа.

Сообразив, что опасность миновала, я поспешила к себе в комнату и уже через несколько минут пластом лежала на кровати — вернулась боль.

Ощущение, будто в груди сверлят огромную дыру, вырезают жизненно важные органы, оставляя глубокие раны, края которых потом долго пульсируют и кровоточат. Естественно, холодным рассудком я понимала: с легкими все в порядке, однако хватала ртом воздух, а голова кружилась, будто отчаянные попытки ни к чему не приводили. Сердце, наверное, тоже билось нормально, но пульса я не ощущала, а руки посинели от холода. Свернувшись калачиком, я обхватила колени руками, — казалось, так меня не разорвет от боли.

Куда девалось мое бесчувствие? Оцепенение?

И все-таки я поняла, что смогу выжить: боль чувствовалась с невероятной остротой — леденящая пустота растекалась из груди, посылая жуткие импульсы по всему телу, — но это было вполне терпимо. Я справлюсь. Это не та боль, что утихает со временем; скорее, я стану сильнее и приспособлюсь.

Случившееся сегодня — зомби, адреналин, галлюцинации — заставило меня проснуться.

Впервые за долгое время я не знала, чего ждать от наступающего дня.

Глава пятая

КЛЯТВОПРЕСТУПНИЦА

— Белла, можешь идти домой, — предложил Майк, глядя не на меня, а куда-то вдаль. Интересно, давно он так сидит?

В магазине Ньютонов затишье: всего два покупателя, судя по разговору — заядлые походники. Майк целый час обсуждал с ними плюсы и минусы легковесной экипировки. Но вместо того чтобы перейти к ценам, мужчины принялись потчевать друг друга охотничьими байками, да так увлеченно, что мой приятель ретировался.

— Если хочешь, останусь, — ответила я. В спасительное оцепенение вернуться по-прежнему не удавалось, а сегодня все звуки казались неестественно близкими и громкими, будто из ушей вытащили ватные тампоны. По крайней мере, нужно абстрагироваться от смеющихся туристов.

— Говорю тебе, — начал плотный мужчина с рыжей бородой, которая плохо сочеталась с темно-каштановыми волосами, — в Йеллоустоне я видел гризли совсем близко, но этому монстру они не чета! — Каштановые пряди перепутались, одежду будто несколько дней в рюкзаке продержали. Ясно, парень только что с гор.

— Ну уж нет, черные медведи такими крупными не бывают! Наверное, ты видел не взрослых гризли, а медвежат... — Второй турист высокий, поджарый, с загорелым, сильно обветренным лицом.

— Белла, серьезно, как только эти двое уйдут, я закрою лавочку, — пробормотал Майк.

— Ну...

— Он, даже не вставая на задние лапы, выше тебя! — настаивал бородач, когда я собирала вещи. — Огромный, как дом, черный, как смоль. Надо сообщить местному егерю, пусть предупредит людей: медведь-то был не в горах, а рядом с перевалочным пунктом.

Мужчина с обветренным лицом рассмеялся и закатил глаза:

— Попробую угадать: в тот день ты умирал от истощения, так? Не ел целую неделю и спал на земле?

— Эй, как тебя... Майк? — окликнул моего друга бородатый.

— Давай, до понедельника, — быстро пробормотала я.

— Да, сэр! — обернулся к посетителю Ньютон.

— Слушай, в последнее время медведей в ваших краях не видели? Тревожных сигналов не поступало?

— Нет, сэр, но очень важно соблюдать разумную дистанцию и как следует прятать еду. Видели новую линию газовых баллончиков? Одна из серий как раз антимедвежья. При сравнительно небольшом весе...

Раздвижные двери выпустили меня под проливной дождь. Сгорбившись под курткой, я бросилась к пикапу. Звук падающих капель сводил с ума, но его скоро заглушил рев двигателя.

Чарли на работе, в пустой дом возвращаться не хотелось. Прошлая ночь была ужасной, и собственная комната теперь внушала стойкое отвращение.

Даже когда притихшая боль позволила заснуть, мучения не закончились. Как сказала после фильма Джессика, кошмары теперь гарантированы.

Действительно, кошмары мучили ежедневно, точнее, не «кошмары» во множественном числе, а один и тот же кошмар. Казалось бы: за несколько месяцев он наскучит и перестанет беспокоить, однако жуткий сон мучил каждую ночь и заканчивался, только когда я с криками просыпалась. Чарли больше не приходил проверить, не душит ли меня какой-нибудь извращенец: он просто-напросто привык.

Другую девушку мой сон вряд ли бы напугал: в нем не было хватающих за горло маньяков, зомби или привидений; вообще никого не было. Лес, мшистые деревья и давящая на барабанные перепонки тишина. Темно, как в сумерках пасмурного дня, а света хватает, только чтобы понять: вокруг пустота.

Не разбирая дороги, я брела через этот сумрак и искала, искала, искала; с каждой секундой теряла надежду, тем не менее бежала все быстрее, хотя то и дело спотыкалась и падала... А потом наступал момент — его приближение чувствовалось, но проснуться хоть немного раньше не получалось, — когда я не могла вспомнить, что ищу. Когда понимала: искать нечего, вокруг лишь пустой, убийственно унылый лес, где для меня ничего нет и никогда не будет.

Тогда из груди и вырывался крик.

Я не знала, куда еду, — просто кружила по пустынным сырым улицам, избегая тех, что вели к дому, потому что спешить было некуда.

Хотелось снова окунуться в оцепенение, но я разучилась входить в ступор. Кошмар терзал мой воспаленный мозг, заставляя думать о вещах, которые могли причинить боль. Нет, не желаю вспоминать лес!.. Увы, даже отгораживаясь от неприятных образов, я чувствовала: глаза наполняются слезами, а рана в груди начинает саднить. Оторвав руку от груди, я сжала ребра, словно боялась, что рассыплюсь.

«Ты сможешь жить полноценной жизнью, будто никогда меня не знала» — в ушах отдавалось эхо вчерашней ночи. Нет, в кошмаре голос звучал гораздо четче! По сути, просто набор слов, сухих, как газетная передовица. Обыкновенные слова — но вскрыли не успевшую затянуться рану...

Не в силах управлять машиной, я нажала на тормоз.

Лицо к рулю, дышать, дышать, дышать...

Господи, сколько же все это будет продолжаться?! Вдруг через несколько лет боль станет более-менее терпимой и я смогу вспоминать короткие месяцы, что всегда будут самыми счастливыми в жизни? Если такое случится, я мысленно поблагодарю *его* за время, которое *он* мне подарил, и дал больше, чем просила, больше, чем заслуживала. Господи, пусть случится именно так!

А если рана не заживет? Если края не стянутся? Если процесс необратим?

Плотнее, плотнее к рулю! «Ты сможешь жить полноценной жизнью, будто никогда меня не знала», — в отчаянии повторила я. Что за глупое невыполнимое обещание?! Можно выкрасть фотографии, забрать подарки, но ведь это не сделает жизнь такой, как до нашей встречи. Причем материальные проявления совершенно не важны. Я словно переродилась, душа изменилась до неузнаваемости, я даже выгляжу иначе. Лицо мертвенно-бледное, под черными глазами оставленные кошмарами круги; будь я красивее, сошла бы за вампира... Увы, со своей заурядной внешностью я скорее напоминала зомби.

Жить полноценной жизнью, будто никогда его не знала? Полнейший абсурд, обещание, которое он нарушил, не успев дать.

Бам! Бам! Бам! — головой о руль. Что угодно, только бы заглушить ужасную боль...

Вот дура, старалась держать слово! Какой смысл блюсти соглашение, сорванное другой стороной?! Кого волнуют мои глупые или опрометчивые поступки?! Можно сколько угодно быть хоть глупой, хоть опрометчивой!

По-прежнему глотая воздух ртом, я невесело рассмеялась: безрассудство в Форксе — это что-то на грани фантастики.

Немного черного юмора помогло отвлечься. Дыхание восстановилось, и я смогла откинуться на спинку сиденья. На улице холодно и ветрено, а у меня лоб в испарине!

Затея почти безнадежная, но сейчас просто нельзя поддаваться мучительным воспоминаниям! М-м-м, чтобы проявить безрассудство в Форксе, понадобится немало изобретательности...

Если нарушить договор, который так ретиво соблюдаю я одна, боль может отступить. Мне тоже пора стать клятвопреступницей! Только на что решиться в сонном, безопасном городишке? Конечно, Форкс не всегда был таким безопасным, зато сейчас полностью соответствует репутации глухой провинции: застой и беспросветная скука.

С минуту я апатично смотрела перед собой: мысли текли вяло, водоворотом кружась вокруг одной точки. Заглушив мотор, который от долгой работы вхолостую начал жалобно хрипеть, я вышла под холодную морось.

Дождь намочил волосы и, пресными слезами стекая по щекам, помог привести в порядок мысли. Протерев глаза, я стала тупо разглядывать дорогу.

Лишь через минуту удалось разобрать, где нахожусь: к северу от Рассел-авеню, перед домом Чейни, мой пикап загораживает подъездную аллею, а напротив живут Марксы. Так, пора убрать пикап с чужой территории. И домой пора. Хватит бродяжничать, в состоянии прострации по улицам Форкса лучше не кружить: кто-нибудь обязательно заметит и сообщит Чарли.

Глубоко вздохнув, я хотела вернуться в машину, когда на глаза попалось объявление во дворе Марксов. Даже не объявление, а большой кусок картона, прислоненный к почтовому ящику, с нацарапанной черным маркером надписью.

Некоторые события в самом деле происходят по воле судьбы. Случайность — или так было предрешено? Трудно сказать, но, по-моему, глупо считать дыханием фатума доисторические мотоциклы, мирно ржавевшие во дворе Марксов, и кособокое объявление «Продаю», даже если я нашла их в самый нужный момент.

Пожалуй, никакая это не судьба. Вероятно, существует тысяча способов безответственного поведения, а я только сейчас обратила на них внимание.

«Глупо и безответственно» — два любимых папиных эпитета для описания мотоциклов и тех, кто на них ездит.

По сравнению с копами из больших городов Чарли не слишком уставал на работе, но на дорожные происшествия выезжал нередко. Вечно сырое шоссе, что петляло через лес и изобиловало опасными участками, ни к чему другому не располагало. По счастью, даже с большим количеством летящих на полной скорости лесовозов смертельных исходов удавалось избежать. Исключение, как правило, составляли мотоциклисты, и Чарли видел немало жертв, почти всегда детей, практически размазанных по асфальту. Поэтому, едва мне исполнилось десять лет, он заставил меня поклясться, что я никогда не буду кататься на мотоцикле. Да и кто захочет здесь кататься?! Ощущения те же, что ехать под душем со скоростью шестьдесят километров в час!

Всю жизнь я только и делаю, что держу обещания...

В долю секунды я приняла решение: хочу быть глупой, безответственной и нарушать обещания. Так зачем останавливаться на одном?

О последствиях лучше не думать. Пока...

Поднявшись на крыльцо Марксов, я позвонила.

Открыл младший из сыновей, восьмиклассник, ростом мне по плечо. Как же его зовут?..

Мое имя парень, судя по всему, знал.

— Белла Свон? — удивился он.

— Почем мотоциклы? — хрипло спросила я, показывая на вывеску.

— Ты серьезно?

— Конечно!

— Они не на ходу!

Я нетерпеливо кивнула: глядя на объявление, догадаться было нетрудно.

— Сколько?

— Если нравятся, бери даром. Мама хотела, чтобы их выставили к мусорным бакам, а потом увезли с остальной рухлядью.

— Точно?

— Конечно! Спроси у мамы.

Взрослых лучше не привлекать, чтобы не сообщили Чарли.

— Я тебе верю.

— Помочь вынести? — предложил парень. — Они тяжелые.

— Да, спасибо! Вообще-то мне нужен только один.

— Забирай оба! Хоть на запчасти используешь.

Парень помог мне загрузить мотоциклы в пикап. Он был рад от них избавиться, и я спорить не стала.

— Что будешь делать с «харлеями»? Они ведь несколько лет не на ходу.

— Да уж, ясно, — пожала плечами я: сиюминутный порыв в конкретный план еще не вылился. — Может, к Даулингу отвезу.

— После ремонта эта рухлядь золотой станет!

С этим не поспоришь. Цены у Джона Даулинга бешеные — к нему обращаются лишь в самом крайнем случае, люди предпочитают ездить в Порт-Анжелес, если, конечно, ситуация позволяет. В этом плане мне очень повезло: когда Чарли подарил древний пикап, я испугалась, что разорюсь на ремонте, но, за исключением стонущего двигателя и черепашьей скорости, никаких проблем не было. Когда «старичок» принадлежал Биллу Блэку, его сын Джейкоб следил за ним в оба.

Идея была похожа на удар молнии, что, учитывая погоду, казалось вполне логичным.

— Придумала! У меня есть друг, который здорово разбирается в машинах.

— Правда? Тогда хорошо.

Выезжая на шоссе, я увидела, как он машет рукой. Милый парень!

Апатии как не бывало: я на всех парах летела домой, надеясь приехать первой, даже если отец закончит пораньше. Едва переступив порог, бросилась к телефону. Трубку взял папин помощник.

— Пожалуйста, пригласите шерифа Свона! Это Белла.

— А, привет! — по-дружески воскликнул Стив. — Сейчас позову.

Пришлось подождать.

— Белла, что случилось? — без всякого приветствия спросил Чарли.

— Что-то обязательно должно случиться? Просто так и позвонить нельзя?

— Ну, — запнулся папа, — раньше ты не звонила. В чем дело?

— Ни в чем. Хотела спросить, как ехать к Блэкам. Не уверена, что правильно запомнила. Решила проведать Джейкоба, а то мы сто лет не виделись!

— Отличая идея, Беллз! — искренне обрадовался Чарли. — Ручка есть?

Маршрут простой: найду в два счета, а к ужину вернусь. Отец уговаривал не спешить, мол, он сам готов приехать в Ла-Пуш, но это в мои планы не входило.

Времени в обрез, и я снова погнала пикап по темнеющим улицам. Чем скорее выеду из Форкса, тем больше шансов поговорить с Джейкобом наедине. Ведь Билли, если догадается, в чем дело, молчать не будет!

Внимательно следя за дорогой, я волновалась, как отреагирует на нашу встречу Блэк-старший. Небось скажет, что страшно за меня рад. Наверняка, по его мнению, все сложилось как нельзя лучше. Наблюдая за чужим ликованием, я не смогу не думать о том, кого решила не вспоминать. «Пожалуйста, только не сегодня!» — беззвучно взмолилась я. Сил никаких не осталось!

Дом Блэков такой же, каким помню с детства: небольшой, деревянный, а темно-красная краска делает его похожим на амбар. Джейкоб выглянул из окна еще раньше, чем я выбралась из кабины. Конечно, по реву мотора догадался! Джейкоб был страшно рад, когда Чарли купил старый отцовский пикап и таким образом избавил от необходимости водить его после совершеннолетия. Меня-то такой транспорт вполне устраивал, а Блэку-младшему подавай скорость!

Парень бросился мне навстречу.

— Белла! — широко улыбнулся он; на фоне красноватой кожи зубы казались белоснежными. Волосы, обычно убранные в хвост, сегодня блестящим шелковым плащом обрамляли широкое лицо.

За последние восемь месяцев Джейкоб очень возмужал. Худенький мальчик окреп и превратился в высокого поджарого подростка. Под смуглой кожей играли внушительные бицепсы. Лицо такое же открытое и милое, но детская пухлость сошла, а скулы и квадратный подбородок будто талантливым резцом обточили.

— Привет, Джейкоб! — Улыбка согрела мое окоченевшее сердце, и я поняла, что и правда рада его видеть.

В душе будто замкнулась какая-то цепь. Я и забыла, как дорог мне Джейкоб Блэк.

Парень остановился в нескольких шагах, и, несмотря на дождь, я запрокинула голову, чтобы получше его рассмотреть.

— Ты снова вырос!

Широкая улыбка стала еще шире.

— Метр девяносто три! — гордо заявил молодой индеец.

— Останавливаться собираешься? — сокрушенно покачала головой я. — Надо же, вымахал...

— Настоящая жердь! — ухмыльнулся он. — Давай заходи, а то вымокнешь!

Джейкоб шел впереди. Р-раз — огромные ладони скрутили волосы и стянули резинкой.

— Папа, папа, — позвал он, распахнув входную дверь, — смотри, кто приехал!

В крохотной гостиной Билли читал книгу. Положив ее на колени, он ловко развернул кресло и покатил ко мне.

— Ну надо же... Белла, очень рад тебя видеть!

Мы пожали друг другу руки, и моя утонула в огромной смуглой ладони Билли.

— Зачем пожаловала? С Чарли все в порядке?

— Да, в полном! Просто захотела навестить Джейкоба, мы сто лет не виделись.

Темные глаза Блэка-младшего радостно заблестели.

— На ужин останешься? — гостеприимно предложил Билли.

— Нет, вы же знаете, нужно кормить Чарли.

— Я позвоню ему, в нашем доме твоему отцу всегда рады.

— Ну, не в последний же раз приехала! — пытаясь скрыть неловкость, засмеялась я. — Обещаю, буду приезжать так часто, что надоем вам обоим!

Конечно, Джейкобу придется починить мотоцикл и научить меня на нем ездить.

— Ладно, в следующий раз, — усмехнулся Билли.

— Белла, так чем займемся? — поинтересовался парень.

— Чем угодно! Что ты делал до моего приезда?

Удивительно, как спокойно мне у Блэков: что-то среднее между «дома» и «в гостях», никакие воспоминания не тревожат.

— Вообще-то, — неуверенно начал Джейкоб, — собирался заняться машиной, но можно придумать что-то другое...

— Нет, ни в коем случае! — перебила я. — С удовольствием взгляну на твою машину.

— Ладно... — Парень мне явно не поверил. — Она в гараже.

«Вот и чудесно!» — подумала я и помахала рукой Билли:

— До скорого!

Между домом и гаражом кусочек настоящего леса: деревья, кустарник, густая трава. Сам гараж переоборудован из двух больших, поставленных встык сараев, внутри которых снесли все перегородки. В нем на шлакобетонных блоках стоял вполне исправный на вид автомобиль. Я даже логотип узнала!

— Это ведь «фольксваген»?

— Да, модель «Рэббит» тысяча девятьсот восемьдесят шестого года, классика.

— Уже на ходу?

— Почти! — радостно воскликнул Джейкоб, а потом чуть слышно прошептал: — Папа сдержал слово... ну, то, что весной дал.

— А-а... — протянула я.

Похоже, Джейкоб понял мое нежелание развивать эту тему. Танцы, посвященные окончанию учебного года, я старалась не вспоминать. Пообещав денег на столь желанные запчасти, отец Джейкоба заставил его провести со мной разъяснительную беседу. Билли Блэк хотел, чтобы я держалась подальше от самого дорогого человека на свете. Эх, зря он беспокоился: вот как все получилось, теперь мы с ним дальше некуда...

Нет, тему нужно обязательно сменить!

— Ты в мотоциклах разбираешься?

— Немного, — пожал плечами Джейкоб. — У моего приятеля Эмбри мотоцикл, и порой мы его вместе чиним. А в чем дело?

— Ну... — задумчиво поджала губы я. Сможет ли он держать язык за зубами? Впрочем, других вариантов у меня нет. — Недавно купила пару «харлеев» далеко не в лучшем состоянии... Ты не сумеешь их починить?

— Круто! — Джейкоб обожает сложные задачи. — Попробую!

— Есть одно «но», — предостерегающе подняла я палец. — Чарли мотоциклы не жалует. У него инфаркт случится, узнай он о моем приобретении! Так что Билли говорить нельзя.

— Да уж, да уж... — улыбнулся Джейкоб, — понимаю.

— Я заплачу...

— Нет, никаких денег! — обиделся он. — Я же помочь хочу, по-дружески...

— Тогда давай договоримся. Из двух мотоциклов мне понадобится только один, а к нему уроки вождения. Второй заберешь ты и научишь меня ездить. Ну как, согласен?

— Здорррово! — В слове прозвучало как минимум три «р».

— Кстати, а водить-то тебе можно? Когда день рождения?

— Ты благополучно его пропустила! — Изображая гнев, Джейкоб сузил глаза. — Мне уже шестнадцать!

— Можно подумать, возрастное ограничение играло для тебя хоть какую-то роль, — пробормотала я. — Извини, что не поздравила!

— Ничего страшного, я тоже пропустил твой праздник. Сколько тебе стукнуло, сорок?

— Почти! — фыркнула я.

— Давай устроим вечеринку и отметим два дня рождения сразу!

— На свидание приглашаешь?

При заветном слове темные глаза вспыхнули. Все ясно: пора сбавить обороты, зачем подавать мальчику пустые надежды? Давно я не была такой живой и беззаботной, даже забыла как себя контролировать!

— Может, отметим, когда мотоцикл будет готов? — осторожно предложила я.

— Договорились! Ну, когда привезешь стальных коней?

Смутившись, я закусила губу.

— Вообще-то они уже в пикапе...

— Отлично! — совершенно искренне воскликнул Джейкоб.

— А если Билли увидит нас с мотоциклами?

— Будем осторожны, — подмигнул Джейкоб.

Огибая гараж с востока, мы старались не выходить из-за деревьев и в то же время двигаться как можно естественнее. Кто знает, вдруг Билли смотрит на нас в окно?

Джейкоб быстро выгрузил мотоциклы и по одному подкатил к кустам, где пряталась я. Невероятно, даже не устал, а ведь «харлеи» довольно тяжелые!

— Не такая уж и рухлядь, — объявил Блэк, когда мы толкали стальных коней к деревьям. — Например, этот после ремонта можно будет неплохо продать: перед тобой древний «харлей-спринт»!

— Он твой.

— Ты серьезно?

— Абсолютно!

— Хотя вложения здесь потребуются... — Нахмурившись, парень смотрел на почерневший металл. — Нам придется копить на запчасти.

— «Нам» ничего не придется, — покачала головой я. — Я заказываю ремонт — значит, и запчасти покупаю я.

— Ну, не знаю... — пробормотал Джейкоб.

— У меня есть кое-какие сбережения. На колледж копила..

Подумаешь, колледж! На нормальное место все равно не хватит, да и из Форкса уезжать не хочется. Ну потрачу немного, разве страшно?

Джейкоб согласно кивнул: по его мнению, очень разумно.

Пока мы переносили мотоциклы в гараж, я думала: как мне повезло. Только подросток согласился бы чинить древние, неизвестно где купленные мотоциклы тайком от родителей на деньги для колледжа.

Глава шестая

ДРУЗЬЯ

Мотоциклы даже прятать не пришлось: мы просто перетащили их в гараж. Билли на его инвалидной коляске по заросшим высокой травой кочкам ни за что не пробраться!

Красный «харлей» — тот, что предназначался для меня, — Джейкоб начал разбирать незамедлительно. а чтобы я не сидела на земле, открыл пассажирскую дверь «Рэббита». Во время работы парень трещал без умолку, так что для поддержания разговора вполне хватало «ага» и «угу». Пришлось выслушать подробнейший отчет о школе, любимых предметах и двух приятелях.

— Квил и Эмбри? — перебила я. — Необычные имена...

— Квил — имя семейное, а Эмбри назвали в честь какого-то актера. Подробностей не знаю, парни просто звереют, когда им задают подобные вопросы любого в фарш готовы изрубить.

— Хорошие у тебя друзья! — изогнула я бровь.

— Они правда классные, если не доставать с именами.

В ту самую минуту послышался низкий мужской голос:

— Джейкоб!

— О нет... — простонал парень; несмотря на смуглую кожу, было видно, как щеки заливает румянец. — Легок на помине...

— Джейк, ты здесь? — Теперь голос звучал куда ближе.

— Да, да! — тяжело вздохнув, ответил мой приятель.

Повисла неловкая пауза, и в гараж вошли два высоких смуглых парня. Один ростом почти с Джейкоба, гладкие черные волосы разделены на прямой пробор, с левой стороны одна прядь убрана за ухо Второй чуть пониже и покрепче, белая футболка растянута на широкой мускулистой груди, а волосы такие короткие, будто их стригли машинкой.

Увидев меня, оба замерли, потом тот, что повыше, насмешливо глянул на нас с Джейкобом, а крепыш улыбнулся.

— Привет, ребята! — без особого восторга проговорил Джейкоб.

— Привет, Джейк! — не сводя с меня взгляда, отозвался коренастый. В темных глазах плясали весенята и мне пришлось улыбнуться в ответ. — Привет! — подмигнул он

— Квил, Эмбри, это моя подруга Белла.

Кто есть кто — неизвестно, но парни многозначительно переглянулись.

— Дочка Чарли? — протягивая руку, спросил крепыш.

— Да, верно, — сжимая его ладонь, кивнула я.

— Я Квил Атеара, — церемонно представился крепыш, выпуская мою руку

— Рада знакомству, Квил!

— Привет, Белла! Я Эмбри, Эмбри Колл, хотя ты, наверное, уже сама догадалась. — Помахав рукой, Эмбри спрятал ее в карман джинсов.

— Приятно познакомиться, — кивнула я.

— Чем вы тут занимаетесь? — внимательно меня разглядывая, поинтересовался Эмбри.

— Так, мотоциклы чиним... — неопределенно ответил Блэк, но слово «мотоциклы» произвело воистину волшебный эффект. Парни принялись изучать мою рухлядь, буквально забросав Джейкоба ценными советами. Половину слов я слышала впервые; наверное, нужно обладать Y-хромосомой, чтобы понять их переживания.

Обсуждение запчастей шло полным ходом, когда я поняла: пора домой, пока сюда не заявился Чарли, и, тяжело вздохнув, выбралась из кабины «Рэббита».

— Белла, тебе, наверное, скучно, — извиняющимся тоном проговорил Блэк.

— Да нет, — покачала я головой. Мне на самом деле было хорошо. — Просто нужно готовить ужи Чарли.

— А-а, ясно... Сегодня разберу твоего коня и посмотрю, какие запчасти понадобятся. Когда планируешь снова им заняться?

— Может, завтра? — Никто не знал, как я ненавидела воскресенья! Домашних заданий всегда не хватало, и спастись от меланхолии не получалось.

Квил толкнул Эмбри локтем, и оба ухмыльнулись.

— Вот здорово! — просиял Джейкоб.

— Если составишь список, можно будет закупить все необходимое, — предложила я.

Мой приятель помрачнел:

— Не уверен, что позволю тебе платить...

— Брось! Мы же договорились: с меня — деньги с тебя — знания и сноровка!

Эмбри закатил глаза:

— Джейк, обратись я к механику, представляешь, сколько бы с меня содрали?

— Ладно, твоя взяла, — улыбнулся парень.

— Не говоря уже об уроках вождения! — добавила я.

Теперь Квил подмигнул Эмбри и что-то прошептал. Я не разобрала, зато разобрал Джейкоб и треснул приятеля по затылку.

— Пошли вон! — прошипел он.

— Нет, это мне пора! Давай, до завтра.

— Та-да-да-дам! — нестройным хором пропели Квил и Эмбри, едва за мной закрылась дверь.

Послышался характерный шум драки, прерываемый эпизодическими «ах!» и «ох!».

— Увижу завтра хоть одного из вас на моей земле... — грозно начал Джейкоб. Конца фразы я уже не слышала, быстро шагая к пикапу.

Я сдавленно захихикала и изумленно подняла брови: надо же, стою одна-одинешенька в лесу и ухмыляюсь! Чувствуя себя легкой, почти невесомой, я засмеялась снова: было бы так всегда!

Домой я приехала первой и, когда Чарли переступил порог, уже снимала со сковороды жареного цыпленка.

— Привет, папа!

От потрясения лицо Чарли превратилось в маску, но он быстро взял себя в руки.

— Привет, милая! — неуверенно промолвил он. — Ну, как было у Джейкоба?

— Отлично! — накрывая на стол, ответила я.

— Вот и славно. — В папином голосе до сих пор слышалась настороженность. — Чем занимались?

Теперь пришла моя очередь осторожничать.

— Сидели в гараже: Джейк работал, я смотрела. Ты знал, что он собирает «фольксваген»?

— Да, Билли вроде говорил.

Во время ужина допрос прекратился, но, даже поглощая цыпленка, Чарли подозрительно на меня поглядывал.

После ужина папа ушел смотреть хоккей, а я с особой тщательностью вымыла посуду и протерла пол в кухне, а потом прямо в гостиной засела за домашнюю работу. Тянула резину, как могла, однако через пару часов Чарли объявил, что уже поздно. Я не ответила, и он встал и потушил свет. Делать нечего, придется идти к себе...

Взбираясь по ступенькам, я чувствовала, как остатки сегодняшней эйфории покидают меня, уступая место безотчетному страху: как жить дальше?

Оцепенение прошло, значит, наступающая ночь будет такой же ужасной, как вчерашняя. Забравшись в постель, я свернулась клубочком: сейчас начнется. Покрепче зажмурилась... а когда открыла глаза, было уже утро.

В полном изумлении я смотрела на серебристый, струящийся из окна свет.

Впервые за четыре с лишним месяца я спала без сновидений. Без криков и кошмаров... Неужели все прошло? Даже не верится.

Пару минут я и пошевелиться не решалась: сейчас, сейчас все вернется... Если не боль, так оцепенение. Я ждала, ждала, но ничего так и не случилось... Уже давно я не чувствовала себя такой отдохнувшей!

Нет, так долго продолжаться не может: я балансирую на краю пропасти, одно движение — и сорвусь вниз. С глаз словно пелена спала, и комната казалась чужой, слишком аккуратной, будто в ней жил кто-то другой.

Хватит об этом! Нужно собираться, сегодня я снова увижу Джейкоба! Эта мысль наполняла... чуть ли не надеждой и радостью! Вдруг все будет, как вчера? Вдруг не придется через силу улыбаться и время от времени кивать, как я делаю, общаясь со всеми остальными? Вдруг... Нет, на это рассчитывать не стоит! Не стоит ждать, что вчерашняя эйфория получит продолжение! Лучше так, чем потом умирать от разочарования.

За завтраком Чарли не терял бдительности: старательно прятал свой проницательный взгляд, делая вид, что его интересует яичница с беконом.

— Ну, какие планы на сегодня? — спросил он, внимательно разглядывая манжеты: дескать, мой ответ не так важен.

— Снова собираюсь к Джейкобу.

— Угу, — не поднимая глаз, кивнул папа.

— Не возражаешь? Вообще-то могу и остаться...

— Нет, что ты, что ты! Езжай! Ко мне приедет Гарри, будем бейсбол смотреть!

— А может, Билли пригласите? Гарри мог бы его забрать...

Конечно, чем меньше свидетелей, тем лучше!

— Чудесная идея!

Не знаю, в бейсболе дело или нет, но папе не терпелось выставить меня из дома. Пока он договаривался по телефону, я надела плащ и с некоторым опасением положила в карман чековую книжку. Никогда раньше ею не пользовалась...

На улице лило как из ведра. Из-за ужасной видимости ехать пришлось куда медленнее, чем хотелось. Наконец грязная, затопленная дождем дорога привела к дому Блэков. Не успела я заглушить двигатель, как навстречу выбежал Джейкоб с большим черным зонтом.

Р-раз — и зонт раскрылся над моей головой.

— Чарли звонил, что ты выехала, — ухмыльнувшись, пояснил он.

Без всякой натуги и усилия мои губы растянулись в улыбке, а внутри стало неожиданно тепло, хотя по лицу хлестали мелкие холодные капли.

— Привет, Джейкоб...

— Молодец, что помогла вытащить из дома Билли! — Он приветственно поднял руку, и мне пришлось подпрыгнуть, чтобы дотянуться до его ладони. Джейк захохотал.

Буквально через несколько минут приехал Гарри. Выпроводив отца, Блэк-младший провел меня в маленькую гостиную, где теперь можно было спокойно разговаривать.

— Ну, господин механик, с чего начнем? — спросила я, едва вдали затих гул мотора Гарри.

Джейкоб достал из кармана сложенный вчетверо листок.

— Начнем с рейда по городской свалке, вдруг повезет? — разглаживая бумагу, предложил он. — Иначе получится довольно дорого. Чтобы привести этих красавцев в божеский вид, понадобятся солидные вложения. — Наверное, вид у меня был совсем безрадостный, потому что Джейк поспешно уточнил: — Больше сотни...

Вздохнув с облегчением, я прошелестела перед его носом чековой книжкой:

— Ничего, пробьемся!

Странный получился день. Мне было очень хорошо даже на свалке, по колено в грязи и под проливным дождем. Возможно, так случается, когда приходишь в себя после многомесячного оцепенения, но вряд ли дело только в этом.

Скорее, объяснение нужно искать в Джейкобе. И не в том, что он искренне радовался моему присутствию. Секрет — в его характере: бесконечно влюбленный в жизнь, он буквально излучал счастье и охотно делился им с окружающими. Словно солнце, Джейкоб обогревал каждого, кто попадал в зону его притяжения, причем делал это совершенно искренне, без капли притворства. Неудивительно, что я с таким нетерпением ждала очередной встречи!

Даже заметив брешь в приборной панели, он отреагировал так, что мне не пришлось биться в панике:

— Магнитола сломалась?

— Да, — соврала я.

Джейк внимательно осмотрел зияющую дыру:

— А кто снимал? Никакого уважения к технике!

Пришлось признаться:

— Я...

— По-моему, тебя не стоит допускать к мотоциклам! — захихикал он.

— Ничего, справлюсь!

На свалке, похоже, нам очень повезло. Особый восторг Джейкоба вызвали несколько почерневших от масла деталей. Невероятно, откуда он знает, для чего предназначается каждая из них?!

Далее по плану — «Чекер», магазин запчастей в Хоквиаме. На пикапе в соседний городок ехать часа два, но с Джейкобом время летело быстро и незаметно. Он увлеченно рассказывал о друзьях и школе, и неожиданно для себя я начала задавать вопросы, причем не из вежливости, а потому, что заинтересовалась.

— Я тебя, наверное, до смерти заболтал! — посетовал парень после длинной, но необыкновенно занимательной истории о том, как Квила угораздило пригласить на свидание подружку одного из местных хулиганов. — Теперь твоя очередь! Как живут в Форксе? Небось поинтереснее, чем в Ла-Пуш.

— Не-ет, — вздохнула я. — Ничего особенного у нас не происходит, а твои друзья такие классные! Один Квил чего стоит!

— По-моему, у вас с Квилом взаимно, — нахмурился Блэк.

— Да он мне в сыновья годится! — засмеялась я.

— Не в такие уж и сыновья: разница всего полтора года... — Джейк скис еще сильнее.

Ну, все, Квила больше обсуждать не будем...

— Знаешь, учитывая, что девушки взрослеют раньше парней, каждый год идет за семь! — невинно поддела я. — Так что получается, насколько я старше? На двенадцать лет?

Джейкоб покатился от хохота:

— Ладно, но если вдаваться в детали, то нельзя забывать и разницу в габаритах! Ты такая кроха, что из двенадцати лет нужно вычесть десять.

— Метр шестьдесят — средний женский рост! — фыркнула я. — Это ты настоящий акселерат!

Непринужденная болтовня не утихла до самого Хоквиама. Мы спорили, как правильно вычислять возраст, — я потеряла еще два года за то, что не умею менять колеса, зато вернула один назад, потому что веду домашнюю бухгалтерию, — пока не остановились у «Чекера». Мгновенно посерьезнев, Джейкоб нашел почти все детали из списка, а потом шутил, что с таким уловом ремонт пойдет семимильными шагами.

К возвращению в Ла-Пуш мне было двадцать три, а Блэку — тридцать: полезные умения и навыки прибавили ему очков.

Нет, я не забыла, с какой целью все это затеяла. Неожиданная эйфория не изменила моих планов: я твердо решила нарушить данное слово. Какой смысл соблюдать соглашение в одиночку? Ну, а приятное общение с Джейкобом — неожиданный бонус.

Билли еще не вернулся, так что добычу мы выгружали не таясь. Когда все детали были выложены на пластиковый пол рядом с инструментами, мой друг принялся за работу, продолжая потчевать меня интересными историями, а его опытные пальцы тем временем ощупывали каждое наше приобретение.

Какие удивительные у него руки! Сильные, крупные, а с самыми тонкими операциями справляются без труда. Во время работы Джейк кажется чуть ли не грациозным, хотя обычно грация и огромный рост — понятия несовместимые: вот я далеко не великанша, а ужас какая неловкая.

Квил и Эмбри не приезжали, испугавшись, наверное, вчерашних угроз.

Как быстро прошел день!.. Неожиданно стемнело, и мы услышали, как нас зовет Билли.

Я вылетела из салона «Рэббита», чтобы помочь Джейку убрать детали. И застыла, не зная, что можно трогать, а что нет.

— Оставим все как есть, — махнул рукой парень. — После ужина еще поработаю.

— Смотри, про домашние задания не забывай! — почувствовав укол совести, напомнила я. Нельзя, чтобы из-за моего плана у него появились проблемы.

— Белла!

Мы оба вздрогнули: сквозь деревья доносился голос Чарли, причем, судя по всему, папа не в доме, а ближе.

— Черт! — пробормотала я, а потом закричала: — Иду!

— Побежали! — улыбнулся Джейкоб, ему нравилось, что у нас появилась общая тайна.

Он щелкнул выключателем. Оказавшись в кромешной тьме, я на секунду растерялась; схватив за руку, Джейк повел меня через густой кустарник: знакомую тропку нашел в мгновение ока. Ладонь у него шершавая и очень теплая.

Во мраке ночи мы то и дело спотыкались, поэтому, когда впереди показался дом, оба захохотали. Смех получился слегка натянутым, но надеюсь, Джейк не расслышал в нем истерических ноток. Я сто лет не смеялась, так что ощущения были довольно странные.

На крыльце стоял Чарли, а в дверном проеме виднелась коляска Билли.

— Привет, папа! — нестройным хором проговорили мы и снова захохотали.

Круглые от удивления глаза Чарли метнулись к руке Джейкоба, вольготно лежащей на моем плече.

— Билли пригласил нас на ужин, — рассеянно объявил отец.

— Спагетти по моему фирменному рецепту, который передавался из поколения в поколение! — торжественно объявил Билли.

— Не помню, чтобы дедушка ел спагетти! — фыркнул Джейкоб.

В доме было не протолкнуться: Гарри Клируотер заявился со всем семейством: женой Сью, которую я помнила по летним каникулам в Форксе, и двумя детьми. Старшая дочь Ли учится в параллельном классе. Настоящая красавица — гладкая медная кожа, блестящие черные волосы, густые ресницы, — экзотическая и томная: когда мы вошли, она увлеченно беседовала по телефону и даже не отвлеклась. Младший, четырнадцатилетний Сэт, с обожанием смотрел на Джейкоба.

За кухонным столом было слишком тесно. Чарли и Гарри вынесли стулья во двор, и мы поужинали, держа тарелки на коленях. Мужчины говорили о бейсболе и строили планы насчет рыбалки. Сью дразнила мужа: мол, травится холестерином, вместо того чтобы придерживаться вегетарианской диеты. Джейкоб в основном общался со мной и Сэтом, который страшно не хотел остаться за бортом общего разговора. За нами якобы незаметно следил Чарли, довольный, хотя и встревоженный.

Было очень шумно, все старались перекричать друг друга, смех от одной шутки заглушал другую. Я почти все время молчала, много улыбалась, причем не через силу.

Уходить страшно не хотелось.

Увы, веселую трапезу прервал неизбежный дождь, а в маленькой гостиной Блэков не разгуляешься. Поскольку Чарли приехал на машине Клируотеров, домой пришлось добираться на моем пикапе. Папа расспрашивал, как прошел день, и я рассказала правду: мы с Джейкобом ездили в автомагазин, а потом я смотрела, как он ремонтирует «фольксваген».

— Ты что, снова к ним собираешься? — как можно небрежнее спросил Чарли.

— Да, завтра после школы. Не беспокойся, домашнее задание сделаю.

— Смотри не забудь! — кивнул он, пытаясь скрыть удовольствие.

Дома настроение не на шутку испортилось. К себе подниматься вообще не хотелось. Солнечное тепло Джейкоба постепенно таяло, уступая место леденящему страху. На две спокойные ночи подряд рассчитывать не стоит.

Оттягивая неприятное, я проверила электронную почту: пришло письмо от Рене.

Мама писала о новом литературном кружке, в который ходит, бросив секцию йоги, и взаимоотношениях с учениками: поладить со второклассниками оказалось сложнее, чем с малышами из детского сада. Филу, моему новоиспеченному отчиму, нравится работать тренером, а летом они с мамой собираются в Диснейленд на второй медовый месяц.

Удивительно: имейл воспринимался как журнальная статья, а не как письмо. Стыд и угрызения совести затопили меня горячими волнами, оставляя неприятный осадок. Надо же, от родной матери отстраняюсь!

Я тут же сочинила ответ — порадовалась ее новостям и рассказала о своих: как Билли угощал спагетти, как Джейкоб при мне мастерил из старых деталей совершенно удивительные вещи... Не помню, о чем я писала на прошлой неделе, но вряд ли мое послание отличалось чуткостью и теплотой. Чем больше я об этом думала, тем тяжелее становилось: мама небось переживает.

Отправив письмо, я немного посидела над домашним заданием, с которым вполне можно было еще повременить. К сожалению, ни искусственный дефицит сна, ни проведенные с Джейкобом часы, счастливые и беззаботно-веселые, не спасут от кошмара вторую ночь подряд.

Проснулась я в холодном поту: истерический крик заглушила прижатая к лицу подушка.

За окном серый утренний свет: сквозь густой туман пробиваются робкие лучи солнца. Я лежала неподвижно, пытаясь стряхнуть с себя обрывки сна. Кошмар стал другим, и мне хотелось это обдумать.

Итак, в лесу я была не одна, а с Сэмом Адли, тем самым, кто нашел меня в новолуние; о той ночи страшно не хотелось вспоминать. Только во сне он вел себя иначе: темные глаза смотрели недружелюбно, упорно скрывая какой-то секрет. В панике я что-то искала, то и дело на него оглядывалась и испытывала странное волнение. Может, потому, что, когда я отводила глаза, боковым зрением замечала нечто удивительное: сильно дрожа, Сэм менял облик.

Во время завтрака Чарли внимательно за мной следил. Что ж, заслужила, так что правильнее всего не обращать внимания. Наверное, пройдут недели, прежде чем он перестанет ждать возвращения зомби. Обижаться нечего, сама ведь я тоже рецидива не исключаю. Два дня не могли меня вылечить окончательно и бесповоротно.

Вот в школе было совсем иначе: стряхнув апатию, я поняла, что абсолютно никому не интересна. Вспомнился первый день в Форксе: хотелось стать хамелеоном и слиться с асфальтом, чтобы не замечали. Похоже, год спустя мое желание исполнилось.

Я будто отсутствовала, даже на уроках почти не спрашивали.

Целое утро я только и делала, что слушала: нужно наверстать упущенное за время многомесячной апатии. Увы, разговоры были настолько сумбурными, что затею пришлось оставить.

На уроке матанализа Джессика и взглядом меня не удостоила.

— Привет, Джесс! — с фальшивой беспечностью начала я. — Как выходные?

Девушка недоверчиво на меня посмотрела. До сих пор злится или хочет поскорее отделаться от ненормальной?

— Отлично! — буркнула она и уткнулась в учебник.

— Вот и славно...

В общем, я испытала на себе то, что называют холодным приемом, причем в самом прямом смысле. Через вентиляционные отверстия в полу поступал теплый воздух, но я замерзла и, схватив со спинки стула куртку, поспешно ее надела.

На четвертом уроке нас задержали. Когда я пришла в столовую, за столом, где обычно сидела, мест почти не осталось: там сидели Майк, Джессика и Анжела, Коннер, Тайлер, Эрик и Лорен. Плюс Кэти Маршалл, рыженькая десятиклассница, и Остин Маркс — старший брат мальчишки, который отдал мне мотоциклы. Интересно, давно они к нам присоединились? На один день или навсегда?

Я задыхалась от досады: ужас, можно подумать, последний семестр я в пенопластовой упаковке провела!

Никто не обратил внимания, когда я села рядом с Майком.

Так, о чем они говорят? Майк с Коннером — о спорте, значит, здесь мне ловить нечего.

— А где сегодня Бен? — спросила Лорен у Анжелы. Любопытно, выходит, Бен и Анжела по-прежнему вместе?

Кстати, длинные пшеничного цвета волосы Лорен обстригли в суперкороткий ежик. Интересно, зачем она так? Жаль, правды не узнаешь! Решила их продать? Жвачка попала? Девчонки, чьих парней она увела, подкараулили у раздевалки и обкорнали? Впрочем, не слишком красиво судить ее по старым поступкам, ведь Лорен, похоже, исправилась.

— У него кишечный грипп, — как обычно тихо и невозмутимо ответила Анжела. — Надеюсь, быстро пройдет. Вчера ночью Бену было очень плохо.

Анжела тоже изменила прическу, отрастив длинные локоны.

— Чем же вы занимались в выходные? — без видимого интереса спросила Джессика. Наверное, этот вопрос — просто предлог, чтобы заговорить о себе. Хватит наглости рассказать о поездке в Порт-Анжелес, несмотря на то что я сижу рядом? Неужели со мной не считаются настолько, что будут обсуждать прямо в моем присутствии?

— В субботу собирались на пикник, но... в последний момент передумали. — В голосе Анжелы звучало такое напряжение, что я заинтересовалась.

— Какая жалость! — Джесс явно хотела заговорить о своем, однако про поход было интересно не только мне.

— Что же случилось? — полюбопытствовала Лорен.

— Ну, — взволнованно начала моя обычно спокойная подруга, — мы собирались на север, к горячим источникам. Знаете, в паре километров от дороги есть неплохое место... Проехали, наверное, полпути и увидели...

— Что же вы увидели? Давай, говори! — Лорен сдвинула светлые брови, даже Джесс и та прислушалась.

— Не знаю, — покачала головой Анжела. — Мы решили, что это медведь. Черный и такой... огромный...

— Господи, и ты туда же! — фыркнула Лорен. В ее голубых глазах появилась насмешка, и я поняла: никаких иллюзий относительно этой особы питать не стоит, если в ней что-то и изменилось, то только прическа. — Неделю назад Тайлер рассказывал мне ту же басню.

— В туристической зоне медведей не бывает, — поддержала Лорен Джессика.

— Мы на самом деле видели, — разглядывая стол, негромко возразила Анжела.

Лорен захихикала. Майк по-прежнему беседовал с Коннером, не обращая на девушек ни малейшего внимания.

— Анжела говорит правду! — не утерпев, вмешалась я. — В субботу к нам в магазин заходил турист, которому тоже попался медведь. Он чуть ли не на окраине города его встретил, верно, Майк?

Стол накрыла гробовая тишина. Восемь пар глаз смотрели на меня с неподдельным изумлением, а десятиклассница Кэти раскрыла рот, будто произошло что-то фантастическое. Все сидели не шевелясь.

— Майк! — позвала я. — Помнишь парня, который про медведей рассказывал?

— Д-да, к-конечно, — проблеял Ньютон. Господи, ну почему он так странно на меня смотрит? На работе-то я с ним разговариваю!

Парень пришел в себя.

— Верно, верно, был один тип, который утверждал, что недалеко от перевалочного пункта видел огромного медведя. Якобы крупнее, чем гризли.

— Хм... — Лорен демонстративно повернулась к Джессике и сменила тему: — Ну как, есть новости из университета?

Вскоре в новый разговор втянулись все, кроме Майка и Анжелы. Девушка неуверенно улыбнулась, и я поспешила ответить любезностью на любезность.

— Белла, а ты чем занималась в выходные? — спросил Ньютон с настороженным любопытством.

Сидящие за столиком (за исключением Лорен) снова вспомнили о моем существовании.

— В пятницу вечером мы с Джессикой ездили смотреть кино в Порт-Анжелес, а субботу и большую часть воскресенья я провела в Ла-Пуш.

Изумленные взгляды метнулись к Джессике, которая сильно разозлилась. Интересно, это потому, что она намеренно умолчала о нашей поездке или просто хотела сама об этом сообщить?

— На какой фильм? — дружелюбно спросил Майк.

— «Тупик», ужастик про зомби, — просияла в ответ я. Кто знает, вдруг вред, нанесенный многомесячным молчанием, удастся нейтрализовать?

— Говорят, настоящая жуть! В самом деле? — Похоже, Ньютон не прочь развить тему.

— Белла даже до конца сеанса не досидела, так перепугалась, бедняжка! — ухмыльнулась Джессика.

Я кивнула, старательно изображая смущение:

— Да, действительно перепугалась...

Майк продолжал меня расспрашивать до конца ленча. Постепенно остальные завели свой разговор, хотя то и дело смотрели в нашу сторону. Анжела в основном общалась с нами и, когда я встала, чтобы отнести поднос, поднялась следом.

— Спасибо! — тихо сказала она, когда мы отошли от столика.

— За что?

— За то, что поддержала и защитила.

— Ладно, пустяки!

Во взгляде подруги светилась тревога, а не уничижительное «у нее все дома?».

— Ты в порядке?

Именно поэтому для девичника я выбрала Джесс, а не Анжелу, которую любила гораздо больше: подруга Бена слишком чуткая и проницательная.

— Не совсем, — призналась я, — хотя улучшения есть.

— Вот и хорошо! — искренне обрадовалась девушка. — Мне тебя не хватало.

Мимо профланировали Джессика с Лорен, и блондинка нарочито громко прошептала:

— Чудо-то какое: Белла в себя пришла!

Анжела закатила глаза и ободряюще улыбнулась.

Я вздохнула: придется начинать все сначала.

— Какое сегодня число? — неожиданно вырвалось у меня.

— Девятнадцатое января.

— Хм-м...

— А в чем дело?

— Ровно год назад я впервые пришла в эту школу — задумчиво проговорила я.

— Практически ничего не изменилось, — глядя на Джессику с Лорен, отозвалась Анжела.

— Да уж, — кивнула я. — Именно это мне и пришло в голову.

Глава седьмая

ДЕЖАВЮ

Я не понимала, зачем это делаю.

Пытаюсь вернуться в ступор? Неожиданно стала мазохисткой и полюбила самоистязание?

Нужно ехать в Ла-Пуш, рядом с Джейкобом такая благотворная атмосфера!.. А то, что я делаю сейчас, никак благотворным не назовешь.

И все же я продолжала медленно катить по заросшей лесной дороге, петлявшей между деревьями, которые изгибались над ней зеленым шатром. Руки дрожали, и я заставляла себя крепко сжимать руль.

Понятно, отчасти причина в кошмаре: даже сейчас, наяву, его никчемность и пустота терзали нервы, словно гложущая кость собака. Я ведь не просто так блуждала по чаще, цель моих поисков далека и недостижима, холодна и равнодушна... Но ведь он был в том лесу, на это и оставалось уповать.

И потом, причина в странном ощущении дежавю, которое я испытала сегодня в школе, да еще даты совпали. Такое чувство, что я начинаю все сначала, — возможно, именно так прошел бы мой первый день, окажись я и правда самым незаурядным и интересным человеком в столовой.

«Ты сможешь жить полноценной жизнью, будто никогда меня не знала», — прозвучало в голове без всякого выражения, словно слова сухой газетной статьи.

Нет, поиски причин — уловка, я просто обманываю себя, не желая смотреть в глаза правде, бросающей тень на мое душевное здоровье.

А правда заключается в том, что мне хочется услышать его голос, как во время пятничной галлюцинации. Потому что момент, когда он донесся не из сознательной, а из другой части разума и звучал куда четче, чем в воспоминаниях, я могла вспоминать без дрожи. За мимолетной галлюцинацией пришла боль, вне всякого сомнения служившая наказанием за бесплодную затею. Но секунды, когда я могла внимать его голосу, так драгоценны — устоять невозможно! Нужно, необходимо снова пережить это невероятное ощущение...

Надеюсь, это на самом деле дежавю! Поэтому я и решила поехать в его дом, где не была уже много месяцев со дня злополучной вечеринки в мою честь.

За окном медленно проползали густые, как в джунглях, заросли.

Сколько я уже в пути? Почему особняк до сих пор не видно? Дорога так заросла, что я ничего не узнавала и, перепугавшись, поехала быстрее.

А если я не найду то место? По спине побежали мурашки: вдруг не осталось никаких вещественных доказательств пребывания его семьи?

Вот он, просвет между деревьями, не такой заметный, как раньше. Растительность быстро завоевала оставленный без присмотра участок. Высокий папоротник наводнил лужайку, обступил высокие кедры, подобрался к крыльцу. Впечатление такое, будто перед домом разливается зеленое море.

Особняк на месте, однако вид у него совсем не тот. Снаружи вроде бы ничего не изменилось, но из черных окон кричат пустота и заброшенность, даже оторопь берет! Впервые за все время, что я провела в этом красивом величественном доме, он казался вполне подходящим для вампиров пристанищем.

Нажав на тормоза, я стала смотреть в другую сторону. Дальше ехать страшно...

Чуда так и не случилось, никакого голоса я не услышала и, переключив двигатель на холостой ход, окунулась в зеленое море. Может, если, как в пятницу, подойти ближе...

Один шаг, второй... Нужно отрешиться от всего, даже утробно урчащего за спиной пикапа... На крыльце пришлось остановиться. Абсолютно никаких признаков их присутствия... его присутствия. Дом не исчез, но что толку: его материальность не в силах нейтрализовать зияющую пустоту моих кошмаров.

Дальше я не пошла. В окна смотреть не хотелось, да и что в них увидишь? Если в брошенных комнатах гуляет эхо, их бездумное созерцание принесет только боль. Помню, когда хоронили бабушку, мама меня даже попрощаться не пустила, мол, лучше запомнить ее живой.

С другой стороны, сохранись обстановка полностью, разве было бы лучше? Если бы на стенах висели картины, по углам стояли диваны, а на невысоком постаменте — вот ужас! — рояль? Лишь обнаружить полное исчезновение дома страшнее, чем понять, что никакое имущество на свете не способно удержать их на месте, что все осталось, брошенное и забытое.

Совсем как я...

Отвернувшись от черных окон, я быстро пошла к пикапу. Чуть ли не бегом побежала! Прочь отсюда, обратно к людям. Умирая от одиночества, я захотела увидеть Джейкоба. Очередная одержимость? Навязчивая идея вроде четырехмесячного оцепенения?

В тот момент мне было все равно, я на полной скорости гнала пикап к дому Блэков.

Джейкоб уже ждал. Рядом с ним мне даже дышать легче стало.

— Привет, Белла!

— Привет! — улыбнулась я и помахала смотревшему в окно Билли.

— Ну что, за работу?

Каким-то чудом мне удалось рассмеяться:

— Слушай, только честно, я тебе еще не надоела?

Джейк небось уже гадает, зачем я к нему пристала.

Он повел меня в гараж:

— Нет, пока нет.

— Когда начну действовать на нервы, скажи. Не хочу превращаться в обузу.

— Ладно! — хрипло рассмеялся Джейкоб. — Только заранее предупреждаю: ждать придется долго.

Войдя в гараж, я чуть не ахнула: красный «харлей» стал похож на мотоцикл, а не на кучу металлолома.

— Джейк, ты чудо! — выпалила я.

— Просто умею уходить в работу с головой, — снова улыбнулся он и пожал плечами. — Будь у меня побольше мозгов, постарался бы растянуть процесс.

— Зачем?

Парень опустил глаза и долго молчал; я даже решила, что он не расслышал.

— Белла, а как бы ты отреагировала, заяви я, что не справлюсь с ремонтом? — наконец спросил он.

Теперь отмалчивалась я, и Блэк с тревогой заглянул мне в глаза.

— Ну, сказала бы: «Мне очень жаль», а потом придумала бы нам другое занятие. На крайний случай всегда есть уроки.

Джейкоб заметно расслабился и, присев рядом с «харлеем», взял гаечный ключ.

— Значит, будешь приезжать и после того, как закончу?

— Так вот о чем речь! — вырвалось у меня. — Помоему, это я злоупотребляю твоим талантом механика!.. Буду приезжать, пока не надоем!

— Квила хочешь увидеть? — поддел он меня.

— Точно!

— Тебе действительно нравится проводить со мной время? — все еще недоверчиво спросил Джейкоб.

— Да, очень, и я это докажу. Завтра мне на работу, а в среду займемся чем-нибудь немеханическим.

— Например?

— Пока не знаю. Можно поехать ко мне; надеюсь, тогда у тебя станет меньше навязчивых идей. Хочешь — возьми домашнее задание. Ты небось сильно отстаешь от графика; лично я отстаю.

— Домашнее задание — это здорово... — скривился парень. Интересно, насколько он запустил занятия?

— Да уж, — согласилась я. — Нам пора взяться за ум, иначе Билли с Чарли на дыбы встанут!

Джейкобу понравились и к месту вставленное «нам», и жест, показывающий, что мы — единое целое.

— Думаешь, готовить уроки раз в неделю достаточно?

— Скорее, два, — предложила я, вспомнив огромное количество заданий.

Тяжело вздохнув, он потянулся к пакету из супермаркета, достал две банки колы и передал одну мне. Мы торжественно подняли запотевшие банки.

— За острый ум и чистую тетрадь! Дважды в неделю!

— И безрассудное веселье в промежутках! — с жаром поддержала я.

Джейкоб усмехнулся, и мы чокнулись.

Домой я вернулась позднее, чем рассчитывала. Чарли не стал меня ждать и заказал пиццу. Робкие извинения были прерваны на полуслове.

— Все в порядке! — заверил Чарли. — Хоть немного от кухни отдохнешь.

Понятно, папа рад, что я наконец веду себя нормально, и боится спугнуть.

Прежде чем засесть за домашнее задание, я проверила электронную почту. Пришло длинное письмо от Рене. Со свойственной ей экспансивностью мама реагировала на каждую строчку моего послания. Пришлось сочинить еще одно — подробнейшее описание сегодняшнего дня, за исключением ремонта мотоциклов: даже беспечная Рене всполошится, если об этом узнает.

Вторник получился каким-то неровным: Майк с Анжелой приняли меня с распростертыми объятиями, радостно забыв о нескольких месяцах моего странного поведения, а вот Джесс оказалась менее сговорчивой. Может, ждет письменного извинения за то, что случилось в Порт-Анжелесе?

На работе Ньютон был сама любезность и болтал так, будто целый семестр копил темы для разговоров, а тут решил разом все выложить. Очевидно, с ним тоже можно шутить и смеяться, хотя и не так беззаботно, как с Джейкобом. Все шло более-менее безопасно, пока не настало время закрываться.

Ньютон перевернул вывеску на «закрыто», а я сняла жилет и сунула под прилавок.

— Классно сегодня поболтали! — радостно проговорил Майк.

— Да уж, — согласилась я, хотя сама бы лучше провела время в гараже с Джейкобом.

— Обидно, что на прошлой неделе в Порт-Анжелесе не досидела до конца сеанса...

Непонятно, к чему он ведет...

— Наверное, я просто скучный, безответственный человек...

— Я о том, что, может, пойти на другой фильм, который понравится...

— Угу...

— Например, в пятницу. Со мной... На что-нибудь совсем нестрашное.

Я прикусила губу: не хочется портить отношения с Майком, тем более что он одним из первых простил мое асоциальное поведение. Дежавю, очередное дежавю. Будто прошлого года и не было! Жаль, на этот раз Джесс не прикроешься!

— То есть на свидание? — уточнила я. Наверное, честность в данный момент — лучшая политика, нужно решить все раз и навсегда.

Очевидно, Майк почувствовал мой настрой.

— Не обязательно на *свидание*...

— Не хочу ни с кем встречаться, — четко проговаривая каждое слово, заявила я. Истинная правда: какие мне сейчас романы?

— Тогда как друзья? — Голубые глаза Майка потухли. Интересно, он правда верит, что мы сможем быть друзьями?

— Я бы с удовольствием, но пятница уже распланирована. Давай на следующей неделе!

— Чем займешься? — спросил Ньютон не так небрежно, как ему хотелось бы.

— Уроками. Мы с подругой решили позаниматься.

— Ладно, тогда на следующей неделе...

Заметно притихший, Майк проводил меня к машине. Надо же, первые месяцы в Форксе, один к одному! Круг замкнулся: все события казались отголосками прошлого, пустым эхом.

На следующий вечер Чарли нисколько не удивился, застав нас с Джейкобом в гостиной среди стопок учебников. Наверное, они с Билли шептались у нас за спиной

— Привет, ребята! — прокричал он, глядя в сторону кухни, откуда доносился аромат лазаньи, которую я весь вечер готовила, а Джейкоб наблюдал и периодически пробовал. Нужно же быть примерной дочерью и компенсировать вчерашнюю пиццу!

Джейк остался на ужин, согласился взять домой порцию для Билли и скрепя сердце приписал мне еще год за умение готовить.

В пятницу мы занимались мотоциклами, а в субботу, после работы у Ньютонов, снова домашним заданием. Положившись на мое здравомыслие, Чарли уехал на рыбалку с Гарри, а когда вернулся, мы уже закончили с уроками и, чувствуя себя очень взрослыми и ответственными, смотрели «Гараж монстров» по каналу «Дискавери».

— Пожалуй, мне пора, — зевнул Джейкоб, — а то засиделся...

— Ну, ладно, — буркнула я. — Давай отвезу!

Моя недовольная гримаса рассмешила Блэка и, судя по всему, обрадовала.

— Итак, завтра опять ремонт! — объявила я, едва мы укрылись в кабине пикапа. — Во сколько приехать?

Джейкоб улыбнулся, словно предвкушая что-то приятное.

— Давай я сначала позвоню тебе, ладно?

— Как скажешь, — недоуменно нахмурилась я.

Он улыбнулся еще шире.

Утро началось с генеральной уборки: я ждала звонка Джейкоба и пыталась отрешиться от кошмара. Прошлой ночью место его действия немного изменилось: я брела по бескрайнему морю болиголова, в котором корабельными мачтами высились исполинские тсуги*. В гордом одиночестве я блуждала среди зелени, искала, сама не зная что, и наконец потерялась. Боже, ну зачем только я ездила к этому дому, идиотка!.. Огромным усилием воли я заперла кошмар в самый дальний уголок памяти, надеясь, что он не вырвется.

Когда зазвонил телефон, Чарли во дворе мыл патрульную машину; пришлось бросить губку и бежать вниз.

— Алло!

— Здравствуй, Белла! — неожиданно церемонно начал Джейкоб.

— Привет, Джейк.

— Судя по всему, сегодня у нас свидание, — многозначительно произнес он.

Лишь через секунду я поняла, в чем дело.

— Неужели готовы? Поверить не могу...

Надо же, именно когда мне надо отвлечься от кошмаров и пустоты!

— Ну да, разгоняются, держат скорость и все такое.

— Джейкоб, скажу без тени преувеличения: таких талантливых людей я еще не встречала! Плюс десять лет тебе в награду!

— Здорово, теперь я мужчина среднего возраста!

— Ладно, еду! — засмеялась я.

Запихав моющие средства под раковину, я схватила куртку.

* Тсуги — род вечнозеленых хвойных деревьев семейства сосновых. Растет в Азии и Северной Америке.

— К Блэкам собираешься, — провожая меня взглядом, отметил Чарли. Судя по интонации, это не вопрос.

— Угу, — кивнула я, залезая в пикап.

— После завтрака поеду в участок! — прокричал мне вслед папа.

— Ладно. — Я уже повернула ключ зажигания.

Чарли сказал что-то еще, но гул двигателя помешал мне расслышать. Похоже было на «Где зажигалка?».

Я припарковалась чуть поодаль от дома Блэков, ближе к деревьям, чтобы как можно незаметнее пронести мотоциклы, а когда выбралась из салона, в глазах зарябило от ярких цветовых пятен. Под елью, на безопасном расстоянии от окон, стояли два сверкающих мотоцикла: красный и черный. У каждого на руле по маленькому голубому бантику! Мотоциклы с бантиками — то еще зрелище, и, когда из дома выбежал Джейкоб, я покатывалась от хохота.

— Готова? — низким голосом спросил он.

Я с опаской оглянулась на сверкающие чистотой окна: Билли вроде бы не видно.

— Угу... — Радостное возбуждение померкло: я не представляла себя на мотоцикле.

Джейк аккуратно уложил «харлеи» на дно кузова:

— Ну что, вперед? Знаю отличное место: нас там даже искать не будут!

Мы покатили на юг. Грунтовая дорога то и дело ныряла в лес: в одну секунду вокруг были только деревья, а в другую — открывался умопомрачительный вид на Тихий океан: бескрайняя водная гладь, темно-серая под тяжелыми тучами. Мой пикап петлял по заросшим лесом скалам, а внизу бесконечной лентой тянулся пляж.

Я ехала медленно, чтобы, когда деревья расступятся, любоваться океаном. Джейкоб рассказывал о ремонте, зачем-то углубляясь в технические детали, и я слушала вполуха.

И тут заметила четыре фигуры, стоящие на каменистом выступе в опасной близости от пропасти.

На расстоянии точный возраст не определишь; похоже, все взрослые мужчины и, несмотря на холод, одеты в одни шорты.

Самый высокий шагнул к обрыву, и я машинально сбавила скорость, борясь с желанием нажать на педаль тормоза.

Доля секунды — и он бросился вниз.

— Нет! — закричала я, ударив по тормозам.

— Что стряслось? — испугался Блэк.

— Тот парень, он со скалы прыгнул! Почему его не остановили? Нужно срочно вызвать «скорую»! — Я распахнула дверцу, чтобы выйти, в чем, конечно же, не было никакого смысла. Самый быстрый способ добраться до телефона — поехать обратно к Билли.

Джейкоб рассмеялся, и я недоуменно на него посмотрела. Откуда такая черствость?

— Белла, они просто ныряют со скал! Развлекаются... Видишь ли, в Ла-Пуш нет ни боулинга, ни бильярда... — Парень явно меня дразнил, однако в голосе слышались нотки раздражения.

— Прыгают со скал? — повторила я, изумленно глядя, как второй человек подходит к обрыву, на секунду замирает, а потом, грациозно изогнувшись, летит вниз. Казалось, прошла целая вечность — и вот наконец его тело достигло черной пучины волн.

— Здесь же высоко! — Не спуская глаз с двух оставшихся прыгунов, я скользнула обратно на сиденье. — Метров тридцать, не меньше!

— Да, большинство прыгает со скалы раза в два ниже, вон она. — Джейкоб показал в окно на выступ, располагавшийся ниже. — А те парни просто сумасшедшие; демонстрируют, какие они крутые. Сегодня холодно, и вода наверняка ледяная

— Ты тоже прыгаешь со скал?

— Конечно, — усмехнувшись пожал плечами Джейкоб. — Немного страшно, зато очень весело и адреналин бешеный!

Взгляд, словно намагниченный, вернулся к скале: с минуты на минуту должна была прыгнуть третья фигурка. В жизни не видела ничего безрассуднее!

В голову пришла неожиданная мысль, и я улыбнулась:

— Джейк, научи меня летать со скал!

В темных глазах мелькнуло неодобрение.

— Белла, ты только что хотела вызвать Сэму «скорую», — напомнил парень. Как он с такого расстояния видит, кто это?

— Хочу попробовать, — настаивала я, уже во второй раз выбираясь из машины.

Джейкоб тотчас схватил меня за запястье.

— Только не сегодня, договорились? Хотя бы потепления дождемся!

— Договорились, — кивнула я. Через открытую дверцу в салон проникал студеный ветер. — Только авай в ближайшее время.

— В ближайшее время... — закатил он глаза. — Белла, ты знаешь, что иногда ведешь себя очень странно?

— Да, — вздохнула я.

— И на тридцатиметровую скалу мы не полезем!

Я зачарованно смотрела, как третий прыгун разбегается и летит вниз по совершенно иной траектории, чем другие. Удивительно гибкий, он крутился и кувыркался, совсем как во время прыжков с парашютом. Вот что такое свобода: ни тяжких раздумий, ни ответственности!

— Ладно, для первого раза подберем что-нибудь пониже.

Теперь вздохнул Джейкоб:

— Слушай, мы мотоциклы пробовать будем?

— Да, да, конечно!

Я с трудом оторвала глаза от прыгуна номер четыре, пристегнула ремень, захлопнула дверцу и погнала пикап дальше.

— Кто были те парни, ну, сумасшедшие?

Блэк с отвращением зацокал языком:

— Местная банда.

— У вас есть банда? — изумленно воскликнула я.

— Не совсем, — рассмеялся Джейкоб. — Они как старосты, только с отрицательным уклоном. Сами драк не затевают, скорее, порядок поддерживают Помню, из резервации Мака приезжал один тип, огромный такой, страшный. Говорят, он сбывал подросткам метамфетамин, а Сэм Адли со своими соратниками прогнал его с нашей территории. Но все эти разговоры о «родовой гордости» и «земле тцов» зашли слишком далеко. Самое ужасное, что старейшины принимают его всерьез, по словам Эмбри, Сэма даже на совет приглашают. — Блэк раздосадованно покачал головой. — А Ли Крируотер слышала, они «защитниками» себя величают!

Джейкоб сжал руки в кулаки, будто хотел что-то ударить. Никогда его таким не видела...

Я не ожидала услышать про Сэма Адли и решила поскорее сменить тему.

— Похоже, они тебе не слишком нравятся.

— Что, заметно? — съязвил Блэк.

— Ну, ничего плохого они ведь не делают? — Хотелось как-то успокоить парня, вернуть хорошее настроение. — Просто мерзкие бандиты местного разлива.

— Да уж, мерзкие — самое подходящее слово. Страшно любят красоваться, например прыгать с тридцатиметровых скал, таких крутышей из себя строят! Помню, в прошлом семестре мы с Квилом и Эмбри были в супермаркете, и туда приехал Сэм со своими «соратниками» Джаредом и Полом. Квил возьми и что-то ляпни — ты же его знаешь, молчать не может — и Пол разозлился. Глаза почернели, он вроде бы улыбнулся — нет, не улыбнулся, просто зубы показал, словно внутри все клокотало от гнева. Тут Сэм положил ему руку на плечо и покачал головой. «Соратник» побурлил-побурлил и успокоился. Честное слово, со стороны все выглядело так, будто Пол мог нас всех порвать, а большой добрый Сэм не позволил! — простонал Джейк. — Как в паршивом вестерне! Вообще-то Сэм действительно большой, ему уже двадцать... А Полу шестнадцать, он ниже меня и не такой мощный, как Квил. Любой из нас с ним бы справился.

Рассказ воскресил в памяти картинку: трое высоких смуглых парней плечо к плечу стояли в нашей гостиной. Я лежала на диване, и надо мной склонились доктор Джеранди и Чарли... Неужели это была банда Сэма?

Пытаясь отвлечься от гнетущих воспоминаний, я тут же задала новый вопрос:

— Разве Адли еще не вырос из таких забав?

— Вот именно! Он должен был поехать в колледж, но остался дома, и никто слова не сказал. Когда моя сестра отказалась от стипендии и вышла замуж, старейшины чуть ли не в истерике бились, а против Сэма Адли рта раскрыть не решились.

Лицо Джейка исказила незнакомая гримаса гнева и какого-то другого чувства, я даже не сразу разобрала какого.

— Все это очень неприятно и... странно, но зачем принимать так близко к сердцу? — Я заглянула в темные глаза.

Быстро успокоившись, Джейкоб уставился в окно.

— Ты поворот пропустила, — невозмутимо заявил он.

Неуклюже разворачиваясь, я съехала с шоссе и чуть не врезалась в дерево.

— Спасибо за предупреждение! — пробормотала я.

— Извини, задумался.

На минуту в пикапе повисла тишина.

— Все, можно останавливаться, — мягко проговорил Блэк.

Припарковавшись у бровки, я заглушила мотор. В ушах звенела тишина. Мы выбрались из машины, и Джейкоб начал выгружать мотоциклы. Я внимательно посмотрела на своего спутника. Его что-то тревожило. Неужели меня угораздило задеть больную тему?

Смущенно улыбаясь, парень подтолкнул ко мне красный «харлей»:

— С днем рождения! Прости, что опоздал с поздравлениями! Ну что, готова прокатиться?

— Вроде бы... — Неожиданно мотоцикл показался устрашающим, а ведь мне предстоит его оседлать!

— Учиться будем понемногу.

— Джейк... — нерешительно обратилась я, когда оба мотоцикла стояли на земле.

— Да?

— Что тебя беспокоит? Ну, в поведении Сэма и его друзей? Ты ведь не все рассказал? — Я внимательно смотрела на его лицо. Вперив глаза в землю, парень пинал носком кроссовки переднее колесо своего «харлея».

— Они до смерти меня пугают... — В его душе прорвалась невидимая плотина, и слова понеслись стремительным потоком. — Вообще-то совет старейшин состоит из равных, но, будь там лидер, им бы стал мой отец. Никогда не понимал, почему к нему так относятся, почему считаются с его мнением. Возможно, все дело в наших предках. Мой прапрадедушка Эфраим Блэк был последним вождем квилетов.

Но я-то такой же, как все, ко мне относятся без всякого уважения. До сих пор относились...

Почему-то последняя фраза застала меня врасплох.

— А Сэм ведет себя иначе?

— Да. — Блэк поднял на меня встревоженные глаза. — Он смотрит так, будто чего-то ждет, будто уверен, что в один прекрасный день я вступлю в их дурацкую банду. Вечно уделяет мне больше внимания чем другим парням. Терпеть это не могу!

— Ты не обязан никуда вступать! — разозлилась я. Расстроенный вид Джейкоба буквально почву из-под ног выбивал. Что эти «защитники» о себе возомнили?

— Угу... — Он продолжал пинать невинное колесо.

— Что еще? — потребовала я, чувствуя, что до конца мой приятель еще не высказался.

Джейкоб нахмурил брови, грустный и раздосадованный:

— Эмбри... В последнее время он меня избегает

Эмбри-то тут при чем? Может, проблема с другом из-за меня?

— Наверное, потому, что сейчас ты все время со мной, — напомнила я, чувствуя себя полной эгоисткой. Надо же, присвоила парня, вырвала из привычного круга.

— Нет, дело не в этом. Он не общается ни с Квилом, ни с другими ребятами. На неделю из школы исчез, мы несколько раз заходили к нему домой, но так и не застали. Потом вернулся, какой-то... какой-то дерганый и испуганный. И Квил, и я пытались с ним поговорить. Эмбри отказывается общаться с нами.

Джейкоб нервно кусал нижнюю губу — похоже, ему очень страшно, — однако смотрел не на меня а на свою ногу, которая совершенно бесконтрольно пинала колесо, и с каждой минутой все яростнее

— На этой неделе Эмбри вдруг начал ходить с Сэмом и его «соратниками». А сегодня... сегодня он был на той скале. — Голос Блэка звучал глухо и напряженно. — Белла, они изводили Эмбри еще больше, чем меня, и он не хотел иметь с ними ничего общего, а теперь бродит вместе с Адли, по-собачьи в глаза заглядывает, будто вступил в его секту.

С Полом было то же самое, один к одному. Они с Сэмом даже не дружили... Затем парень на несколько недель исчез из школы, а вернулся марионеткой Адли. Понятия не имею, в чем дело, а разбираться, похоже, придется, потому что Эмбри — мой друг, потому что Сэм так странно на меня смотрит, а еще...

Он замолчал.

— Ты рассказал об этом Билли? — спросила я. Похоже, страхи Джейкоба передались мне — по спине бежали мурашки.

Лицо Джейкоба стало злым.

— Да, беседа получилась очень содержательной.

— Что сказал твой отец?

Парень презрительно скривился, а заговорив, здорово скопировал интонацию:

— Джейкоб, сейчас тебе не о чем беспокоиться. Через несколько лет, если не разберешься... В общем, потом объясню. — Раздосадованно покачав головой, он перестал передразнивать Билли. — Что я должен думать? Это какой-то секрет? Только для взрослых? Нет, дело в другом... Здесь что-то посерьезнее.

Нижняя губа закушена, руки стиснуты в кулаки... чуть-чуть — и парень разрыдается.

Поддавшись порыву, я обняла его и уткнулась в грудь. Он такой большой, что я почувствовала себя ребенком, обнимающим взрослого.

— Все наладится! Станет совсем плохо — переедешь к нам с Чарли. Не бойся, мы что-нибудь придумаем.

На секунду Джейкоб словно окаменел, а потом его руки неуверенно коснулись моей спины:

— Спасибо, Белла.

Мы так и стояли целую минуту: рядом с Джейкобом я вовсе не чувствовала себя неловко, скорее, наоборот, успокаивалась. Когда меня обнимали в последний раз, и ощущения, и обстоятельства были совсем иными; сейчас это в залог дружбы, а руки у парня такие сильные и надежные...

Подобная тяга — скорее эмоциональная, чем физическая — к другому человеку для меня внове. Это не в моем стиле, я ведь девушка необщительная, друзей завожу тяжело.

— Ну, если придумки будут вроде этой, у меня не выдержит нервная система! — Голос Джейкоба снова стал веселым и беззаботным. Громко захохотав, он осторожно коснулся моих волос.

Так, мы ведь только друзья! Пришлось тут же отстраниться. Я засмеялась над шуткой, хотя сама понимала: ситуацию нужно держать под контролем.

— Поверить не могу, что я на два года старше, рядом с тобой невольно чувствуешь себя маленькой! — На таком близком расстоянии действительно приходилось вытягивать шею, чтобы заглянуть в темные глаза.

— Кажется, ты забыла, что мне уже под сорок.

— Да, да, конечно!

— Ты как куколка, — Джейкоб потрепал меня по голове, — маленькая фарфоровая куколка.

— Осторожно, не разбей! — Усмехнувшись, я отступила еще на шаг.

— Серьезно, Белла, сама посмотри! — Он вытянул свою красновато-коричневую ручищу, приложил к моей руке. Да, разница впечатляющая. — Никогда не видел никого бледнее, ну, кроме...

Он не договорил, и я отвернулась, стараясь не думать, о ком идет речь.

— Так мы собираемся прокатиться или нет?

— Да, конечно! — с преувеличенным восторгом воскликнула я. Неоконченная фраза Джейкоба напомнила о главной цели всей этой затеи.

Глава восьмая

АДРЕНАЛИН

— Так, где сцепление?

Я показала. Стоило на секунду ослабить хватку, и тяжелый мотоцикл накренился, грозя повалить меня на землю. Пришлось снова вцепиться в руль и удерживать железного коня в вертикальном положении.

— Джейкоб, он падает! — пожаловалась я.

— В движении все будет иначе. Где тормоз?

— Под левой педалью.

— Неправильно.

Схватив мою правую руку, Джейкоб положил ее на рычаг над дросселем.

— Ты же сказал...

— Вот, пользуйся этим! Обратный оставим на потом, когда разберешься, что к чему.

— По-моему, ты не прав, — подозрительно нахмурилась я. — Оба тормоза одинаково важны.

— Об обратном лучше на время забыть, ясно? — Накрыв мою ладонь своей, Блэк заставил сжать рычаг под дросселем. — Тормози при помощи этого, договорились?

— Да, — кивнула я.

— Покажи дроссель!

Я покрутила правую ручку.

— Переключение передач!

Я легонько задела его левой ногой.

— Отлично, детали ты выучила, теперь главная задача — сдвинуть мотоцикл с места.

— У-гу, — только и промычала я.

Желудок предательски сжимался, голос грозил превратиться в визг. Очень страшно... Холодный рассудок подсказывал: самое страшное я уже пережила, чего теперь бояться? После всего случившегося вполне можно смеяться в глаза смерти.

Однако желудок так просто не убедишь...

Передо мной расстилалась коричневая, с грязно-зеленой каймой лента грунтовой дороги. Впрочем, размокший от дождя песок лучше, чем грязь.

— Выжми сцепление!

Я изо всех сил стиснула пальцы.

— Белла, очень важно ни при каких обстоятельствах его не отпускать, — подчеркнул Джейкоб. — Представь, в твоих руках граната: чека выдернута и ты держишь ее.

Пальцы сомкнулись еще плотнее.

— Отлично! Сможешь завести?

— Подниму ногу — сразу упаду, — сквозь зубы процедила я, мертвой хваткой вцепившись в «боевую гранату».

— Хорошо, сам заведу, только не выпускай сцепление.

Отступив на шаг, Джейкоб неожиданно надавил на педаль. Заурчав, мотоцикл ожил, но я начала падать. Джейк вовремя подхватил и меня, и «харлея».

— Осторожнее! — предупредил он. — Сцепление держишь?

— Угу, — простонала я.

— Ставь ногу на педаль — попробуем снова. — На этот раз мой приятель придерживал краешек сиденья, так, на всякий случай.

Пришлось четырежды нажать на педаль, прежде чем сработало зажигание. Мотоцикл зарычал, как разгневанный зверь.

— Поверни дроссель, — велел Джейк, — только осторожно, и сцепление не отпускай.

Дрожащими пальцами я повернула правую ручку, совсем чуть-чуть; мотоцикл огрызнулся, как разгневанный пес.

— Помнишь, как включать первую скорость?

— Угу.

— Тогда попробуй!

— Ладно...

— Левая нога, — подождав несколько секунд, подсказал Джейкоб.

— Знаю... — тяжело вздохнула я.

— Слушай, ты уверена, что хочешь кататься? Что-то вид у тебя испуганный!

— Все в порядке! — рявкнула я и надавила на рычаг переключения скоростей.

— Отлично! Теперь осторожно, очень осторожно отпусти сцепление... — Джейкоб сделал шаг назад.

— «Бросить гранату»? — не веря своим ушам, переспросила я. Неудивительно, что он отходит в сторону!

— Именно так можно сдвинуться с места. Только слишком резко не отпускай!

Медленно, очень медленно я разжимала онемевшие пальцы и неожиданно услышала голос, принадлежавший вовсе не парню, который стоял рядом.

— Белла, ты ведешь себя очень безответственно, опрометчиво и по-детски! — негодовал красивый, до боли знакомый баритон.

— Боже! — пробормотала я, и рука безвольно соскользнула со сцепления. Будто оживший «харлей» встал на дыбы и тут же рухнул на землю, увлекая меня за собой. Урчание двигателя превратилось в хрип, а потом стихло.

— Белла!.. — Безо всяких усилий Джейкоб оттащил мотоцикл в сторону. — Ты не ранена?

Но я слушала не его.

— Я же говорил! — удивительно четко произнес голос.

— Белла! — Мой друг тряс меня за плечи.

— Все в порядке, — буркнула я.

Даже лучше, чем в порядке: со мною вновь мягкий баритон, звучащий в подсознании с поразительной четкостью.

Я быстро прикинула: на этот раз ничего знакомого, дорога совершенно другая, на мотоцикле раньше не каталась, так что дежавю здесь ни при чем и галлюцинации вызваны чем-то иным. Почувствовав очередной прилив возбуждения, я, кажется, нашла ответ: все дело в сочетании адреналина и смертельной опасности или моей непроходимой глупости.

Джейкоб поднял меня на ноги.

— Головой ударилась?

— Нет. — Я озиралась по сторонам. — Мотоцикл е сломан? — Вот что интересовало меня больше всего. Попытку хотелось повторить, причем немедленно. Безрассудство приносит недурные дивиденды, а соблюдаю ли я договор, уже не важно. Главное, найден способ вызывать галлюцинации.

— Нет, просто двигатель заглох, — прервал мои размышления Джейкоб. — Ты слишком резко выпустила сцепление.

— Угу. Давай снова попробуем!

— Ты правда хочешь?

— Конечно!

На этот раз я нажимала на ножной стартер сама, и это оказалось не так просто: чтобы давить на педаль с достаточной силой, приходилось подпрыгивать, и каждый раз мотоцикл пытался меня сбросить. Джейкоб стоял неподалеку, в любую минуту готовый прийти на помощь. Понадобилось несколько попыток, прежде чем двигатель завелся. Помня о «боевой гранате», я осторожно поворачивала дроссель, и от каждого движения мотор яростно огрызался.

— Полегче со сцеплением, — напомнил Джейкоб.

— Ты что, убиться решила? — сурово спросил переливчатый баритон.

Скупо улыбнувшись — тактика срабатывает! — я проигнорировала вопрос. Джейкоб рядом, значит, ничего страшного не случится.

— Возвращайся к Чарли! — приказал бархатный голос. Красивый — дух захватывает, поэтому и нужно любой ценой сохранить его в памяти.

— Расслабляй руку медленно и осторожно, — посоветовал Джейк.

— Хорошо, — ответила я, немного испугавшись, что слышу сразу обоих.

Переливчатый баритон превратился в недовольный ропот, заглушавший рев двигателя.

Сосредоточившись — на этот раз голос меня не испугает, — я чуть ослабила рычаг сцепления. Внезапно ожив, мотоцикл рванул вперед.

Я полетела.

Неизвестно когда поднявшийся ветерок ласкал кожу и развевал волосы так, будто за них кто-то тянул. Мутить перестало, в жилах бешеным гейзером бурлил адреналин, превращая кровь в лаву. Мимо размытой зеленой полосой неслись деревья.

Но ведь это только первая скорость!.. Нога уже тянулась к рычагу переключения передач.

— Нет, Белла, нет! — окончательно разозлился любимый голос. — Осторожнее!

На секунду забыв о кружащей голову скорости, я поняла: дорога плавно сворачивает налево, а мой мотоцикл летит по прямой. Повороты мы с Джейкобом еще не проходили.

«Тормоза, тормоза!» — чуть слышно пробормотала я и машинально нажала на правую педаль: пикап тормозит именно так.

Неожиданно потеряв устойчивость, «харлей» накренился сначала вправо, потом влево и на бешеной скорости понес меня к стене деревьев. Что, если повернуть руль в другую сторону? От резкого перемещения веса мотоцикл потянуло вниз, а направление изменить не получилось...

«Харлей», утробно урча, встал на дыбы, и мы врезались во что-то неподвижное. Во что именно, я не видела: лицо облепил мох.

В голове полная каша: звуки двигателя, бархатный голос и что-то еще...

— Белла! — испуганно позвал Джейкоб, и рев мотора стих.

«Харлей» перестал давить на спину, и, перевернувшись, я смогла более-менее нормально дышать. Звуки стихли.

— О! — взволнованно пробормотала я. Вот он, рецепт галлюцинаций: адреналин плюс опасность плюс глупость и безответственность.

— Белла! Ты жива?

— Все в полном порядке! — ликовала я, разминая руки и ноги: вроде работают.

— А по-моему, нет, — покачал головой Джейк. — Поехали, тебе нужно в больницу.

— Я в полном порядке!

— Знаешь, на лбу у тебя порез, и из него хлещет кровь.

Я осторожно прикоснулась к лицу — так и есть, рука липкая и влажная. Кожа пахнет мхом и листьями, наверное, это и сдерживает тошноту.

— Прости... — Я зажала порез, будто пытаясь вернуть кровь обратно в рану.

— Кто же за травму извиняется? — удивился Джейкоб и, обняв меня за талию, помог встать. — Ну, давай ключи, я сяду за руль.

— А что с мотоциклами?

Парень задумался.

— Жди меня здесь. На, возьми.

Сняв футболку, он протянул мне; я ее скомкала и прижала ко лбу. С каждой секундой запах крови становился сильнее. Наверное, нужно дышать через нос и думать о чем-то другом.

Джейкоб оседлал черный мотоцикл, с первой попытки завел мотор и покатил обратно, поднимая фонтаны гальки и песка. Настоящий спортсмен-профессионал: посадка низкая, голова опущена, глаза будто приклеились к дороге, блестящие волосы флагом развеваются над смуглой спиной. Наверное, я на мотоцикле выглядела совсем иначе...

Удивительно, как далеко мне удалось заехать! Когда Блэк добрался до пикапа, его фигурку было почти не видно. Вот он уложил мотоцикл в кузов и быстро сел за руль.

Судя по оглушительному реву двигателя, он гнал мой старенький «шевроле» во весь опор, и совершенно напрасно, потому что я чувствовала себя нормально. Голова немного болела, и все. Порез серьезной опасности не представлял. На лице раны, даже неглубокие, всегда смотрятся страшнее, чем они есть на самом деле.

Не заглушив двигатель, Джейкоб бросился ко мне и обнял за плечи:

— Садись в пикап!

— Со мной все в порядке, — заверила я. — Не волнуйся, просто немного крови...

— Просто ужас как много крови, — чуть слышно переиначил он, возвращаясь за моим «харлеем».

— Давай как следует подумаем, — предложила я, когда парень вернулся в кабину. — Если ты отвезешь меня в больницу, Чарли точно обо всем узнает.

Боже, ну и вид у меня: джинсы в пятнах от травы, песке и глине.

— Белла, рану обязательно нужно зашить. Я не позволю тебе умереть от кровотечения.

— Никто и не умрет. Просто сначала выгрузим мотоциклы, потом заедем ко мне, чтобы хм... избавиться от улик, а потом уже в больницу.

— А Чарли?

— Он собирался на работу.

— Ты на самом деле хочешь поступить именно так?

— Поверь на слово! У меня вообще чуть что, сразу кровотечение, не привыкать.

Джейку мой план не нравился — темные брови сдвинулись, придав лицу непривычно хмурое выражение, — но спорить со мной он не хотел. Прижимая к лицу безнадежно испорченную футболку, я смотрела в окно — мы возвращались в Форкс.

С мотоциклом получилось — лучше не бывает! План выполнен на сто процентов, даже на двести. Я нарушила обещание, была опрометчивой и безрассудной. От мысли, что соглашение сорвано обеими сторонами, на душе сразу полегчало.

А еще я научилась управлять галлюцинациями, ну, по крайней мере, мне так казалось. Надо как можно скорее опробовать теорию на практике. Может, если в больнице меня обработают быстро, еще сегодня успею?

В таком настроении ехать по дороге одно удовольствие: ласкающий лицо ветерок, скорость, свобода... Тут же вспомнилась прошлая жизнь. Серебристый «вольво» мчит по лесу, ловко лавируя между деревьями, за рулем...

Боль была такой сильной, что воспоминания оборвались буквально посредине кадра. Я поморщилась.

— Тебе плохо? — спросил чуткий Джейкоб.

— Ерунда, — как можно убедительнее проговорила я.

— Сегодня же сниму с твоего «харлея» обратный тормоз.

Дома я первым делом взглянула в зеркало: ужас, самый настоящий ужас! Кровь толстыми мазками засыхала на щеках и шее, превращала в колтуны пыльные волосы. Нужно тщательно себя осмотреть, но сначала, чтобы не вырвало, представить: это обычная красная краска. Если дышать через нос, запах почти не чувствуется.

Я вымыла руки, осторожно протерла лицо, спрятала перепачканную одежду на дно корзины с грязным бельем и надела чистые джинсы и рубашку (главное — на пуговицах, чтобы через голову не натягивать). Каким-то чудом удалось не измазать новый наряд кровью.

— Скорее! — торопил Джейкоб.

— Да, да, сейчас! — Проверив, что в ванной не осталось компрометирующих следов, я спустилась по лестнице. — Ну, как?

— Уже лучше, — признал он.

— А похоже, что я оступилась в вашем гараже и ударилась головой?

— Пожалуй...

— Тогда поехали.

Блэк буквально выволок меня за дверь и настоял, что сам сядет за руль. Мы были уже на полпути к больнице, когда я вспомнила: парень-то по пояс голый!

— Нужно было найти тебе толстовку...

— Она бы выдала нас с потрохами! К тому же мне не холодно.

— Шутишь? — Дрожа от озноба, я включила печку.

Интересно, мой приятель просто храбрится? Да нет, ведет себя вполне уверенно, одну руку даже положил на спинку моего сиденья.

Джейкоб действительно выглядел старше шестнадцати. Не на сорок, конечно, но и не моим ровесником. Называет себя скелетом, а у самого мышц, как у Квила. Красивые, длинные, они не бугрились, а чуть заметно проступали под бронзовой кожей, такой гладкой, что даже зависть берет.

— Что? — смущенно спросил Блэк, перехватив мой заинтересованный взгляд.

— Да так, ничего... Только сейчас обратила внимание: ты очень красивый парень!

Боже, что такое я сказала?! Кто знает, как будут истолкованы мои слова?

Джейкоб лишь закатил глаза:

— Слушай, по-моему, кровопотеря уже дает о себе знать...

— Я серьезно...

— Ну, тогда спасибо.

— Всегда пожалуйста, — усмехнулась я.

Чтобы зашить порез, понадобилось целых семь стежков. Укол местной анестезии — и никакой боли я не почувствовала. Пока доктор Сноу накладывал швы, Джейкоб держал меня за руку. Надо же, как все вышло, аналогию лучше не проводить.

В больнице мы просидели целую вечность, так что пришлось подбросить Джейкоба и на всех парах мчаться домой готовить ужин Чарли. Папа вроде бы поверил моей байке о происшествии в гараже Блэков. В конце концов, из-за неуклюжести у меня и раньше бывали травмы.

Ночь прошла намного спокойнее, чем та первая, после поездки в Порт-Анжелес. В груди снова появилась огромная дыра, как и всегда, когда рядом не было Джейкоба, вот только края не пульсировали. Даже во сне я боролась с кошмаром, представляя, что случится. Завтра я снова увижу Джейкоба... От одной этой мысли огромная дыра в груди и боль переносились легче. Кошмар тоже не внушал безотчетного ужаса: сейчас, сейчас закричу и проснусь, я ждала этого с каким-то странным нетерпением. Он ведь обязательно кончится!

В среду, когда я была в больнице, папе позвонил доктор Джеранди и предупредил: у меня, возможно, сотрясение мозга. Чтобы узнать, насколько все серьезно, нужно будить ночью каждые два-три часа. Презрительно прищурившись, Чарли в очередной раз выслушал мою версию «несчастного случая в гараже».

— Белла, может, не стоит больше ездить к Блэкам? — предложил он за ужином.

Нет, только не это! Если запретит бывать в Ла-Пуш, мотоцикл я больше не увижу, а подобного после чудесной галлюцинации я допустить просто не могла. Серебряный баритон орал целых пять минут до того, как, затормозив слишком резко, я упала с мотоцикла и полетела к деревьям. Ради него я готова безропотно вынести любые страдания.

— Собственно, произошло-то все не в гараже, а во время похода. Споткнулась о камень, и вот...

— С каких пор ты ходишь в походы? — скептически спросил Чарли.

— Сказалась работа у Ньютонов, — объяснила я. — Когда дни напролет расписываешь прелести активного отдыха, волей-неволей появляется интерес.

Судя по взгляду, папа остался при своем мнении.

— Буду осторожна, — пообещала я, тайком скрестив под столом пальцы.

— Вокруг Ла-Пуш гулять можно, только далеко не отходите.

— Почему?

— В последнее время участились жалобы на появление диких животных. Сейчас ими занимается департамент лесного хозяйства, но пока...

— А-а, большой медведь, — неожиданно догадалась я. — Его видели несколько туристов, которые заходят в магазин к Ньютонам. Думаешь, у нас действительно завелся гигантский гризли?

— Кто знает... Не отходи далеко от города, ладно?

— Конечно, конечно, — заторопилась я.

Папа, похоже, мне не поверил.

— Чарли стал слишком любопытным, — пожаловалась я в пятницу, когда Джейкоб забрал меня из школы.

— Может, пока оставим мотоциклы? — Увидев, как я скривилась, он добавил: — Ну, хоть на недельку? Неделя без травм и больницы...

— Чем же мы займемся? — сварливо спросила я.

— Чем хочешь! — бодро ответил Джейкоб.

Я задумалась: а что мне действительно хочется? Ужасно тратить драгоценные секунды воспоминаний, которые не причиняют боль, приходят самостоятельно и без всяких усилий с моей стороны. Мотоциклы временно запрещены, значит, надо найти другой источник опасности и адреналина, а на это потребуется немало выдумки. В такой момент, как сейчас, безделье опасно. Вдруг даже с Джейком снова начнется депрессия?

Должен быть какой-то иной способ, иной рецепт... иное место.

Естественно, к дому я больше не поеду, одной ошибки достаточно. Но ведь *его* существование должно было оставить след не только в моей душе.

На ум приходило лишь одно такое место, залитое светом, волшебное... Чудесная поляна, которую я видела всего раз озаренной солнцем и сиянием его кожи.

У этой затеи имелось множество побочных эффектов — нетрудно представить, какие страдания она может принести. При одной мысли начинала болеть грудь, да так, что я едва не сгибалась пополам. Однако именно там вероятнее всего услышать серебряный баритон, тем более я уже сказала Чарли про походы.

— О чем задумалась? — полюбопытствовал Джейкоб.

— Однажды во время похода я забрела на полянку, маленькую, очень красивую. Не знаю, смогу ли отыскать ее снова... Пусть не сразу...

— Нам помогут компас и координатная сетка, — моментально нашелся мой друг. — Не помнишь, в том походе откуда вы шли?

— От перевалочного пункта у Сто десятого шоссе. Двигались в основном на юг.

— Здорово, тогда найдем. — Джейкоб был готов к любым моим предложениям, даже самым бредовым.

Итак, в субботу после обеда я впервые примерила новые кроссовки, приобретенные тем же утром с двадцатипроцентной скидкой, схватила новую топографическую карту и поехала в Ла-Пуш.

В лес мы отправились далеко не сразу. Сначала Джейкоб, распластавшись на полу гостиной, целых двадцать минут вычерчивал на нужном секторе сложную сетку, а я, удалившись на кухню, болтала с Билли. Судя по всему, Блэка-старшего предстоящая поездка нисколько не беспокоила. Удивительно, как Джейкоб решился посвятить его в наши планы, учитывая тревожные новости о появлении медведей. Хотелось попросить Билли ничего не говорить моему отцу, но я боялась, что просьба принесет обратный результат.

— Вдруг увидим супермишку! — не сводя глаз с карты, пошутил Джейкоб.

Опасаясь реакции а-ля Чарли, я быстро взглянула на мистера Блэка. Тот лишь рассмеялся:

— На всякий случай горшочек с медом захватите!

— Белла, у тебя кроссовки быстрые? Один горшочек надолго медведя не отвлечет! — хихикал мой друг.

— Всего-то нужно — бежать быстрее тебя.

— Ладно, проверим твои скоростные качества, — складывая карту, сказал Джейкоб. — Пошли!

— Развлекайтесь как следует! — пожелал нам Билли, подкатывая к холодильнику.

Вообще-то Чарли не самый тяжелый человек на свете, однако Джейкобу, похоже, повезло еще больше.

Доехав до конца грунтовой дороги, я остановилась у знака, обозначающего пешеходную тропу. Сто лет здесь не была, и сердце болезненно сжалось. Наверное, будет очень больно... но игра стоит свеч, если я услышу *его* голос.

Выбравшись из машины, я посмотрела на зеленую стену леса.

— По-моему, нам туда, — пробормотала я, показывая прямо перед собой.

— Хм-м, — промычал Джейк.

— Что такое?

Джейк смотрел то на мою руку, то на отчетливо виднеющуюся тропу.

— Я-то думал, ты по тропинкам ходишь!

— Ни в коем случае! Я прирожденный человек леса и бунтарка по натуре!

Расхохотавшись, парень развернул карту.

— Секунду! — Вынув компас, он повернул карту под нужным углом. — Вот, нам по этой линии, пошли!

Вне всякого сомнения, я задерживала Джейкоба, но он ни словом меня не упрекнул. О том, как в последний раз гуляла по этому лесу с другим спутником, лучше не думать. Обычные воспоминания до сих пор опасны. Стоит дать себе слабинку — начну задыхаться, прижимать к груди руки... как потом объяснить это Блэку?

Сосредоточиться на настоящем было не сложно: в конце концов, лес такой же, как везде, да и с Джейком долго хмуриться не получалось.

Весело насвистывая какую-то мелодию, он бодро пробирался через колючий кустарник, каждые пять минут поглядывая на компас и убеждаясь, что мы идем по одной из линий его сетки. Я едва удержалась от комплимента: Джейк тотчас добавит пару лет к своему и без того раздутому возрасту.

Разговор у прибрежных скал засел в памяти, и я ожидала, что Блэк заведет его снова, но, видимо, ему не хотелось откровенничать.

— Джейк! — неуверенно позвала я.

— Что?

— Как дела у Эмбри?

Целую минуту Джейкоб молчал, двигаясь вперед огромными шагами. Обогнав меня на добрых десять метров, остановился, поджидая меня.

— С ним все по-прежнему, — проговорил он, когда я его догнала, и уголки рта поползли вниз.

— Ходит по пятам за Сэмом?

— Угу.

Обняв меня за плечи, Джейкоб выглядел таким встревоженным, что небрежно стряхнуть его руку я просто не могла.

— А Адли смотрит на тебя так же выжидающе?

Темные глаза апатично изучали деревья.

— Ну, иногда.

— А Билли?

— В своем репертуаре. — В его голосе было столько недовольства и злобы, что я расстроилась. — Диван в гостиной еще свободен.

Мой друг рассмеялся, стряхнув нехарактерное для себя уныние.

— Представь реакцию Чарли, если папа заявит о моем исчезновении в полицию!

Губы сами растянулись в улыбке: слава богу, вернулся Джейк, которого я знаю и люблю!

Остановиться решили после того, как Блэк объявил: мы прошли десять километров, свернули на запад, а потом вернулись по одной из линий его сети. Пейзаж практически не менялся, и я уже решила: поиски ни к чему не приведут. Когда стало темнеть и хмурый пасмурный день шагнул навстречу хмурой пасмурной ночи, я решилась озвучить свои опасения.

Джейкоб был непоколебим:

— Если ты уверена, что мы вышли из той самой точки... — Он вопросительно на меня взглянул.

— Да, уверена.

— Тогда мы обязательно найдем твою поляну, — пообещал он и, схватив за руку, повел через высокий папоротник, за которым совершенно неожиданно оказался пикап. — Ну, что я говорил?! — с гордостью показав на машину, воскликнул Блэк.

— Ты просто супер! — искренне восхитилась я. — В следующий раз возьмем фонари.

— Походы придется отложить до воскресенья. Я же не знал, что ты такая копуша!

Вырвав руку, я, гневно топая, зашагала к водительскому сиденью, а Джейкоб захихикал.

— Так что, завтра пойдем? — спросил он, забравшись в кабину.

— Обязательно, если ты, конечно, не хочешь отправиться один, чтобы не состязаться со мной в черепашьем шаге.

— Ничего, потерплю. А вот тебе, если собираешься в поход, стоит купить обувь помягче. Такое впечатление, что новые кроссовки немного жмут.

— Да, чуть-чуть, — призналась я, хотя на самом деле ноги превратились в одну сплошную мозоль.

— Вот бы нам завтра встретить медведя! Сегодня явно не повезло...

— Да уж, — саркастически хмыкнула я. — Надеюсь, завтра удача будет более благосклонна и нас съедят.

— Медведи не едят людей, мы для них недостаточно вкусные. — Ослепительная улыбка Джейкоба сверкнула в темноте кабины. — Хотя, кто знает, вдруг для тебя сделают исключение? Уверен, ты пахнешь так, что слюнки текут!

— Спасибо на добром слове! — пряча глаза, поблагодарила я. Подобные комплименты мне уже делали.

Глава девятая

ТРЕТИЙ ЛИШНИЙ

Казалось, время летит быстрее, чем раньше. Школа, работа и Джейкоб превратились в алгоритм, которому я следовала без особых усилий. Даже Чарли успокоился: его дочь больше не выглядела несчастной. Разумеется, критически оценивая жизнь — что я старалась делать как можно реже, — я не могла не заметить скрытого подтекста своих поступков.

Совсем как потерянный спутник, чью планету уничтожил немыслимый, в лучших традициях голливудских ужастиков катаклизм, я продолжала вращаться по старой орбите, вопреки всем законам гравитации.

С «харлеем» мы почти подружились, и тревожащих Чарли ссадин стало куда меньше. Зато и бархатный голос звучал все тише, пока не исчез совсем. Естественно, я запаниковала, с утроенной силой погрузилась в поиски заветной поляны и одновременно ломала голову над другими способами вызывать прилив адреналина.

За текущими событиями я особо не следила — да и зачем? — старалась жить одним днем, отрешившись от уходящего в Лету прошлого и стремительно приближающегося будущего. Поэтому заявление Джейкоба в один из посвященных учебе вечеров застало меня врасплох.

Джейкоб ждал перед домом своего отца.

— С днем святого Валентина! — вместо приветствия прокричал Джейкоб и почему-то потупился.

На смуглой ладони маленькая розовая коробка. Шоколадные сердечки!

— Боже, у меня с головой что-то не то! — пробормотала я. — Сегодня правда День всех влюбленных?

— Иногда ты просто выпадаешь из жизни! — с наигранным прискорбием заметил Блэк. — Да, сегодня правда четырнадцатое февраля. Будешь моей Валентиной? Раз уж не купила конфет за пятьдесят центов, хотя бы на это согласись!

Ну что тут скажешь?! Слова Джейкоба только на первый взгляд шутка...

— А чем это чревато?

— Ну, как обычно, пожизненным рабством.

— Если только этим... — Я лихорадочно думала, как ввести в наши отношения строгие рамки, но, увы, с Джейкобом рамки и границы расплывались на глазах.

— Что у нас завтра: поход или на «харлеях» в больницу?

— Поход. Видишь, не у одного тебя навязчивые идеи. Боюсь, та поляна мне просто померещилась.

— Мы обязательно ее найдем, — пообещал Блэк. — В пятницу поедем на мотоциклах?

За представившийся шанс я ухватилась, не успев как следует обдумать.

— В пятницу иду в кино с одноклассниками. Уже давно обещала...

Вот Майк обрадуется!

Джейкоб поник. Лицо вытянулось, глаза наполнились болью.

— Слушай, ты тоже можешь с нами поехать! — тут же добавила я. — Или зануды-старшеклассники тебе в тягость? — Все, хватит воздвигать глупые барьеры! Я не могу обижать Джейкоба, он мне очень дорог, его боль эхом отражается в моем сердце. К тому же мысль взять его в Порт-Анжелес — я уже жалела, что договорилась с Майком, — нравилась все больше и больше.

— Едешь с друзьями и приглашаешь меня с собой?

— Да, — честно призналась я, понимая, что отрезаю себе путь к отступлению. — С тобой-то веселее! Возьми Квила, и поедем вместе.

— В кино со старшеклассницами... Квил с ума сойдет от радости! — фыркнул Блэк. Об Эмбри ни он, ни я не упоминали.

— Постараюсь подобрать девушек покрасивее! — засмеялась я.

На литературе я решила поговорить об этом с Майком.

— Слушай, ты в пятницу свободен? — спросила я, после того как прозвенел звонок.

В голубых глазах тотчас вспыхнула надежда.

— Да, конечно, хочешь куда-нибудь пойти?

Ответ был продуман загодя.

— Думаю собрать компанию, — акцент следовало сделать на последнем слове, — и поехать на «Бензопилу». — В этот раз я тщательно подготовилась и, чтобы не попасть впросак, изучила все анонсы, судя по которым фильм — сплошное смертоубийство с первого до последнего кадра. Искушать себя романтической историей совершенно не хотелось. Кто знает, чем это обернется? — Согласен?

— Конечно, — кивнул он с гораздо меньшим восторгом.

— Вот и отлично!

Через секунду Ньютон снова оживился:

— Как насчет Анжелы и Бена? Или Эрика с Кэти?

Ясно: решил устроить двойное свидание!

— Позовем и тех, и других! И Джессику тоже. Тайлера, Коннера, может быть, Лорен... — неохотно добавила я. Нужно же Квилу разнообразие.

— Ладно... — расстроенно протянул Майк.

— Еще я приглашаю пару друзей из Ла-Пуш, так что, если все согласятся, понадобится твой мини-вэн.

Ньютон подозрительно прищурился:

— Так вот с кем ты в последнее время учишь уроки!

— Да, с ними самыми! — бодро ответила я. — Хотя это, скорее, репетиторство, они ведь на два года младше!

— А-а... — После секундной паузы Майк улыбнулся.

В конце концов мини-вэн не понадобился.

Стоило Майку обмолвиться, что в кино приглашаю я, Лорен с Джессикой оказались страшно заняты. Эрик с Кэти уже что-то запланировали — отмечали, кажется, месяц со дня первого свидания. Лорен успела подговорить Тайлера с Коннером, так что у них тоже появились дела. Даже Квил не смог: был наказан за драку в школе. Однако Майка это нисколько не расстроило, он только и говорил, что о пятничной поездке.

— Может, сходим на «Завтра и навсегда»? — спросил он в столовой. — Романтическая комедия, во всех журналах хвалят, за билетами, говорят, очереди.

— Давай лучше на «Бензопилу»! — настаивала я. — Душа просит чего-нибудь динамичного: например, крови и смертоубийств.

— Я-ясно. — Майк отвернулся, но я успела перехватить его взгляд. «Она, случайно, не того?» — читалось в голубых глазах.

Когда свернула к дому, на подъездной аллее стояла знакомая машина, к капоту прислонился сияющий Джейкоб.

— Не может быть! — выбравшись из пикапа, закричала я. — Глазам своим не верю, ты закончил «Рэббита»!

— Вчера вечером, — гордо ответил Джейкоб. — Так что это — боевое крещение.

— Здорово, дай пять!

Он протянул руку, и наши пальцы неожиданно переплелись

— Так как, обновим?

— Обязательно! — заверила я и вздохнула.

— Что такое?

— Мне тебя не обойти, так что сдаюсь, ты старше!

— Ну, естественно! — пожал плечами парень, нисколько не удивленный моей капитуляцией.

Из-за поворота показался мини-вэн Майка. Я поспешно вырвала руку, и Джейкоб скорчил недовольную гримасу

— Помню этого парня, — процедил индеец, когда Ньютон остановился на противоположной стороне улицы. Вбил себе в голову, что ты его девушка. До сих пор пребывает в заблуждении?

Я изумленно подняла брови:

— Некоторых не переубедишь...

— И все-таки порой нужно проявлять настойчивость.

Майк вышел из машины и направился к нам.

— Привет, Белла! — поздоровался он, но, взглянув на Джейкоба, тут же нахмурился. Понятно: на девятиклассника Блэк не похож. Очень высокий — Майк едва до плеча ему достает, обо мне вообще лучше не говорить, — а лицо стало еще взрослее и серьезнее, чем, скажем, месяц назад.

— Привет, Майк! Помнишь Джейкоба Блэка?

— Не очень... — Ньютон протянул руку.

— Старый друг семьи, — отрекомендовался Джейк. Рукопожатие длилось так долго, что потом Майку пришлось разминать пальцы.

С кухни послышалась телефонная трель.

— Пойду возьму, это, наверное, Чарли! — объявила я и бросилась в дом.

Звонил Бен: у Анжелы кишечный грипп, а один парень ехать не хотел, так что нам придется обойтись без него.

Качая головой, я вернулась к друзьям. Анжелу искренне жаль, но я расстроилась не только поэтому. Вечер придется провести с Майком и Джейкобом. Вот так ситуация!

Судя по всему, за время моего отсутствия отношения между парнями теплее не стали: надо же, стоят в нескольких шагах друг от друга и смотрят в разные стороны... Майк мрачнее тучи, зато Джейкоб не унывает

— Анжи заболела, — грустно сказала я. — Они с Беном не придут.

— Что-то инфекция разбушевалась, — покачал головой Ньютон. — Может, отложим кино до лучших времен?

Я хотела согласиться, но Джейк и рта раскрыть не дал:

— Лично мне до сих пор хочется в Порт-Анжелес Майк, если ты передумал, мы вполне можем...

— Нет, нет, еду, — перебил Ньютон. — Просто пожалел Бена с Анжелой... Ну, пошли! — Он зашагал к мини-вэну.

— Давай поедем на «фольксвагене» Джейкоба! Я ему обещала, он только что закончил машину. Представляешь, сам собрал! — хвасталась я, словно мать отличника на родительском собрании.

— Ладно! — буркнул Майк.

— Вот и славно, — кивнул Блэк, будто это решало все проблемы. Похоже, из нас троих он лучше всех себя чувствует.

Раздраженный и недовольный, Майк устроился на заднем сиденье «Рэббита».

Джейкоб не обращал на него ни малейшего внимания и болтал так весело, что я тотчас забыла о хмуром лице Майка.

Потом Ньютон изменил стратегию: наклонившись вперед, он потянулся к моему подголовнику зарывшись лицом в волосы. Пришлось повернуться к окну.

— Тут что, радио не работает? — сварливо спросил Майк, перебив Джейка на полуслове.

— Почему, работает, — возразил Блэк. — Просто Белла не любит музыку.

— Это правда? — раздраженно спросил Ньютон

– гу промычала я, глядя на невозмутимое ицо Джейкоба.

Как можно не любить музыку?!

- Не знаю, просто она раздражает.

— Хм — Ньютон отвернулся.

Когда мы подошли к кинотеатру, Джейк незаметно сунул мне десятидолларовую купюру.

— Что это?

— Я еще маленький для таких фильмов, — напомнил он.

— А говорил, сорок лет! — засмеялась я. — Билли убьет, если я проведу тебя на взрослый сеанс?

— Не знаю, вообще-то я уже сказал, что ты хочешь растлить меня, молодого и невинного!

Я захихикала, и Майк прибавил шагу, чтобы нас нагнать. Зачем он только поехал?! От такого лица молоко скисает! Хотя оказаться в темном зале с Джейкобом тоже не хотелось: испытывать судьбу совершенно ни к чему.

Фильм полностью соответствовал анонсам. На экране только шли первые титры, а четверых уже разорвало гранатой. Сидящая впереди девушка закрыла лицо руками и прижалась к своему другу. Майк тоже смотрел не на экран, а вверх, на поднявшийся занавес.

Удобно устроившись в кресле, я приготовилась к двухчасовому сеансу: гляжу на людей, дома и машины, а вижу лишь яркие цветные пятна... Из транса меня вырвало сдавленное хихиканье Джейкоба.

— Что такое? — прошипела я.

— А ты не видишь? — шепотом ответил он. — Из этого парня кровь пятиметровым фонтаном хлещет. Разве такое бывает?

Когда флагшток пригвоздил к асфальту одного из героев, Джейк снова засмеялся.

После этого я смотрела фильм другими глазами и хихикала над нелепой резней вместе с Джейкобом. Как же удержать наши отношения в расплывчатых рамках, если мне с ним так хорошо?

Джейкоб и Майк заняли подлокотники по обе стороны от меня, у обоих руки лежали тыльной стороной вверх, ладони расслаблены — тоже мне, естественная поза! Скорее, похоже на раскрытый медвежий капкан... Блэку вообще нравилось держать меня за руку, но в темном кинозале на глазах у Майка это приобретало совершенно иное значение, что мой друг, несомненно, чувствовал. Неужели у Ньютона аналогичные планы? Почему его ладонь в таком же положении, как у Джейкоба?

Скрестив руки на груди, я стала ждать, когда парням надоест меня караулить.

Первым сдался Майк. Примерно на середине сеанса он отдернул ладонь и закрыл лицо руками Сначала я решила: он просто не хочет смотреть на экран, а потом услышала сдавленный стон.

— Эй, ты в порядке? — шепнула я.

Ньютон застонал снова, и сидящая впереди пара обернулась.

— Не-е-ет, — прохрипел приятель. — Мне плохо.

В свете экрана я увидела, как по его лицу растекается струйка пота.

Жалобное «А-а-а!», и Майк бросился к двери. Я поднялась, чтобы идти следом, а за мной и Джейкоб.

— Нет, не надо! — остановила я. — Только посмотрю, как он.

И все-таки Блэк не послушался.

Досмотри до конца, — настаивала я, когда мы выбрались в проход между рядами. — Восемь долларов за эту резню заплатил!

— Ничего страшного. Если хочешь, потребуй их обратно: фильм отвратительный.

В фойе Майка не было, и я обрадовалась, что Джейк рядом, — без лишних разговоров он бросился проверять мужскую уборную.

Несколько секунд — и он вернулся.

— Да, он там, — объявил Блэк. — Надо же, какая неженка! Тебе стоит выбирать менее брезгливых друзей, чтобы смеялись над кровопролитием, от которого других выворачивает.

– Хорошо, буду иметь в виду.

Кроме нас, в фойе не было ни души. В обоих залах сеансы перевалили за половину, а здесь совсем пусто и тишина такая, что слышно, как в киоске готовится попкорн.

Джейкоб опустился на велюровый диванчик у стены и поманил меня: садись, мол.

— Судя по звукам, мы еще нескоро увидим нашего друга, — заявил он и, вольготно вытянув длинные ноги, приготовился к долгому ожиданию.

Тяжело вздохнув, я села рядом: похоже, парень решил размыть оставшиеся рамки. Так и есть: не успела устроиться — он тут же обнял меня за плечи.

— Джейк! — отстраняясь, проворчала я.

Парень убрал руку и, ничуть не смущенный отпором, сжал мою ладонь. Да, на этот раз просто так не отвертеться. Откуда только взялась его уверенность?!

— Белла, — спокойно произнес он, — хочу ко-
что спросить.

Я болезненно поморщилась. этот разговор лучш
вообще не заводить! Сейчас в моей жизни нет нико
го дороже Джейкоба Блэка, а он, похоже решил вс
испортить.

— Что?

— Я ведь тебе нравлюсь?

— Ты же сам знаешь, что да.

— Больше, чем тот обнимающий унитаз клоун? –
Он показал на дверь в мужскую уборную.

— Да, — вздохнула я.

— Больше всех остальных парней? — Блэк гово
рил спокойно, невозмутимо, будто мой ответ ничег
не значил или он заранее его знал.

— И девушек тоже, — добавила я.

— Просто нравлюсь. — Он не спрашивал, а ско
рее констатировал факт.

Не зная, как ответить, я даже рот раскрыть боя
лась. Что делать, если Джейкоб обидится и начне
меня избегать?

— Да, — прошептала я.

— Вот и отлично! — широко ухмыльнулся Джей
коб. — Раз я нравлюсь больше всех и кажусь сим
патичным... Для начала хватит и этого, а я парен
настойчивый и терпеливый.

— Ничего не изменится, — объявила я, стараяс
говорить обычным тоном, но в голосе все равно скво
зила грусть.

Из насмешливо-ироничного смуглое лицо стал
задорным.

— Значит, соперник все тот же...

Я поежилась. Удивительно, он чувствует: имя называть нельзя, совсем как несколько дней назад, когда речь зашла о магнитоле, и схватывает на лету даже то, что вслух не произношу.

— Можешь не отвечать

Я благодарно кивнула.

— Только не злись на мою назойливость, ладно? Потому что я не сдамся, благо сил и желания предостаточно.

— Зачем тратить время попусту? — вздохнула я, хотя сама искренне желала обратного, особенно раз он готов принять меня такой, как есть: можно сказать, поврежденный товар без гарантии.

— Именно этим я собираюсь заняться — при условии, что тебе со мной хорошо.

— Не представляю, как с тобой может быть плохо! — искренне сказала я.

— И отлично, — просиял Джейк.

— Только не жди большего, — предупредила я, пытаясь высвободить ладонь, за которую упрямо цеплялся Блэк.

— Я ведь тебе не в тягость? — поинтересовался он, сжимая мои пальцы.

— Нет. — Какое тут «в тягость»! Его рука такая теплая, особенно по сравнению с моей. В последнее время кровь совершенно не греет.

— Переживаешь, что подумает он? — Джейк показал на дверь в уборную.

— Нет, нисколько.

— Так в чем проблема?

— В том, что я воспринимаю наши отношения совсем иначе, чем ты.

— Ну, — крепкие пальцы еще сильнее сжали мою ладонь, — это ведь касается только меня.

— Ладно, — буркнула я, — только не забудь.

— Не забуду! Что, теперь гранату со сдернутой чекой держу я? Бам! — Он ткнул меня между ребер.

Я закатила глаза: если хочет и это в шутку обратить, пожалуйста!

Целую минуту Джейкоб молчал, мизинцем вычерчивая на моем запястье сложные узоры.

— Какой интересный шрам! — Он перевернул руку ладонью вверх. — Как это случилось?

Указательный палец скользил вдоль длинного серебристого полумесяца, едва заметного на бледной коже.

— Думаешь, я помню каждый свой шрам? — нахмурилась я.

Я ждала, что сейчас вернутся воспоминания и вскроется зияющая рана, но, как обычно, Блэк своим присутствием не дал мне раскиснуть.

— Холодный... — пробормотал он, легонько сжимая след, оставленный зубами Джеймса.

В этот самый момент из уборной, шатаясь, вышел Майк. Выглядел он ужасно.

— О боже! — прошептала я.

— Вернемся домой пораньше? — с трудом проговорил Майк.

— Конечно! — Вырвав руку, я бросилась к Ньютону, который даже на ногах нетвердо стоял.

— Что, фильм слишком жестокий? — безжалостно спросил Джейкоб.

Во взгляде Майка сверкала неприкрытая ненависть.

— Я его почти не видел... Тошнота началась еще до того, как погас свет.

— Что же ты молчал? — отчитывала я, когда мы пробирались к выходу.

— Думал, пройдет...

— Подождите секунду! — у самой двери крикнул Джейкоб и бросился к киоску. — Пожалуйста, можно мне пустое ведро из-под попкорна? — попросил он у продавщицы. Та, мельком взглянув на Майка, тотчас выполнила просьбу.

— Скорее выведите его на улицу! — взмолилась женщина. Судя по всему, именно ей придется мыть пол.

Я тут же потащила Ньютона за дверь, и он с наслаждением вдохнул свежий прохладный воздух. Шедший следом Джейкоб помог усадить приятеля на заднее сиденье и с серьезным видом вручил ему ведро:

— Пожалуйста!

Чтобы помочь Майку, мы открыли окна, пустив в салон студеный ночной ветерок. Пытаясь согреться, я прижала колени к груди.

— Опять замерзла? — спросил Блэк и, не дав ответить, обнял за плечи.

— А ты нет?

Он покачал головой.

— Значит, у тебя жар! — вырвалось у меня: за окном-то мороз! Я осторожно коснулась его лба — надо же, пылает!

— Джейк, у тебя температура!

— Все в порядке, — покачал головой парень. — Я в полном здравии.

Нахмурившись, я снова ощупала лоб. Кожа как огонь!

— У тебя руки ледяные! — пожаловался он.

— Да, наверное, дело во мне... — признала я.

С заднего сиденья послышался стон, и Майкла с шумом вырвало в ведерко. Я поморщилась, искренне надеясь, что мой собственный желудок выдержит этот звук и запах. Джейкоб обернулся проверить, не испорчена ли его драгоценная машина.

Почему-то обратный путь показался длиннее.

Блэк притих, явно думая о своем. Его левая рука по-прежнему обвивала мое плечо, и от ее тепла ночной ветер казался почти приятным.

Снедаемая чувством вины, я смотрела в окно.

Напрасно я поощряю Джейкоба, это же чистой воды эгоизм! Да, я попыталась разъяснить свою позицию. И чего добилась? Если он еще питает хоть тень надежды и рассчитывает на что-то помимо дружбы, значит, я была неубедительна.

Как же объяснить подоходчивее? Я ведь как пустая раковина, ветхий дом, совершенно не пригодный для жилья. Сейчас состояние медленно улучшается: в прихожей начались ремонтные работы, но ведь это лишь одна, малая часть здания... Джейкоб заслуживает чего-то получше крошечной комнаты с осыпающейся штукатуркой, которую даже солидные денежные вложения не вернут в нормальное состояние.

Тем не менее я понимала, что не в силах отвернуться от Блэка. Он слишком мне нужен, да и эгоизм не позволит. Может, стоит получше разъяснить свою позицию, чтобы он сам отдалился? От такой перспективы по спине поползли мурашки.

Сев за руль мини-вэна, я отвезла Майка домой, а Джейк ехал следом, чтобы мне потом не пришлось идти пешком. На обратном пути он молчал. Вдруг наши мысли текут в одном направлении? Вдруг он передумал...

— Раз вернулись рано, я бы с удовольствием зашел, — объявил Джейкоб, останавливаясь рядом с пикапом. — Но кажется, ты права насчет жара, мне как-то... не по себе.

— Боже, только не ты! Отвезти домой?

— Нет, — нахмурившись, покачал головой парень, — я не заболел. Просто немного... устал. Если понадобится, остановлюсь и передохну.

— Позвони сразу, как приедешь! — встревожившись, попросила я.

— Ладно, ладно. — По-прежнему хмурый, он нервно кусал нижнюю губу.

Я открыла дверцу, чтобы выйти, однако Джейкоб, осторожно коснувшись моего запястья, задержал. Надо же, руки у него пылают!

— Что?

— Белла, хочу кое-что тебе сказать... Боюсь только, прозвучит банально.

Из груди вырвался тяжелый вздох: сейчас будет продолжение сцены в фойе кинотеатра.

— Выкладывай.

— Просто... чувствую, как ты несчастна. Конечно, это не поможет, но хочу, чтобы ты знала: я рядом. Клянусь, я не причиню тебе боли. Ты всегда можешь на меня рассчитывать. Банально, правда? Ты ведь и так это знаешь... Ну, что я никогда тебя не обижу?

— Да, Джейк, знаю и ценю больше, чем ты думаешь.

Улыбка была подобна вышедшему из-за туч солнцу, и я едва не прикусила язык. Мои слова — правда с первого до последнего слова, но, похоже, стоило соврать. Ужасная правда причинит боль Джейкобу и предаст *его*.

В темных глазах загорелся странный огонек.

— Пожалуй, мне действительно пора домой.

Все, нужно выбираться из машины.

— Позвони! — крикнула я вслед удаляющемуся «фольксвагену».

Судя по всему, с вождением Блэк справится... Вдали затих шум мотора, а я еще долго смотрела на пустую улицу, чувствуя поднимающуюся тошноту.

Как же мне хотелось, чтобы Джейкоб Блэк был моим братом, родным братом, чтобы общаться с ним без всяких преград! Бог свидетель, я не собиралась его использовать, но гнетущее чувство вины не оставляло ни малейших сомнений: нечто подобное все-таки произошло.

Влюбляться в него я тем более не собиралась. Единственное, что я знала, что чувствовала мертвой душой и каждой клеточкой тела: любимый имеет над любящим колоссальную власть, может подмять под себя и сломать.

Меня уже сломали так, что ни один мастер не починит, однако в Джейкобе я нуждаюсь, как в воздухе, как в сильном наркотике. Я так долго черпала в нем силу, что привязалась куда крепче, чем предполагала. Теперь я не могу видеть его страданий и в то же время не могу их не причинять. Блэк уверен: время и бесконечное терпение принесут результат. Я знала: он в корне не прав, а еще знала, что обязательно дам ему шанс.

Джейкоб — мой лучший друг, я всегда буду его любить, но никогда в жизни не смогу ответить взаимностью.

Войдя в дом, я, кусая ногти, уселась возле телефона.

— Кино уже кончилось? — удивленно спросил Чарли, не отрываясь от экрана телевизора. Должно быть, матч очень интересный.

— Майку стало плохо. Какая-то кишечная инфекция.

— А сама-то в порядке?

— Вроде да. — Конечно, и я могла заразиться.

Я склонилась над разделочным столом, руки в каких-то сантиметрах от телефона. Из головы не шел странный взгляд Джейкоба, и пальцы стали отбивать нервную дробь. Эх, надо было отвезти его домой!

Над головой мерно тикали часы. Прошло десять минут, пятнадцать... Даже я на древнем пикапе добираюсь в Ла-Пуш за четверть часа, а Джейкоб ездит куда быстрее. Восемнадцать минут... Я схватила трубку и набрала номер.

Длинные гудки... Может, Билли заснул? Или я неправильно набрала номер? Нужно попробовать снова. На восьмом гудке, когда я уже собралась положить трубку, ответил Блэк-старший:

— Алло! — Голос настороженный, будто в ожидании плохих новостей.

— Билли, это я, Белла, Джейк уже дома? Он уехал от меня двадцать минут назад.

— Он здесь, — без всякого выражения ответил мистер Блэк.

— Джейкоб должен был позвонить. — Я немного разозлилась. — Он неважно себя чувствовал. Я беспокоилась...

— Он не смог позвонить и сейчас не в форме... — Билли говорил скованно, значит, он с Джейком.

— Если что понадобится, звоните, — предложила я. — Тут же сяду в машину и приеду...

Перед глазами встали Билли в инвалидной коляске и больной Джейк.

— Нет-нет, — запротестовал старый индеец. — С нами все в порядке, помощь не нужна. — Прозвучало это чуть ли не грубо.

— Ладно...

— Пока, Белла!

Послышались короткие гудки.

— Пока... — пробормотала я.

Ну, по крайней мере, он дома, только почему-то спокойнее от этого не стало. Недовольно хмурясь, я побрела к себе. Может, заехать к ним завтра до работы? Суп захвачу — у нас в холодильнике осталась банка «Кэмпбелла».

Увы, планы так и остались планами; я это поняла, когда, проснувшись в несусветную рань — судя по часам, в полпятого, — понеслась в ванную. Примерно через час заглянул Чарли: я лежала на полу, прижавшись щекой к прохладному бортику ванны.

Целую минуту папа смотрел на меня, оценивая состояние.

— Кишечный грипп, — наконец объявил он.

— Угу, — простонала я.

— Что делать?

— Пожалуйста, позвони в магазин Ньютонов! — прохрипела я. — Скажи: у меня то же самое, что у Майка. Дико извиняюсь, но сегодня прийти не смогу.

— Не беспокойся, позвоню, — пообещал Чарли.

Остаток дня я провела на полу ванной и, положив под голову мятое полотенце, то и дело забывалась тревожным сном. Чарли заторопился и уехал в участок; по-моему, просто хотел в туалет. Перед отъездом он поставил на пол стакан воды, чтобы я не умерла от обезвоживания.

Проснулась я, лишь когда папа пришел с работы.

— Ну как, жива?

— Кажется.

— Тебе что-нибудь нужно?

— Нет, спасибо...

Чувствуя себя не в своей тарелке, папа топтался на пороге.

— Ну, ладно, — протянул он и вернулся на кухню.

Вскоре я услышала телефонный звонок. Чарли несколько минут с кем-то говорил, затем повесил трубку.

— Майку уже лучше, — крикнул он мне.

Вот это хорошие новости: Ньютон заболел часов на восемь раньше, значит, мне примерно столько и осталось мучиться... От этой мысли пищевод болезненно сжался, и я в который раз склонилась над унитазом.

Заснула я на полотенце, а проснулась почему-то на своей кровати, когда за окном было светло. Как шла из ванной, не помню, значит, меня перенес Чарли и поставил на тумбочку полный стакан воды. Во рту пересохло, и я осушила его одним махом, хотя, простояв целую ночь, вода приобрела какой-то странный привкус.

Медленно, стараясь не провоцировать рвоту, я поднялась. От слабости ноги дрожали, во рту отвратительно пахло кислятиной, зато живот больше не крутило. Я посмотрела на часы.

Сутки прошли, значит, все, обошлось.

Не желая испытывать удачу, я позавтракала солеными крекерами. Увидев, что мне лучше, Чарли с облегчением вздохнул.

Окончательно убедившись, что не придется провести еще один день на полу ванной, я позвонила Джейкобу.

Он сам взял трубку, и я сразу поняла: для Блэка кишечный грипп еще не закончился.

— Алло! — слабо проговорил он.

— Джейк! — сочувственно воскликнула я. — Голос у тебя ужасный!

— Мне действительно ужасно, — прошептал он.

— Прости, что вытащила в кино.

— Нет, я рад, что съездил, — продолжал шептать он. — Не вини себя, ты ни в чем не виновата.

— Скоро поправишься! Вот я сегодня проснулась почти здоровой.

— Ты болела?

— Да, тоже инфекцию подхватила. Сейчас все нормально.

— Вот и хорошо, — безжизненно произнес Джейкоб.

— Значит, и тебе осталось всего несколько часов.

— По-моему, у меня что-то другое, — чуть слышно отозвался он.

— Не кишечный грипп? — удивилась я.

— Нет, что-то другое.

— А что болит?

— Все. Каждая клеточка тела. — В его голосе слышалось страдание.

— Чем я могу помочь? Принести что-нибудь?

— Нет, спасибо! Тебе к нам нельзя, — проговорил он резко, совсем как накануне его отец.

— Я ведь недавно с тобой общалась, значит, инфекция...

— Я позвоню позднее. Скажу, когда можно приехать.

— Джейкоб...

— Мне пора.

— Позвони, когда выздоровеешь.

— Ладно... — со странной горечью протянул он.

Повисла пауза: я ждала, что Блэк начнет прощаться, а он, по всей видимости, тоже чего-то ждал.

— Ну, до скорого, — первой не выдержала я.

— Дождись моего звонка, — снова попросил он.

— Хорошо... Пока, Джейкоб!

— Белла! — прошептал он и повесил трубку.

Глава десятая

ПОЛЯНА

Джейкоб так и не позвонил.

Не вытерпев, я сама набрала номер. В первый раз трубку взял Билли и сообщил: его сын до сих пор в постели. Не в меру назойливая, я спросила, показывал ли он Джейка доктору. «Да», — ответил Блэк, но по какой-то неведомой причине я ему не поверила. Следующие два дня я звонила по нескольку раз. Трубку никто не брал.

В субботу я решила к ним поехать, пусть даже без приглашения. Увы, в маленьком темно-красном доме не оказалось ни души. От страха возникли отчаянные мысли: неужели Джейку так плохо, что пришлось ехать в больницу? По дороге домой я заглянула в приемное отделение, но администратор заявила: ни Джейкоб, ни Билли среди пациентов не значатся.

Как только Чарли пришел с работы, я заставила его позвонить Гарри Клируотеру. Умирая от волнения, пришлось ждать, пока папа наболтается со старым приятелем: беседа тянулась бесконечно, а про Джейкоба даже не вспоминали. Судя по всему, Клируотер обращался в больницу: делал ЭКГ, чтобы проверить сердце. Папа нахмурился, однако неунывающему Гарри удалось его рассмешить. Потом Чарли спросил про Блэков. Из этой части беседы разобрать удалось лишь бесконечные «угу» и «ясно». Я барабанила пальцами по столу, пока папа не сжал мою ладонь: хватит, мол.

Наконец Чарли повесил трубку и повернулся ко мне:

— По словам Гарри, у них телефон не в порядке, вот ты и не можешь дозвониться. Билли возил Джейка в больницу, похоже, у него мононуклеоз. Парень очень слаб, поэтому никаких посетителей.

— Никаких посетителей? — не верила я своим ушам.

— Беллз, не будь занудой! Билли знает, как лучше для сына. Джейк скоро поправится, потерпи немного!

Лучше не настаивать... Чарли сильно переживал за Гарри — видимо, тот серьезно болен, так что для моих мелких проблем сейчас не время. Оставив папу в покое, я поднялась к себе, включила компьютер и, выбрав медицинский сайт, ввела в строку браузера слово «мононуклеоз».

Так, инфекционная болезнь, которую еще называют «поцелуйной», так как вирус часто передается со слюной во время поцелуя. Но как такое могло случиться с Джейком?! Я пробежала глазами симптомы — повышенная температура у него была, а остальное? Ни воспаленного горла, ни утомляемости, ни головной боли, по крайней мере, когда мы ехали домой из кино. Он сам утверждал, что в полном здравии... Неужели инфекция распространяется так быстро? Из статьи ясно: сначала все похоже на простуду...

Тупо глядя на экран монитора, я пыталась понять, зачем это делаю. Откуда подозрения, почему не верю истории Билли? С какой стати ему врать Гарри?

Наверное, просто себя накручиваю. Беспокоюсь за Джейка, а если честно, волнуюсь из-за запрета с ним встречаться — это буквально почву из-под ног выбивает.

Желая узнать побольше, я просмотрела остаток статьи и запнулась на предложении, в котором говорилось: мононуклеоз может длиться от тридцати до пятидесяти дней.

Полтора месяца? У меня даже челюсть отвисла.

Не станет же Билли так долго держать сына в изоляции? Конечно, нет, длительного одиночества Джейк не вынесет!

Чего боится Блэк-старший? В статье советуют избегать физических нагрузок, а про то, что не пускать посетителей, — ни слова. В конце концов, болезнь не такая опасная.

Неделю, я дам Билли неделю, а потом перейду к решительным мерам. Неделя — это более чем достаточно.

Время тянулось бесконечно. В среду я уже не верила, что доживу до субботы.

Решив оставить Блэков в покое на целую неделю, я малодушно надеялась, что Джейк ухитрится нарушить запрет отца. Каждый день, возвращаясь из школы, я бежала к телефону проверять автоответчик. Увы, сообщений не поступало.

Я сама трижды сжульничала, набрав заветный номер, но, очевидно, телефон до сих пор не работал.

Теперь я слишком часто сидела дома, потерянная и одинокая. Без Джейкоба, развлечений и бурлящего в крови адреналина возвращались страхи, которые я так старалась подавить. Кошмары тоже набирали былую силу. Пробираясь по лесу или морю папоротника, я больше не чувствовала, что это обычный сон. Порой в лесу за мной следил Сэм, однако я не обращала на него внимания — присутствие Адди никак не скрашивало одиночества.

С Сэмом или без Сэма, кошмары заставляли просыпаться в холодном поту.

Зияющая рана в груди становилась все больше. Вроде я научилась с ней бороться, но сейчас чуть ли не каждый день ловила себя на том, что глотаю ртом воздух и держусь за бока, пытаясь стянуть ее края.

Да, одиночество мне точно не на пользу.

Я страшно обрадовалась, когда, проснувшись, как обычно, с криками и в холодном поту, поняла, что сегодня суббота. Позвоню Джейкобу, а если телефон не работает, поеду в Ла-Пуш. Так или иначе, новый день будет лучше одинокой недели.

Ни на что не надеясь, я набрала номер и... страшно удивилась, услышав голос Билли:

— Алло!

— Привет, здорово, что телефон работает! Это Белла! Звоню узнать, как дела у Джейкоба. К нему уже можно? Хотела бы заехать и...

— Извини, Белла, — перебил Блэк-старший. Голос какой-то рассеянный, и я решила: он смотрит телевизор. — Его нет дома.

— А... — изумленно протянула я. — Значит, ему уже лучше?

— Да, — после долгой паузы ответил Билли. — Похоже, это был не мононуклеоз, а какой-то другой вирус.

— Ясно... Так где сейчас Джейк?

— Повез каких-то друзей в Порт-Анжелес. Кажется, они собирались на двойной сеанс. Его целый день не будет.

— Вот и слава богу! Я так волновалась... Рада, что Джейк поправился настолько, чтобы ехать в кино! — радовалась я, чувствуя, как фальшиво звучит голос.

Джейкоб выздоровел, но мне не звонит, зато с друзьями развлекается... А я-то сижу дома, с тоски по нему умираю. Одна-одинешенька, перепуганная, соскучившаяся, умирающая от раны в груди, а теперь и от безысходности: надо же, целую неделю не виделись, а ему все равно...

— Ты что-то хотела? — вежливо поинтересовался Билли.

— Нет, ничего особенного...

— Ладно, тогда передам, что ты звонила, — пообещал он. — Пока, Белла!

— Пока, — ответила я, слушая короткие гудки.

Я так и застыла с трубкой в руке.

Наверное, сбылись мои наихудшие опасения и Джейк передумал. Я ведь сама советовала не тратить время на человека, который не может ответить взаимностью на его чувства.

— Что-то случилось? — поинтересовался спустившийся по лестнице Чарли.

— Нет, — соврала я. — Билли говорит, Джейкобу уже лучше, это был не мононуклеоз.

— Ты к нему поедешь или он сюда явится? — рассеянно спросил папа, открыв дверцу холодильника.

— Ни то и ни другое, — вздохнула я. — Он в кино с приятелями.

Наконец мой убитый голос привлек внимание отца. Встревожившись, Чарли поднял голову, а пальцы замерли на сырной нарезке.

— Обедать еще не рано? — как можно веселее спросила я, надеясь его отвлечь.

— Просто на озеро собираюсь...

— На рыбалку?

— Ну, Гарри позвонил, да и погода позволяет... — Он выкладывал еду на разделочный стол, а потом остановился, будто неожиданно что-то осознав. — Слушай, раз Джейка нет, я могу и остаться.

— Ничего, папа, все в порядке, — с притворным равнодушием ответила я. — В хорошую погоду даже рыба лучше клюет.

Чарли озабоченно посмотрел на меня. Он боялся оставлять меня одну, боялся, что я снова начну хандрить.

— Серьезно, я Джессике позвоню, — на ходу сочинила я. Лучше сидеть одной, чем под отцовским присмотром. — У нас скоро тест по матанализу, пусть поможет! — Это действительно было так, только вот придется обойтись без Джесс.

— Отличная идея! А то в последнее время ты постоянно с Джейкобом, подруг совсем забросила.

Улыбнувшись, я кивнула, будто мнение подруг что-то для меня значило.

Чарли уже шагнул к двери, но потом обернулся, чем-то обеспокоенный:

— Слушай, вы ведь с Джесс тут будете заниматься?

— Конечно, где же еще?

— Ну, просто хотел попросить, чтобы держались подальше от леса.

Погруженная в свои мысли, я не сразу поняла, что к чему.

— Опять медведи?

Папа кивнул, по-прежнему хмурясь.

— Пропал турист. Сегодня утром егери нашли его палатку, а сам он как сквозь землю провалился. Вокруг следы каких-то крупных животных. Конечно, звери могли появиться позже, почуяв еду... Так или иначе, сейчас там ставят капканы.

— А-а... — рассеянно отозвалась я, пропустив папины слова мимо ушей: меня больше волновала ситуация с Джейкобом, чем перспектива быть съеденной медведем.

Хорошо, что Чарли спешил и не стал дожидаться звонка Джессики: хоть комедию ломать не пришлось. Для вида нужно собрать учебники и сложить в рюкзак.

Имитация кипучей деятельности увлекла меня настолько, что мрачную перспективу провести в одиночестве еще один день я осознала, лишь когда патрульная машина отъехала от дома. Двух минут в обществе молчащего телефона оказалось достаточно, чтобы понять: взаперти сегодня не останусь.

Джессике звонить не стоит. Судя по всему, она теперь ко мне в оппозиции.

Можно съездить в Ла-Пуш за мотоциклом... Мысль дельная, если бы не одно «но»: кто повезет меня в больницу, когда по дороге что-нибудь случится?

Или... Карта с компасом остались в кабине пикапа. По-моему, я разобралась в ориентировании достаточно, чтобы не потеряться. Вдруг получится исследовать сразу две линии и Джейкоб в награду осчастливит своим присутствием? О том, сколько времени на это уйдет, думать не хотелось. Или о том, что вообще ничего не выйдет...

Представив реакцию Чарли, я поморщилась от чувства вины, но тут же взяла себя в руки. Дома мне сегодня просто не высидеть.

Через несколько минут я ехала по знакомой грунтовой дороге: опустила окна и гнала на предельной для пикапа скорости, стараясь насладиться обдувающим лицо ветром. Было облачно и почти сухо — идеальная для Форкса погода.

На деле все получилось намного сложнее, чем с Джейкобом: припарковавшись в обычном месте, я минут пятнадцать изучала крохотную стрелку компаса и пометки на успевшей истрепаться карте. Убедившись, что нашла нужную линию, шагнула к деревьям.

Жизнь в лесу сегодня так и кипела: все обитатели наслаждались сухой (в кои-то веки) погодой.

Но почему-то, несмотря на веселый щебет и чириканье птиц, жужжание насекомых и возню лесных мышей в кустах, лес навевал страх и напоминал о недавнем кошмаре. Я понимала: это из-за того, что не слышу веселого свиста Джейка и его шагов, хлюпающих по раскисшей земле.

Чем дальше в лес, тем сильнее гнетущая тревога. Даже дышать стало труднее — не от утомления, а потому, что в груди вновь вскрылась чертова рана. Стараясь отрешиться от боли, я покрепче прижала руки к сердцу.

Хотелось вернуться обратно, но неужели столько сил потрачено зря?

Постепенно ритмичный шорох собственных шагов притупил физическую и душевную боль, дыхание выровнялось, и я обрадовалась, что не бросила поиски. Из меня вышла неплохая туристка — даже скорость удалось увеличить.

Я и не представляла, насколько эффективной окажется сегодняшняя вылазка: преодолев около семи километров, к настоящим поискам даже не приступала. А потом с ошеломляющей внезапностью шагнула в образованную двумя молодыми кленами арку, пробралась сквозь высокий папоротник и увидела поляну.

То самое место — сомнения отпали за считанные доли секунды. В жизни не видела другой настолько же симметричной лужайки! Форма идеальная, будто кто-то намеренно прочертил окружность, выкорчевал внутри нее все деревья, да так, что в густой траве не осталось ни следа. На востоке негромко журчал ручеек.

В пасмурную погоду луг не поражал великолепием, однако по-прежнему дышал красотой и спокойствием. Дикие цветы еще не расцвели, зато высокая, колышущаяся на ветерке трава напоминала покрытое рябью озеро.

Место я наша, а того, кого искала, нет.

Разочарование было столь же стремительным, как и радость, которую я испытала, узнав поляну. Ноги подкосились, и, неловко опустившись на землю, я стала хватать воздух ртом.

Какой смысл идти дальше? Здесь ничего не осталось. Ничего, кроме воспоминаний, которые можно вызывать по своему усмотрению всякий раз, когда захочется испытать боль, что сейчас владела мной, владела всецело. Без *него* это самый обычный луг. Не знаю, что именно я рассчитывала увидеть. Поляна лишилась какой-то особенной атмосферы, лишилась всего, как и весь окружающий мир, как пустой лес в моих кошмарах.

От подобных мыслей голова закружилась. Хорошо хоть одна пришла... Осознав это, я почувствовала огромное облегчение. Если бы нашла луг вместе с Джейкобом, бездну, в которую я сейчас погружаюсь, точно не смогла бы спрятать! Как бы объяснила, что разваливаюсь на части, что должна сжаться в комочек, дабы жуткая рана в груди не доконала окончательно? В таком состоянии зрители точно не нужны...

А еще никому не придется объяснять, почему я спешу уйти. Джейкоб наверняка бы предположил, что раз я так стремилась отыскать идиотскую поляну, то захочу остаться на ней дольше пяти секунд. Но я уже собиралась с силами, чтобы встать и уйти. Пустой луг причиняет нечеловеческую боль; если понадобится, я ползти отсюда готова.

Слава богу, одна!

«Одна», — с мрачным удовольствием повторяла про себя я, когда, превозмогая боль, поднималась на ноги. В этот самый момент из-за растущих неподалеку деревьев вышла фигура.

За какую-то секунду меня накрыл целый шквал противоречивых чувств. Во-первых, удивление. Я ведь далеко от тропы и никого увидеть не ожидала. Затем глаза сосредоточились на неподвижной фигуре, отметили мертвенную бледность кожи, и глупая надежда пронзила меня острым копьем. Я поспешно ее подавила, одновременно борясь с разочарованием: черные волосы обрамляют совсем не то лицо, что мне хотелось увидеть. Следующим пришел страх: да, не это лицо я бережно хранила в памяти, однако одного взгляда было достаточно, чтобы понять: передо мной не случайный турист.

И наконец, узнавание.

— Лоран! — с радостным изумлением закричала я.

Совершенно неразумная реакция: наверное, следовало остолбенеть от страха.

На момент нашего знакомства Лоран был в группе Джеймса вторым номером. В последующей охоте он не участвовал, но только потому, что боялся: меня охраняла группа сильнее и многочисленнее той, с которой он пришел. Иначе все случилось бы по-другому: он был совсем не прочь мной полакомиться. Конечно, Лоран мог измениться: ведь специально отправился на Аляску к другой цивилизованной группе, другой семье, которая по этическим принципам не пила человеческую кровь. Совсем как... нет, эту фамилию вспоминать нельзя.

Пожалуй, страх был бы логичнее, однако я испытывала лишь огромное удовлетворение. На поляну снова вернулось волшебство. Оно было темнее, чем я предполагала, но все равно волшебство. Вот и искомая ниточка, пусть неубедительная, что где-то в этом мире живет *он*.

Изменился ли Лоран, сказать трудно. Наверное, глупо и слишком по-человечески ожидать кардинальных перемен по сравнению с прошлым годом. И все-таки что-то было определенно иначе; что именно, я понять никак не могла.

— Белла? — Похоже, Лоран удивился не меньше, чем я.

— Ты не забыл! — улыбнулась я. Ерунда какая: радуюсь, что вампир помнит мое имя.

— Не ожидал тебя здесь увидеть. — Изумленно покачав головой, он ухмыльнулся и зашагал ко мне.

— А разве должно быть не наоборот? Я здесь живу, а ты, по слухам, отправился на Аляску.

Лоран остановился шагах в десяти от меня. Целую вечность не видела таких красивых лиц! Я изучала его черты с каким-то странным облегчением. Наконец-то встретила того, кто знает все мои секреты!

— Ты права. Я правда был на Аляске. Не ожидал... Увидев, что дом Калленов пуст, решил, что они переехали.

— Да... — Закусив губу, я почувствовала, как пульсируют края раны. Успокоиться удалось лишь через минуту. Лоран с любопытством на меня смотрел. — Они переехали.

— Хм-м, — пробормотал он, — удивительно, что тебя оставили. Ты же у них в любимицах ходила? — В темных глазах ничего похожего на издевательство.

— Вроде того, — кисло улыбнулась я.

— Хм-м, — снова, на этот раз задумчиво, промычал Лоран.

Тут я поняла: он не изменился, совсем не изменился. Когда Карлайл объявил, что Лоран живет с Таниной семьей, изредка вспоминая о нем, я начала представлять радужку с золотым отблеском, такую, как у всех... Калленов, — болезненно содрогнувшись, сознание выдавило эту фамилию. Как у всех хороших вампиров.

Непроизвольно я сделала шаг назад. Бордово-карие глаза не отрываясь следили за каждым моим движением.

— Они часто тебя навещают? — будничным тоном спросил вампир, почему-то подавшись вперед.

«Соври», — взволнованно прошептал красивый бархатный голос, пробившись откуда-то из недр памяти.

Услышав *его* голос, я вздрогнула, хотя удивляться, наверное, не стоило. Разве я не в большой опасности? По сравнению с ней мотоциклы просто детский лепет.

Пришлось послушаться.

— Да, очень, — как можно непринужденнее ответила я. — Что-то в этот раз их долго нет, или мне просто кажется... Ты же знаешь, Карлайл всегда занят...

— Хм-м, — в который раз промычал вампир. — Судя по запаху, в доме давно никого не было...

«Белла, врать нужно убедительнее», — упрекнул серебряный баритон.

Я старалась, как могла.

— Обязательно скажу Карлайлу, что ты заходил. Он расстроится, что ты его не застал... — Я сделала паузу, якобы задумавшись. — А вот... Эдварду лучше не сообщать. — Имя далось с колоссальным трудом, мое лицо перекосилось, едва не выдав блеф. — Он такой вспыльчивый. Никак не может забыть тот инцидент с Джеймсом.

— Неужели? — довольно скептически спросил Лоран.

Так, болтать нужно поменьше, чтобы паника не слышалась.

— Угу...

Якобы любуясь лугом, Лоран сделал шаг в сторону, но я видела: этот самый шаг приближает его ко мне.

Бархатный голос превратился в утробное рычание.

— Как дела в Денали? Карлайл говорил, ты теперь живешь с Таней? — неестественно громко спросила я.

Вопрос заставил Лорана остановиться.

— Таня мне очень нравится, — задумчиво ответил он. — А ее сестра Ирина — еще больше... Никогда раньше я так долго не задерживался на одном месте, и все новшества мне по вкусу. Преимущества тоже, а вот ограничения соблюдать сложно... Как они так долго терпят? Я вот иногда жульничаю, — заговорщически прошептал он.

Я даже вздохнуть боялась, отступила было назад, но, перехватив взгляд красноватых глаз, застыла как вкопанная.

— Я-ясно. — Мой голос больше напоминал писк. — Джаспер тоже мучается.

«Не шевелись», — приказал баритон, и я повиновалась, хотя желание бежать без оглядки было почти неудержимо.

— Правда? — заинтересовался Лоран. — Поэтому они уехали?

— Нет, — честно призналась я, — дома Джаспер держит себя в руках.

— Правильно. Я тоже... — Вампир сделал шаг вперед, на этот раз совершенно открыто.

— Викторию больше не видел? — задыхаясь от страха, спросила я: ну как же его отвлечь?

Пришлось задать первый пришедший в голову вопрос, о чем я сразу пожалела.

О Виктории, которая охотилась за мной вместе с Джеймсом, а потом исчезла, в такой момент вспоминать хотелось меньше всего.

Тем не менее Лоран остановился.

— Да, — будто не решаясь приблизиться, объявил он. — Именно она послала меня сюда. Теперь не обрадуется.

— Из-за чего? — с жаром спросила я, пытаясь разговорить Лорана, который почему-то внимательно разглядывал далекие деревья. Воспользовавшись тем, что он отвлекся, я сделала незаметный шаг назад.

Наконец удостоив меня вниманием, вампир улыбнулся и стал похож на темноволосого ангела.

— Из-за того, что я тебя убью.

Шатаясь, я отступила еще дальше.

— Она хотела заняться этим сама, — радостно продолжал Лоран. — Мечтает... ну, разобраться с тобой, Белла.

— Со мной? — пискнула я.

Вампир весело подмигнул:

— Признаться, для меня это слишком старомодно. Видишь ли, Джеймс был ее парнем, а твой Эдвард его убил.

Даже на пороге смерти имя любимого зазубренным лезвием терзало незажившие раны.

Лоран моих страданий не замечал.

— Виктория решила: лучше убить тебя, чем Эдварда, — подругу за друга, мол, это будет справедливее, а меня попросила, так сказать, прозондировать почву. Даже представить не мог, как мне повезет! Выходит, ее план далеко не безупречен — мести бы все равно не получилось: похоже, ты Эдварду не так уж и дорога, раз он оставил тебя без защиты.

Еще один удар зазубренным лезвием, еще одна колотая рана.

Лоран чуть заметно подался вперед, а я отшатнулась в противоположную сторону.

— Получается, она так и так разозлится, — нахмурился он.

— Почему бы не подождать Викторию? — выдавила я.

Лукавая улыбка мгновенно превратила вампира в ангела.

— Видишь ли, Белла, ты попалась мне в неудачное время. Сюда я пришел не по заданию Виктории, а на охоту. Жажда замучила, а ты пахнешь... так, что слюнки текут.

Лоран одобрительно кивнул, будто отвесил комплимент.

«Припугни его», — низким от тревоги голосом велела самая прекрасная иллюзия на свете.

— Он узнает кто это сделал, — покорно прошелестела я. — Безнаказанным не останешься.

— С чего ты взяла? — еще шире улыбнулся Лоран, глядя на небольшой просвет между деревьями. — Запах смоет завтрашним дождем. Твое тело не найдут, Изабеллу Свон объявят пропавшей, как сотни других людей. Обо мне Эдвард не подумает, даже если решит добраться до истины. Уверяю, здесь нет ничего личного, просто пить захотелось.

«Умоляй его!» — велела иллюзия.

— Пожалуйста! — прохрипела я.

Не заинтересоваться я просто не могла: кто продлил мою жизнь еще на несколько секунд?

Сначала я ничего не заметила и снова посмотрела на Лорана: не сводя глаз с чащи, он отступал все быстрее.

А потом... Из-за деревьев вышла огромная черная фигура. Беззвучно, словно тень, она подбиралась к вампиру. Зверь огромный: высокий, как лошадь, но гораздо крепче и мускулистее. Оскалившись, он продемонстрировал длинные, как кинжалы, резцы. Над поляной загремел жуткий, похожий на раскаты грома рык.

Медведь. Нет, вовсе не медведь, а то самое чудовище, из-за которого поднялась такая паника. Издали его действительно примешь за медведя: какое еще животное может быть таким огромным и крепким?

Увы, понаблюдать за ним издалека не посчастливилось: монстр беззвучно крался по траве метрах в трех от меня.

«Не вздумай даже пошевелиться!» — шепнул голос Эдварда.

Глядя на чудище, я терялась в догадках: кто же это? В строении тела и движениях угадывалось что-то собачье. Скованное ужасом воображение выдавало один-единственный вариант. Только я не предполагала, что волки бывают такими огромными.

Луг сотряс очередной раскат громоподобного рыка, и я содрогнулась.

Лоран пятился к деревьям, и в мою оцепеневшую от страха душу закралось сомнение. Почему он отступает? Даже учитывая исполинский размер, это всего лишь зверь. С каких пор вампиры боятся животных? А Лоран боялся, его бордово-карие глаза расширились от ужаса, совсем как мои.

Будто в ответ на мой вопрос из-за деревьев показалась «свита». Словно адъютанты, двигаясь на почтительном отдаления от командира, на поляну пробирались два волка: один — бурый, другой — темно-серый. Оба крупные, но все же помельче первого. Темно-серый прошел в каком-то метре от меня, не сводя пылающих глаз с Лорана.

Я и охнуть не успела, как показались еще два волка. Звери двигались клином, словно стая летящих на юг гусей. До последнего, рыжевато-коричневого, я могла дотянуться рукой.

Я отпрянула от леденящей кровь стаи и уже потом поняла, что совершила, возможно, непростительную ошибку. Сейчас волки набросятся на меня — более легкую и доступную добычу! Даже хотелось пожелать Лорану удачи — пусть скорее образумится и разгромит монстров, ему же нетрудно! Если выбирать из двух зол, перспектива быть разорванной волками мне неприятнее.

Услышав мой вздох, рыжевато-коричневый волк, тот, что шел последним, обернулся.

Глаза темные, чуть ли не черные, и светятся невероятным для дикого зверя умом.

Заглянув в эти темные колодцы, я снова вспомнила Джейкоба, и опять-таки с облегчением. Хорошо, что не привела его на этот сказочный, наводненный чудищами луг! По крайней мере, он не погибнет вместе со мной, точнее, его смерть не будет на моей совести!

Главарь снова зарычал, и рыжеватый волк тотчас повернулся к Лорану.

Вампир смотрел на стаю гигантов с нескрываемым изумлением и страхом. Ну, если первое еще можно понять, то второе... Каково было мое потрясение, когда, не сказав ни слова, он исчез за деревьями

Сбежал!

В ту же секунду волки бросились в погоню: несколько мощных прыжков, и они пересекли луг, рыча и клацая зубами так громко, что периодически приходилось затыкать уши. Вот чудища скрылись в чаще, и страшные звуки затихли с поразительной быстротой.

Я вновь осталась одна.

Уже во второй раз колени подогнулись, и я рухнула на траву, захлебываясь рыданиями.

Ясно: нужно уходить, причем немедленно. Как долго волки будут гоняться за Лораном, прежде чем вернутся за мной? Или Лоран с ними расправится? Вдруг именно он вернется на поляну за добычей?

Увы, я даже шелохнуться не могла: руки и ноги тряслись. Господи, как же встать?

Мертвенный ужас парализовал мой мозг: я не могла осознать произошедшее.

Вампиры не должны сбегать от собак-переростков! Кожа у Лорана такая, что никакие зубы не страшны!

Да и волкам следует за километр обходить Лорана и ему подобных. Даже если гигантский размер отучил бояться, какой смысл устраивать погоню? Холодное, как мрамор, тело едой не пахнет. Почему они отпустили слабое теплокровное существо и стали преследовать вампира?

Здесь что-то не сходится...

По лугу пронесся свежий ветерок, и высокая трава закачалась, будто по ней кто-то шел.

Это просто ветерок, но, с трудом встав, я попятилась, обо что-то споткнулась, а потом, не разбирая дороги, побежала в лес.

Следующие несколько часов были сплошным мучением: обратная дорога оказалась в три раза длиннее.

Сначала я вообще не разбирала, куда бегу, гораздо важнее было «откуда» и «от кого» Когда я пришла в себя и вспомнила о существовании компаса, я уже успела зайти глубоко в зловещий незнакомый лес. Руки тряслись, и, чтобы свериться с компасом, пришлось положить его на землю. Я так делала каждые несколько минут — убеждалась, что по-прежнему двигаюсь на северо-запад, и прислушивалась, если хлюпанье моих шагов не заглушало все остальные звуки — к тихому шепоту невидимых обитателей древесных крон.

От пронзительного крика сойки я отпрянула, налетела на молодую ель, которая исцарапала руки и перепачкала смолой волосы, а испугавшись возни белок на высокой тсуге, закричала так, что уши заболели.

Наконец среди деревьев показался просвет, я вышла на пустынную дорогу несколькими километрами южнее места, где оставила пикап. Несмотря на усталость, я побежала к нему, а увидев вдалеке, разрыдалась. Вместо того чтобы достать из кармана ключ, с остервенением дергала запертые дверцы. Рев мотора подействовал умиротворяюще и помог сдержать слезы, пока я с предельной для древнего «шевроле» скоростью гнала к главному шоссе.

До дома я добралась в разобранном состоянии, но уже намного спокойнее. Машина Чарли стояла на подъездной аллее — интересно, сколько сейчас времени? Небо темное, сумерки сгущаются.

— Белла! — окликнул папа, когда я хлопнула входной дверью и спешно закрыла ее на замок.

— Да... — Голос предательски дрожал.

— Где ты была? — загремел он, с грозным видом застыв в дверях кухни.

Похоже, он звонил родителям Джессики... Лучше говорить правду.

— В лесу гуляла.

Строгий взгляд прожигал насквозь.

— Почему к подруге не поехала?

— Матанализом решила не заниматься.

— Я ведь просил не ходить в лес, — скрестив руки на груди, напомнил Чарли.

— Да, знаю... Не волнуйся, больше не повторится, — содрогнувшись, пообещала я.

В папиных глазах упрек сменился тревогой. Господи, я сегодня и на землю падала, и на траве валялась — выгляжу, наверное, ужасно.

— Что случилось?

И снова я решила: лучше всего правда, пусть даже неполная. Я была слишком потрясена, чтобы притворяться. мол, провела тихий, небогатый событиями день, общаясь с флорой и фауной.

— Медведя видела. — Хотелось говорить спокойно, но дрожащий голос в любую минуту грозил сорваться на визг. — Вернее, не медведя, а какую-то разновидность волка. Их было пять: огромный черный, темно-серый, темно-бурый...

С расширившимися от ужаса глазами папа шагнул ко мне и обнял:

— Ты в порядке?

Я неуверенно кивнула.

— Расскажи, что случилось!

— Они меня не тронули, ушли. Я бежала, не разбирая дороги, и падала, падала, падала...

Папа судорожно прижал меня к себе.

— Волки... — наконец пробормотал он.

— Что?

— По словам егерей, следы вовсе не медвежьи, скорее волчьи, только слишком большие.

— Те, что я видела, просто огромные.

— Сколько, говоришь, их было?

— Пять.

Нахмурившись, папа покачал головой и безапелляционным тоном объявил:

— Больше никаких походов!

— Да, да, конечно, — энергично закивала я.

Чарли позвонил в участок доложить о том, что я видела. Насчет места, где произошла встреча с волками, пришлось соврать: я сказала, что шла по северной тропе. Не хотелось, чтобы папа знал, как далеко я забрела, несмотря на его запреты, и, что еще важнее, чтобы кто-нибудь бродил там, где, возможно, караулит меня Лоран.

— Есть хочешь? — повесив трубку, спросил Чарли.

Я покачала головой, хотя с утра ничего не ела.

— Слушай, ты ведь говорила, что Джейкоб сегодня на целый день уезжал?

— Со слов Билли, — кивнула я, удивленная таким вопросом.

Папа испытующе заглянул мне в глаза и, судя по всему, увидел в них нечто полностью его удовлетворившее.

— Ага...

— В чем дело? — В моем голосе звучало опасение. Похоже, папа намекает, что я врала ему утром, и не только насчет Джессики.

— Сегодня, заехав за Гарри, я видел у магазина Джейкоба с какими-то приятелями, помахал, однако меня не заметили. Они там спорили или даже ругались. У Джейка был такой странный вид. Расстроенный, что ли... И вообще он изменился... Вот как парни растут... Как ни встретишь, всякий раз чуть ли не на десять сантиметров выше.

— Джейк с друзьями собирался в Порт-Анжелес на какой-то фильм. Наверное, они встречались у того магазина.

— Угу. — Чарли наконец прошел на кухню, а я думала, о чем Джейк спорил с друзьями. Вдруг с Эмбри Сэма обсуждал? Может, поэтому не захотел меня сегодня видеть? Если дело в Эмбри и они помирятся, буду только рада.

Прежде чем подняться к себе, я проверила замки. Глупость какая, разве замок спасет от сегодняшних монстров? Ну, если только ручка на минуту остановит: у волков же пальцев нет! А если нагрянет Лоран...

Или... Виктория?

Упав на кровать, я дрожала так сильно, что о сне можно было и не мечтать. Сжавшись в комочек под тонким одеялом, я попыталась разобрать ужасающие факты.

От меня ничего не зависит. Не помогут ни друзья, ни строжайшие меры предосторожности. Спрятаться негде...

С содроганием сердца я поняла, что в такую ужасную ситуацию еще не попадала. Причем риску подвергаюсь не только я, но и Чарли. Папа, мирно спящий в соседней комнате, стал почти такой же мишенью. Запах приведет их сюда, вне зависимости от того, окажусь я дома или нет.

Меня колотило так, что зубы стучали.

Чтобы успокоиться, я представила невозможное: гигантские волки поймают Лорана и растерзают бессмертного призрака, как обычного человека. Мысль абсурдная, и все-таки она успокоила. Если волки не подкачают, Виктория не узнает, что меня бросили. Если Лоран не вернется, подумает: я до сих пор под охраной Калленов. Только бы волки смогли его одолеть!

Мои добрые вампиры обратно не приедут... До чего же здорово представлять, что и те, другие, тоже исчезнут.

Я крепко зажмурилась — сейчас, сейчас провалюсь в забытье, даже на кошмар согласна! Лучше пустой лес, чем красивое бледное лицо, что терзало из подсознания.

Фантазия рисовала Викторию с почерневшими от жажды, горящими от нетерпения глазами и хищной улыбкой, обнажающей блестящие зубы. Волосы словно пламя, лижущее покатые женственные плечи.

В ушах эхом отдавался голос Лорана: «Знала бы ты, что она для тебя придумала...»

Я зажала рот: только бы не закричать.

Глава одиннадцатая

СЕКТА

Каждое утро я страшно удивлялась, когда, открывая глаза, понимала, что пережила еще одну ночь. Потом удивление проходило, сердце пускалось бешеным галопом, ладони потели; я даже дышать нормально не могла, пока, заглянув в соседнюю комнату, не удостоверялась: Чарли тоже в порядке.

Папа явно переживал, глядя, как я вздрагиваю от каждого громкого звука и бледнею по неизвестной ему причине. Судя по то и дело задаваемым вопросам, он винил во всем затянувшееся отсутствие Джейкоба.

Главенствующий во всех мыслях страх зачастую отвлекал от неутешительного факта: прошла еще одна неделя, а Блэк-младший не позвонил. Но когда жизнь казалась более-менее нормальной — если мою жизнь вообще можно назвать нормальной, — это меня расстраивало.

Боже, как я по нему скучаю!

Одиночество тяготило, даже когда не довлел леденящий ужас, а теперь я сильнее, чем прежде, тосковала по беззаботному смеху Джейкоба и заразительной улыбке, нуждалась в надежном спокойствии его гаража и теплых руках, еще недавно гревших мои ледяные пальцы.

Почему-то казалось, что в понедельник Блэк должен позвонить. Если с Эмбри все наладилось, разве он не захочет похвастаться? Я внушала себе: Джейк пропал, потому что переживает за приятеля, а не потому что разочаровался во мне.

Я позвонила ему во вторник. Никто не ответил. Телефон до сих пор не работает или Блэк-старший потратился на аппарат с определителем номера?

В среду, отчаянно желая услышать голос Джейкоба, я вплоть до одиннадцати вечера набирала заветный номер. В четверг, заблокировав дверцы, целый час просидела перед домом в пикапе. Все пыталась убедить себя в необходимости быстренько съездить в Ла-Пуш, но так и не смогла.

Вне всякого сомнения, Лоран уже вернулся к Виктории. Появившись в резервации, я могла привести туда одного из них или сразу обоих. Вдруг поймают меня на глазах у Джейка? Как ни прискорбно, в такой ситуации лучше держаться подальше от юного Блэка — для его же блага...

К сожалению, я не придумала, как отвести удар от Чарли. Скорее всего, вампиры нападут ночью, как же мне выставить отца из дома? Скажу правду — отец закроет меня в обитой матрасами комнате. Я бы согласилась, даже с удовольствием, если бы это гарантировало его безопасность. Однако, разыскивая меня, Виктория прежде всего появится в доме Чарли. Может, моей крови ей будет достаточно и, сделав свое дело, она просто уйдет?

Нет, убегать нельзя. Да и куда направиться? К Рене? Я содрогнулась при мысли о том, что моя жуткая тень омрачит счастливый солнечный мир мамы. Разве можно подвергать ее такому риску?

Тревога серной кислотой разъедала мой живот — все, скоро вторая дыра появится, совсем, как в груди...

В тот вечер папа оказал мне очередную услугу: еще раз спросил по телефону Гарри, не уехали ли Блэки из Форкса. По словам Клируотера, в среду вечером Билли был на собрании муниципалитета и ни словом не обмолвился о предстоящем отъезде. Папа посоветовал не выставлять себя на посмешище — Джейкоб сам позвонит, когда захочет.

В пятницу по пути из школы меня неожиданно осенило

Я бездумно гнала пикап по знакомой дороге, позволяя реву мотора приглушить тревогу, когда подсознание выдало решение, над которым, вероятно, работало без моего ведома.

Обдумав его, я удивилась, что не догадалась раньше. Конечно, проблем хватало: мстительные вампиры, огромные волки-мутанты, рваная рана в груди... но стоило внимательно изучить факты, и все оказалось совершенно очевидным.

Джейкоб меня избегает, Билли дает бесполезные уклончивые ответы...

Черт побери, я знаю, что происходит с моим приятелем!

Всему виной Сэм Адли! Даже кошмары подводили меня к этой мысли. Сэм добрался до Джейкоба. Неведомая сила, порабощавшая парней из резервации, поглотила моего друга. Адли втянул его в секту.

«Значит, он меня не бросил!» — Я задыхалась от нахлынувших чувств.

Что же делать? Какое из двух зол выбрать?

Поеду в Ла-Пуш — Виктория с Лораном могут увидеть нас вместе. Отсижусь дома — Сэм еще глубже затянет Джейка в страшную, обязательную для всех квилетов банду. Промедлю — потом может быть слишком поздно.

Прошла целая неделя, а никто из вампиров за мной еще не являлся. Неделя — для ответных действий срок более чем достаточный, значит, у них есть дела поважнее. Скорее всего, вампиры нападут ночью, значит, шансов, что они проследуют за мной в Ла-Пуш, не так уж много, а опасность окончательно потерять Джейкоба велика.

Так что рискнуть и поехать по пустынной лесной дороге, вне всякого сомнения, стоит. Я ведь не просто в гости собираюсь — у меня четкий план, практически спасательная операция. Поговорю с Джейкобом, если надо, силой увезу. Однажды я слушала по радио, как выводят из транса бывших сектантов, значит, у врачей уже имеются определенные методики...

Но для начала стоит позвонить Чарли. Может, происходящим в Ла-Пуш должна заниматься полиция? Я бросилась в дом.

Трубку снял сам Чарли:

— Детектив Свон.

— Папа, это Белла.

— Что стряслось?

Мой голос дрожал, и не удивительно, что папа заподозрил неладное.

— Я беспокоюсь за Джейкоба.

— Почему? — Чарли явно не ожидал, что разговор пойдет о Блэке.

— По-моему... по-моему, в резервации творится неладное. Джейкоб рассказывал, что с парнями его возраста происходят какие-то чудеса, а сейчас он сам изменился, и мне страшно.

— Какие еще чудеса? — Тон у папы сухой, профессиональный. Это хорошо, значит, он воспринимает меня всерьез.

— Сначала боялся, потом начал меня избегать, а теперь... Теперь, думаю, он вступил в ту непонятную банду. Банду Сэма Адли...

— Сэма Адли?

— Да.

После небольшой паузы папин голос зазвучал намного спокойнее:

— Беллз, думаю, ты ошибаешься. Сэм Адли — отличный парень... вернее, сейчас уже молодой человек. Слышала бы ты, какого о нем мнения Билли! Для ребят из резервации он просто бог! Именно он... — Чарли осекся, и я догадалась: хотел рассказать про ночь, когда я заблудилась в лесу. Нужно срочно менять тему!

— Пап, Джейкоб его боялся!

— Ты Билли рассказывала? — Все, пытается меня успокоить; как только речь зашла о Сэме, потерял интерес.

— Билли тут ни при чем.

— Белла, Джейкоб еще ребенок, и проблемы у него детские. Наверное, просто дурака валяет. Зря волнуешься, не может же он проводить с тобой каждую минуту!

— Дело не во мне! — настаивала я, понимая, что битва ужс проиграна.

— Не стоит переживать! Пусть о Джейкобе Билли заботится!

— Чарли... — В моем голосе появились жалобные нотки.

— Беллз, сейчас я очень занят. На тропе у серповидного озера пропали два туриста, — с тревогой сказал папа. — Эти волки стали серьезной проблемой!

Новости меня расстроили, даже потрясли. Неужели волки одержали верх в схватке с Лораном?

— Уверен, что это волки?

— Боюсь, да, милая. Там были... — Папа замялся. — Следы и... кровь.

— Ой! — Выходит, до битвы не дошло. Лоран просто убежал от волков, но почему? Сцена на лугу казалась все более странной, абсолютно непостижимой.

— Слушай, мне правда пора. За Джейкоба не переживай, ничего страшного не происходит.

— Ладно, — сказала я, недовольная, что замечание отца напомнило о более насущных проблемах. — Пока.

Целую бесконечную минуту я смотрела на телефон. «Какого черта?» — возмутился подростковый негативизм.

Билли снял трубку после второго гудка.

— Привет! — чуть ли не прорычала я. Нет, так нельзя, нужно дружелюбнее. — Можно поговорить с Джейкобом?

— Его нет.

Вот так дела!

— Не знаете, где он?

— Гуляет с друзьями, — осторожно проговорил мистер Блэк.

— Правда? А я их не знаю? Джейк не с Квилом?

— Не-ет, — протянул Билли, — вряд ли он сегодня с Квилом.

Так, Сэма лучше не упоминать.

— С Эмбри?

Похоже, этот вариант понравился Билли куда больше.

— Да, да, с ним.

Все, ничего другого знать и не требуется, Эмбри — один из секты.

— Когда вернется, попросите перезвонить мне, ладно?

— Конечно, без проблем. — Он повесил трубку.

— До скорого, Билли! — пробормотала я в онемевший телефон.

В Ла-Пуш я поехала с твердым желанием дождаться. Если надо, буду сидеть перед домом Блэков всю ночь. В школу не пойду... Рано или поздно парень вернется, и тогда мы обязательно поговорим.

Я погрузилась в мысли настолько, что дорога, которой так боялась, пролетела быстро и незаметно.

Оглянуться не успела, а лес уже начал редеть, и показались первые домики резервации.

Навстречу моему пикапу шагал высокий парень в бейсболке.

На секунду дыхание перехватило: неужели мне улыбнулась удача и, не прилагая особых усилий, я натолкнулась на Джейкоба? Нет, парень слишком крупный, и волосы под бейсболкой коротко стрижены. Вне всякого сомнения, это Квил, хотя с нашей последней встречи он очень вырос. Что же творится с квилетскими парнями? Может, их кормят экспериментальными гормонами роста?

Я съехала на обочину и остановилась. Услышав шум моего пикапа, парень обернулся.

Выражение его лица не удивило, а скорее испугало. Вид у Квила был мрачный, задумчивый, лоб сморщен от волнения.

— О, привет, Белла! — вяло проговорил он.

— Привет, Квил! Ты в порядке?

— Угу...

— Подвезти тебя? — предложила я.

— Да, пожалуй, — буркнул он, обошел вокруг кабины, открыл пассажирскую дверцу и забрался в салон.

— Куда едем?

— Мой дом в северной части, сразу за магазином.

— Видел сегодня Джейка? — Вопрос вырвался даже раньше, чем Квил закончил фразу.

С нетерпением ожидая ответа, я впилась взглядом в своего пассажира, а он целую минуту смотрел в окно.

— Только издалека...

— Издалека?

— Хотел к ним подойти... Джейк был с Эмбри. — Шум мотора почти заглушил голос Квила, и я придвинулась ближе. — Они точно меня заметили, но почему-то спрятались за деревьями. Наверное, там их кто-то поджидал, скорее всего Сэм с приятелями. Я целый час бродил по лесу, звал Джейка, чуть горло не сорвал, с трудом нашел обратную дорогу, и тут подъехала ты.

— Значит, Сэм до него добрался... — Я стиснула зубы так, что голос стал похож на свист.

— Ты в курсе? — удивился Квил.

Я кивнула:

— Джейк рассказывал мне об этом... Раньше.

— Раньше... — с вздохом повторил молодой индеец.

— Он тоже превратился в зомби?

— Ни на шаг от Сэма не отходит! — Парень плюнул в открытое окно.

— А до этого он... он тебя избегал? Ходил подавленный?

Голос Квила звучал глухо и отрывисто:

— Ну, не так долго, как остальные. День, максимум два... Потом им завладел Сэм.

— Чем он их затягивает? Наркотиками?

— Вряд ли Джейкоб с Эмбри на это купились бы... хотя откуда мне знать? Какие еще есть варианты? Почему старики не беспокоятся? — Квил покачал головой, и в темных глазах мелькнул страх. — Джейкоб ведь не желал вступать в эту... секту и вдруг передумал... — Парень повернул ко мне искаженное ужасом лицо. — Я не хочу быть следующим!

Его страх отражался в моих глазах. Уже не первый человек называл банду Сэма сектой.

— Родители не помогут? — содрогнувшись, спросила я.

— Да, конечно, — поморщился Квил. — Мой дед в совете старейшин вместе с отцом Джейкоба, Сэм Адли для них — лучшее, что могло случиться с квилетами.

Целую минуту мы беспомощно смотрели друг на друга. Пикап едва полз по пустой дороге, впереди показался единственный магазин резервации.

— Я сейчас выйду. Мой дом вон там. — Квил кивнул на маленькое прямоугольное строение за магазином.

Я остановилась, и парень прыгнул.

— Собираюсь дождаться Джейкоба, — уверенным голосом заявила я.

— Удачи. — Он захлопнул дверцу, сильно ссутулился и, понурив голову, поплелся к дому.

Развернувшись на сто восемьдесят градусов, я поехала обратно к Блэкам, а перед глазами все стояло лицо Квила. Он так боялся стать следующим... Что же здесь творится?

Остановившись у дома Джейкоба, я заглушила мотор и опустила окна. Надо же, какой душный день: ни ветерка. Подняв ноги на приборную панель, я приготовилась ждать.

Неожиданно боковым зрением я уловила какое-то движение и, повернувшись, увидела Билли, со смущенным видом наблюдающего за мной из окна гостиной. Я помахала рукой, растянула губы в улыбке, но с места не сдвинулась.

Ждать можно сколько угодно, но лучше чем-то заняться. Достав со дна рюкзака ручку и старую контрольную, я стала рисовать узоры, но успела начертить лишь длинный ряд ромбов, когда в окно постучали.

Подняв глаза, я ожидала увидеть Билли.

— Белла, что ты здесь делаешь? — прорычал Джейкоб.

Я смотрела на него в немом изумлении.

Мы не виделись несколько недель, а мой приятель изменился до неузнаваемости. Прежде всего в глаза бросалась новая прическа: роскошные длиной до плеч волосы превратились в ежик, покрывавший череп подобно блестящему шелковому капюшону. Скулы стали заметнее, а посуровевшее лицо — напряженнее и... старше. Изменились даже плечи и шея: теперь они плотнее и мускулистее. Прижатые к окну руки казались огромными, под красноватой кожей бугрились мышцы, выпирали вены.

Увы, внешние изменения играли далеко не главную роль: совсем иным стало выражение лица. Открытая дружелюбная улыбка исчезла, а в теплых карих глазах поселилось тревожащее душу недовольство. Юный Блэк будто в сумрак погрузился. Мое личное солнце погасло.

— Джейкоб! — прошептала я, а он лишь буравил меня злым, напряженным взглядом.

Боже, да мой приятель не один, за его спиной еще четверо, все высокие, смуглые, с короткой, как у Джейкоба, стрижкой. Они могли быть близнецами — я даже не сразу разобралась, который из пятерых — Эмбри. Сходство только усиливалось пугающе одинаковой злобой, что у каждого горела в темных глазах.

Нет, не у каждого. Чуть поодаль стоял Сэм Адли, самый старший в группе и совершенно спокойный. Клокотавший в душе гнев пришлось срочно остудить, хотя страшно хотелось на него броситься... Причем не просто броситься, а до смерти напугать, быть суровой и беспощадной, чтобы никто, даже Сэм Адли, не смел перечить...

Мне хотелось быть вампиром.

Страстное желание застигло врасплох и судорожно сжало горло. Этого желать нельзя — пусть даже из низких побуждений и необходимости получить превосходство над врагом, — потому что будет слишком больно. Возможность безвозвратно потеряна, да она вообще никогда не была реальной.

Превозмогая саднящую боль в груди, я попыталась взять себя в руки.

— Что тебе нужно? — с вызовом сказал Джейкоб; наблюдая за отражающимися на моем лице чувствами, он злился еще сильнее.

— Хочу поговорить, — проблеяла я. Нужно сосредоточиться; только как, если мешают отголоски запретной мечты?

— Выкладывай, — сквозь зубы процедил он. В его темных глазах горела ненависть. Никогда не видела, чтобы он так смотрел на кого-нибудь, тем более на меня. Больно — словами не передать, даже в затылке закололо.

— Наедине! — чуть увереннее процедила я.

Блэк оглянулся, и я без труда догадалась, куда направлен его взгляд. В ожидании реакции Сэма обернулись все четверо. По-прежнему невозмутимый Адли коротко кивнул и что-то сказал на незнакомом мелодичном языке. Это не французский и не испанский, а, вероятно, язык квилетов... Повернувшись, он спокойно вошел в дом Джейкоба, остальные — Пол, Джаред и, как я предполагала, Эмбри — следом.

— Ну, говори. — В отсутствие приятелей ярости в голосе Джейкоба как не бывало. Лицо казалось намного спокойнее, но вместе с тем и безнадежнее. Уголки рта обреченно опустились.

— Тебе известно, что я хочу знать, — вздохнула я.

Джейкоб молчал, терзая меня полным горечи взглядом. Повисла неловкая пауза. В его облике было столько отчаяния, что я растеряла весь пыл и к горлу подступил комок.

— Давай отойдем? — предложила я, когда вернулся дар речи.

Парень не ответил, на его лице не дрогнул ни один мускул.

Я выбралась из машины и, чувствуя, как из окон за мной следят невидимые глаза, двинулась вдоль деревьев на север. Ноги хлюпали по траве и придорожной грязи, и, поскольку других звуков не было, я решила, что Джейк за мной не идет. Нет, вон он, рядом, по-видимому, нашел тропку посуше и потише.

Под сенью деревьев, вдали от Сэма, я почувствовала себя увереннее. Пока шли, лихорадочно пыталась подобрать нужные слова, однако так ничего и не придумала. От бессилия душила злоба, что Джейкоба затянули в эту... Что Билли не воспрепятствовал... Что Адли так спокоен и уверен в себе...

Неожиданно Джейкоб прибавил шагу, легко меня обогнал (неудивительно, с такими длинными ногами) и, вынуждая остановиться, преградил дорогу.

Откуда взялась непринужденная грация? Кипучая энергия делала Джейкоба таким же неуклюжим, как я. Когда же все изменилось?

Блэк не позволил мне над этим подумать.

— Давай со всем разберемся, — холодно проговорил он.

Я молчала: Джейк знает, что мне нужно.

— Все не так, как ты думаешь. — Неожиданно в его голосе прозвучала бесконечная усталость. — Я и сам раньше ничего не понимал, зато теперь разобрался.

— Так что происходит?

Целую минуту он вглядывался в мое лицо, в темных глазах по-прежнему не было ни света, ни тепла.

— Не могу объяснить, — наконец сказал Джейкоб.

— Мне казалось, мы дружим, — нахмурившись, процедила я.

— Дружили, — поправил он.

— А сейчас, выходит, друзья не нужны. Конечно, у тебя есть Сэм, разве не здорово? Ты всегда им восхищался!

— Просто не понимал...

— Зато теперь прозрел. Аллилуйя!

— Все оказалось совсем иначе, чем я думал. Сэм не виноват, он очень мне помогает. — В голосе Джейкоба появилось раздражение. Он смотрел куда-то вдаль, поверх моей головы, темные глаза метали молнии.

— Помогает, — с сомнением повторила я. — Ну конечно!

Джейкоб не слушал; пытаясь успокоиться, он набирал в грудь побольше воздуха и медленно выдыхал через рот. Боже, да его колотит от гнева!

— Пожалуйста, Джейкоб, — прошептала я, — расскажи, что случилось! Может, я сумею помочь.

— Мне уже никто не поможет... — Голос дрогнул, превратившись в глухой стон.

— Что он с тобой сделал? — чувствуя, что слезы совсем близко, спросила я и потянулась к нему, как тогда на скалах: объятия гостеприимно раскрыты, пусть только войдет.

Но на этот раз Джейкоб отстранился.

— Не трогай! — прошептал он.

— Сэм увидит? — брякнула я. В уголках глаз предательски заблестели слезы. Пришлось смахнуть их тыльной стороной ладони и вызывающе сжать кулаки.

— Прекрати обвинять Сэма! — бездумно, словно по привычке, выпалил Джейкоб. Руки потянулись вверх, чтобы поправить состриженные волосы, а потом повисли безвольно, словно плети.

— Так кого мне винить? — воскликнула я.

Ухмылка получилась мрачной.

— Ответ тебе не понравится.

— Черта с два! — рявкнула я. — Хочу его слышать, и немедленно.

— Ты ошибаешься! — заорал в ответ Джейкоб.

— Не смей так говорить! В конце концов, не меня в зомби превратили! Говори, кто виноват! Если не твой драгоценный Сэм, то кто?

— Ну, сама напросилась, — прорычал Блэк, а глаза холодно сверкнули. — Ищешь виноватых — почему бы не вспомнить о грязных вонючих кровопийцах, которые тебе так дороги?

Рот безвольно открылся, с негромким «ш-ш-ш» из груди вырвался воздух. Я так и застыла, раненная обоюдоострым кинжалом его слов. Тело пронзила ставшая привычной боль, изнутри вскрыв едва успевшую зарубцеваться рану, но и она отошла на второй план, словно жуткое музыкальное сопровождение к возникшему в мыслях хаосу. Неужели не послышалось? Увы, на лице Джейка нет и следа нерешительности, только злость.

Подавленная и растерянная, я так и стояла с раскрытым ртом.

— Предупреждал же, что не понравится.

— Не понимаю, о ком ты, — пролепетала я.

Блэк насмешливо поднял брови:

— А по-моему, прекрасно понимаешь. Думаю, имен лучше не называть, ты же не мазохистка!

— Не понимаю, о ком ты, — механически повторила я.

— О Калленах, — медленно, чуть ли не нараспев проговорил он, наблюдая за мной. — Я видел, да и сейчас вижу, как ты реагируешь, когда произносят эту фамилию.

Качая головой, я выражала несогласие и одновременно пыталась привести в порядок мысли. Как Джейкоб догадался, а самое главное, при чем тут Сэмова секта? Неужели их объединяет ненависть к вампирам? Да и какой смысл создавать подобную банду, когда в Форксе вампиров не осталось? Почему Блэк-младший поверил рассказам про Калленов, после того как они покинули эти края?

Подготовить достойный ответ удалось далеко не сразу.

— Только не говори, что начал слушать суеверные байки Билли! — Слабая и неубедительная насмешка больше напоминала булавочный укол.

— Мой папа знает много такого, что я раньше не ценил, и совершенно напрасно.

— Джейкоб, я не шучу!

Темные глаза смотрели с неодобрением.

— Оставим суеверия в покое, — осторожнее предложила я, — я не понимаю, чем тебе не угодили... — мое лицо исказила гримаса боли, — Каллены. Они ведь полгода назад уехали! Как можно винить их в том, что сейчас творит Сэм?

— Белла, Сэм ничего не творит! Я знаю, что они уехали, но некоторые м-м... процессы не остановишь, а исправлять потом слишком поздно.

— Какие еще процессы? Что поздно исправлять? За что ты их ненавидишь?

Кипящие от гнева глаза неожиданно глянули прямо на меня.

— За то, что они существуют, — прошипел Джейкоб.

К своему огромному удивлению, я вновь услышала серебряный баритон: это еще зачем, мне ведь даже не страшно?

«Успокойся, Белла, не стоит его распалять», — предупредил Эдвард.

Эдвард... Ну, все, имя вырвалось из-за преград и заслонов, обратно не загонишь. В драгоценные секунды, когда я слышала его голос, даже боль отступала.

Гнев и ненависть буквально душили Джейкоба.

Блэк посинел от злобы, но ведь это Джейк, мой старый приятель. Ни опасности, ни прилива адреналина я не чувствовала.

«Дай ему прийти в себя», — настаивал Эдвард.

Я в замешательстве покачала головой и осадила сразу обоих:

— Ерунда какая-то!

— Ладно, — глубоко вздохнул Джейкоб, — что с тобой спорить? Да сейчас уже и не важно, вред причинен.

— Какой еще вред?

Я орала во все горло, а он даже не поморщился.

— Пошли, говорить больше не о чем.

— Как это? — удивилась я. — Ты же ничего не объяснил!

Джейкоб, не обратив на меня ни малейшего внимания, уже шагал к дому.

— Сегодня я видела Квила! — прокричала я вслед.

Парень замер, но так и не обернулся.

— Помнишь Квила? Твой бывший товарищ сейчас боится стать следующим.

Тогда я и увидела лицо Джейкоба, бледное, искаженное от боли.

— Квил... — только и промолвил он.

— Он тоже за тебя беспокоится и умирает от страха.

В темных глазах застыло неприкрытое отчаяние.

— Квил не хочет стать следующим, — не унималась я.

Чтобы не упасть, Джейкоб схватился за дерево, смуглое красно-коричневое лицо неожиданно побледнело.

— Он не станет следующим, — пробормотал парень. — Все кончено... Но почему, почему так получилось?! — Джейкоб ударил кулаком по дереву. Сосна была небольшая, тонкая. И все-таки я удивилась, когда от его сильных ударов ствол громко хрустнул и переломился пополам.

С потрясением, быстро сменившимся ужасом, Блэк смотрел на острый, истекающий смолой обломок.

— Мне пора. — Отвернувшись, он зашагал так быстро, что мне пришлось бежать вдогонку.

— Пора к Сэму!

— Ты несправедлива, — чуть слышно пробормотал он.

Я гналась за ним до самой подъездной аллеи.

— Стой! — закричала я, понимая, что Блэк вот-вот скроется в доме.

Обернувшись, он заглянул мне в глаза, и я увидела: у него снова дрожат руки.

— Езжай домой, Белла! Я больше не могу с тобой общаться.

Как больно, глупо и, что обиднее всего, непонятно, за что он так со мной. По щекам снова покатились слезы.

— Ты что, со мной порываешь? — Возможно, мои слова звучали слишком пафосно, зато лучше всего выражали то, что накопилось на душе. В конце концов, у нас с Джейком не школьный роман, все гораздо сильнее и серьезнее.

— Не совсем, — с горечью рассмеялся парень. — В таком случае я бы сказал: «Останемся друзьями», а в нынешней ситуации не могу обещать и этого.

— Но почему? Сэм не позволяет? Пожалуйста, ты же слово дал! Ты мне так нужен...

Черная пустота, царившая в моей жизни до того, как в нее вошел Джейкоб, нахлынула с новой силой, грозя засосать в страшную бездну. Одиночество стояло в горле огромным, мешающим дышать комом.

— Извини, Белла, — холодно отчеканил Джейк.

Не верю, что он хотел сказать именно это! В темных, горящих злобой глазах скрыт какой-то намек, который мне никак не удавалось разгадать.

Вдруг дело совсем не в Сэме и не в Калленах? Вдруг он просто хочет вырваться из безвыходной ситуации? Если так лучше для него, может, стоит отпустить? Да, пожалуй, так будет правильнее.

Мой голос стал похож на безжизненный шепот.

— Прости, что... что не сделала этого раньше. Жаль, я не могу относиться к тебе иначе. — В полном отчаянии приходилось искажать правду так, что она стала похожа на ложь. — Наверное, я сумею перестроиться, если ты дашь немного времени. Только не бросай меня сейчас... Я... я этого просто не вынесу.

На секунду Джейкоб сморщился, будто от нестерпимой боли. Мелко дрожащие руки потянулись ко мне.

— Белла, пожалуйста, не надо, не вини себя. Ты ни при чем, клянусь, виноват только я, целиком и полностью.

— Ну вот, теперь себя винишь, — прошептала я.

— Белла, это серьезно! Я не... — Он осекся и, пытаясь взять себя в руки, заговорил еще глуше. Глаза казались совершенно измученными. — Я больше не гожусь тебе в друзья или просто знакомые. Я не тот, каким был раньше. Недостаточно хорош...

— Что?! — воскликнула я, потрясенная до глубины души. — Что ты мелешь? Ты ничем не хуже других! Кто сказал, что ты мне не подходишь? Сэм? Джейк, это мерзкая ложь! Не позволяй им собой манипулировать! — Я снова сорвалась на крик.

Смуглое лицо превратилось в жесткую, непроницаемую маску.

— Никто и не манипулирует, я сам все про себя знаю.

— Ты мой друг, Джейк! Не надо...

Он начал от меня пятиться.

— Прости, Белла, — повторил Блэк на этот раз неуверенным шепотом, отвернулся и чуть ли не бегом бросился домой.

Не в силах сдвинуться с места, я смотрела на темно-красный дом, слишком маленький, чтобы вместить четверых крупных парней и двух мужчин еще более внушительного телосложения. За дверью царила полная тишина: ни шороха занавесок, ни шагов, ни голосов. Окна гостиной смотрели холодно и безучастно.

Начал моросить дождь; холодные капли жалили, словно надоедливые осы. Глаза будто прилипли к дому: рано или поздно Джейкоб выйдет, нельзя же безвылазно сидеть взаперти.

Дождь усилился, а с ним крепчал ветер. Капли падали не вертикально, а летели с западной стороны. В воздухе запахло морской солью. Волосы хлестали по лицу, прилипали к мокрым щекам, цепляясь за брови и ресницы. Я ждала.

Наконец дверь открылась, и я с облегчением вздохнула.

На крыльцо выехал Билли, за коляской — никого

— Белла, звонил Чарли, и я сказал, что ты выехала домой. — Глаза Блэка-старшего переполняла жалость.

Жалость и стала последней каплей. Ничего не ответив, я, будто на автопилоте, обернулась и села в пикап. Окна все это время были открыты, и сиденья блестели от влаги. Меня это нисколько не волновало: я сама-то успела промокнуть до нитки.

«Все не так уж плохо, не так уж плохо», — успокаивал холодный рассудок. И действительно, разрыв с Джейкобом еще не конец света, а просто конец оттепели, скрашивавшей ледяное одиночество, только и всего.

«Все не так уж плохо, — согласилось истерзанное сердце, а потом добавило: — Будет хуже».

Все это время я считала, что Джейк лечит зияющую рану в груди или хотя бы заполняет ее, не давая болеть. На самом деле я глубоко ошибалась: он пробивал свою собственную брешь, делая сердце похожим на швейцарский сыр. Удивительно, как я еще на части не развалилась?

Чарли ждал на крыльце. Не успела я остановиться у дома, как он вышел навстречу.

— Билли звонил... Сказал, что вы с Джейком поссорились и ты очень расстроена. — Заглянув в глаза, папа помрачнел, будто подтвердились его худшие подозрения. Интересно, что он увидел? Я представила себя со стороны: лицо холодное, пустое, будто мертвое. Понятно...

— Все было совсем не так, — пробормотала я.

Обняв за плечи, Чарли помог мне выбраться из машины

— Тогда что случилось? — спросил он, когда мы вошли в гостиную, и, взяв со спинки дивана теплый платок, накинул мне на плечи. Боже, да я, оказывается, продрогла.

— Сэм Адли запретил Джейкобу со мной дружить. – Мой голос звучал вяло и безжизненно.

Папа как-то странно на меня посмотрел:

– Кто так сказал?

— Джейкоб, — заявила я, хотя слова Блэка звучали немного иначе. Какая разница? Смысл-то не меняется.

— Думаешь, с этим Адли на самом деле что-то не так? — насупился Чарли.

— Да, уверена, хотя Джейкоб темнит. — Я слышала, как с одежды на линолеум капает вода. — Пойду переоденусь.

— Угу, — рассеянно ответил папа, крепко о чем-то задумавшийся.

Чтобы согреться, я решила встать под душ. Увы, горячая вода не принесла облегчения; закрывая кран, я по-прежнему дрожала от холода. В тишине было слышно, как на первом этаже с кем-то беседует папа. Обернувшись полотенцем, я приоткрыла дверь.

— Не верю, — злился Чарли. — Ерунда какая-то!

Повисла пауза, и я поняла: по телефону говорит.

— Не смей обвинять Беллу! — закричал папа так неожиданно, что я чуть не подпрыгнула. — Беллз с самого начала дала понять: они с Джейкобом просто друзья... А почему сразу не сказал, если дела обстоят именно так? Нет, Билли, уверен, тут она права... Я знаю свою дочь, и если она утверждает, что Джейкоб... испугался еще раньше... — Папа осекся на середине предложения, затем вновь сорвался на крик: — Что значит, я не знаю свою дочь? — Повисла секундная пауза, после которой Чарли заговорил чуть слышным шепотом: — Думаешь, я стану ей об этом напоминать?! Ни за что! Девочка только начала приходить в себя, похоже, в основном благодаря Джейкобу. И если отношения Джейкоба с этим Сэмом снова доведут ее до депрессии, парень за это ответит. Мы друзья, Билли, но страдает моя семья!

Возникла очередная пауза, во время которой, по видимому, говорил мистер Блэк.

— Ты понял правильно: стоит тем ребятам переступить черту — мигом вычислю и, будь уверен, глаз с них не спущу! — Чарли исчез, уступив место детективу Свону. — Хорошо... Ладно, пока! — Трубка полетела на базу.

Я на цыпочках прошла в свою комнату, слушая, как на кухне чертыхается папа.

Выходит, Билли во всем винит меня: я кружила парню голову, но в конце концов надоела.

Удивительно, я ведь и сама боялась такого исхода, однако теперь, после непонятных намеков Джейкоба, больше в это не верила. Дело вовсе не в безответной любви, странно, что Билли опустился до таких обвинений.

Выходит, тут есть тайна... Ну сейчас хоть Чарли на моей стороне.

Надев пижаму, я забралась под одеяло. Жизнь казалась настолько отвратительной, что я позволила себе поблажку. Рана, вернее, раны в груди все равно болят, так какого черта! Я вызвала воспоминание — не настоящее, это было бы невыносимо, а галлюцинацию — голос Эдварда, который слышала сегодня вечером, и слышала его до тех пор, пока не заснула с мокрым от слез лицом.

Приснился новый сон. Лил сильный дождь, и Блэк-младший беззвучно шел рядом со мной. Но это был не знакомый мне Джейкоб, а его озлобленный грациозный двойник. Кошачья гибкость и пластика напоминали кого-то другого, а потом прямо на глазах его лицо начало меняться: из кожи будто вымывался пигмент, делая ее бледной, как старая кость. Глаза стали золотыми, затем малиновыми, затем черными и наконец снова золотыми. Коротко стриженные волосы начали виться, а налетевший ветерок подарил им бронзовый отлив. В облике появились отрешенность и такая красота, что у меня заныло сердце. Я потянулась к нему, но он отстранился, заслонившись от меня руками. А потом Джейкоб-Эдвард исчез.

Неожиданно проснувшись, я гадала: слезы потекли только что или плач был частью волшебной сказки, а сейчас лишь продолжается? Взгляд уперся в темный потолок: наверное, уже полночь и я балансирую между сном и явью, все больше склоняясь в сторону первого. Устало закрыв глаза, я попросила высшие силы не насылать больше сказок.

Именно тогда послышался шум, который меня и разбудил. Высокий пронзительный звук: в окно скребли чем-то острым, скорее всего ногтем.

Глава двенадцатая

НЕЗВАНЫЙ ГОСТЬ

Глаза испуганно распахнулись, хотя, сбитая с толку и измученная, я не сразу поняла: сон это ли явь.

Высокий пронзительный звук послышался снова: кто-то царапал в мое окно.

Разве среди ночи разберешь, что к чему? Я выбралась из постели и поплелась к окну, на ходу смахивая оставшиеся слезы.

Огромная темная фигура бешено раскачивалась по ту сторону стекла, будто пытаясь прорваться в комнату. В ужасе я отшатнулась, судорожно сжавшееся горло мешало закричать.

Виктория!

Она пришла за мной.

Мне конец...

Я задушила готовый вырваться крик. Нет, нужно вести себя тихо и любым способом сделать так, чтобы на шум не прибежал Чарли.

Потом я услышала знакомый голос.

— Белла! — прошипела фигура. — Открой скорее, черт побери! Ой!

Пара секунд понадобилась на то, чтобы прийти в себя. Стряхнув леденящий ужас, я распахнула окно. Подсвеченные лунным сиянием облака позволили разобраться в неясных очертаниях.

– Что ты делаешь? — изумленно выдохнула я.

Джейкоб отчаянно цеплялся за вершину ели, что росла посредине нашего дворика. Под тяжестью его веса дерево наклонилось к дому, и в тот самый момент он находился метрах в семи над землей и сантиметрах в восьмидесяти от меня. Тонкие ветви верхушки с пронзительным скрежетом царапали по стеклу.

— Пытаюсь сдержать... — прохрипел парень, перемещая вес, чтобы не слететь с верхушки, – свое слово.

Я рассеянно моргнула, внезапно уверившись, что это сон.

— Разве ты обещал разбиться, слетев с папиной елки?

Блэк невесело ухмыльнулся, болтая ногами, чтобы сохранить равновесие.

— Отойди!

— Что?

Джейк начал раскачивать ногами, и я поняла, что он собирается сделать.

— Нет, не надо!

Но было уже поздно, и мне пришлось наклониться в сторону.

В горле снова застыл крик — я ждала, что он разобьется насмерть или по крайней мере искалечится о деревянную обшивку. Каково же было мое удивление, когда он залетел в комнату и с глухим звуком приземлился на ноги.

Затаив дыхание, мы оба машинально посмотрели на дверь: Чарли не проснулся? Небольшая пауза и из соседней комнаты донесся приглушенный храп

По лицу Джейкоба расползлась широкая ухмылка: кажется, он очень доволен собой. Это не та улыбка, которую я знала и любила, а какой-то новый оскал — жалкое подобие прежней открытости. Теперь он принадлежал Сэму.

Это было уже слишком.

Из-за Джейкоба Блэка я все глаза изревела. Его жестокое отношение пробило новую рану в и без того изрешеченной груди. После нашего разговора появился новый кошмар, будто его ядовитые слова занесли какую-то инфекцию. И вот сейчас он стоит в моей спальне и ухмыляется, будто ничего не произошло. А еще его появление, пусть даже шумное и неловкое, причинило нестерпимую боль, напомнив, как по ночам ко мне в комнату пробирался Эдвард.

Все это вместе с жуткой усталостью не располагало к дружескому общению.

— Убирайся! — прошипела я, стараясь вложить в голос побольше злобы.

Блэк растерянно заморгал:

— Нет, нет, я пришел извиниться.

— Слышать ничего не желаю!

Я постаралась вытолкнуть Джейкоба из окна — раз это только сон, ничего ему не будет. Увы, безрезультатно: он и на сантиметр не сдвинулся! Отдернув руки, я быстро отступила.

Блэк без рубашки, хотя от холодного ночного воздуха меня пробирала дрожь, да и касаться его обнаженной груди как-то неудобно. Кожа пылает, совсем как в прошлый раз, когда я к нему прикасалась, будто жар до си пор не прошел.

Нет, больным Джейкоб не казался, он казался... огромным! Все окно заслонил, когда навис надо мной, лишившись дара речи от столь внезапного отпора

Не могу я больше терпеть: все бессонные ночи будто одной невыносимой массой навалились! Шатаясь от изнеможения, я старалась не закрывать глаза

— Белла! — испуганно прошептал Джейкоб и, поймав меня за локоть, повел к кровати. Когда осталось полшага, мои ноги подкосились, и я упала на матрас, словно куль с мукой.

— Ты хорошо себя чувствуешь? — встревожился Блэк.

Я подняла голову:

— А что, похоже?

— Да уж... — глубоко вздохнув, протянул он. На его лице отразилось раскаяние. — Черт побери, прости меня, Белла! — Казалось, он говорит искренне, хотя в глазах еще горела злоба.

— Джейк, зачем ты пришел? Мне не нужны твои извинения.

– Понимаю, — прошептал он, — но оставлять все, как есть, не хочу. Ссора было ужасной, извини!

— Ничего не понимаю... — устало покачала я головой

— Поэтому и решил объяснить... — Парень запнулся, будто кто-то неожиданно перекрыл ему воздух. Но не могу, - - рассерженно объявил он. — К сожалению...

— Почему? — Я закрыла лицо руками, поэтому вопрос прозвучал глухо.

Блэк не ответил.

Поднять голову не хватало сил, и я просто повернулась к Джейкобу, чтобы перехватить его взгляд. Боже, да что с ним?! Зубы стиснуты, глаза прищурены, на лбу глубокие морщины...

— В чем дело?

Парень нервно сглотнул, и я поняла, что он стоял, затаив дыхание.

— Я не могу это сделать...

— Сделать что?

Мои слова остались без внимания.

— Слушай, Белла, разве у тебя никогда не было секретов, которые нельзя выдавать? — Проницательные глаза Джейка тут же заставили вспомнить Калленов. Надеюсь, вид у меня не слишком виноватый. — Которые ты не могла рассказать ни Чарли, ни матери? — не унимался Джейкоб. — О которых не в силах говорить со мной? Даже сейчас?

Я прищурилась: лучше не отвечать, хотя молчание будет наверняка воспринято, как знак согласия.

— Разве я не могу попасть в такую же... ситуацию? — Блэк вновь замялся, тщательно подбирая слова. — Порой клятвы и обещания не дают поступить, как хочется.

Ну что тут скажешь? Он прав: я действительно знаю чужую тайну, которую обязана хранить. Которая, судя по всему, известна Блэку.

Только при чем здесь Джейк, Сэм или Билли? Какая им разница теперь, когда Каллены уехали?

— Так для чего ты пришел? Чтобы вместо объяснений загадки загадывать?

— Прости, — прошептал он. — Дурацкое положение...

Мы целую минуту смотрели друг другу в глаза, и в сумраке комнаты на наших лицах все явственнее проступала безнадежность.

— Отвратительнее всего то, что ты и так знаешь, — неожиданно заявил Джейкоб. — Я уже все тебе рассказал.

— Не понимаю, о чем ты.

Судорожно вздохнув, он склонился надо мной. В темных глазах отчаяние и огромное нервное напряжение сменяли друг друга, словно картинки в калейдоскопе. Свирепый, полный отчаяния взгляд — и слова понеслись бешеным потоком. Его лицо было так близко, что я чувствовала жар дыхания.

— По-моему, я придумал, что нам делать... Белла, ты же все знаешь! Рассказывать нельзя, но ты можешь догадаться! А я останусь как бы ни при чем...

— О чем я должна догадаться?

— О моем секрете! Ничего сложного: ответ тебе известен.

Я растерянно моргала, пытаясь привести в порядок мысли. Боже, сил и так нет, а он несет какую-то ерунду.

Блэк заглянул в мои пустые глаза, и каждая мышца его лица напряглась, словно от невероятных усилий.

— Пожалуй, подскажу.

Слова давались ему с таким трудом, что он задыхался.

— Подскажешь? — переспросила я. Тяжелые веки чуть было не сомкнулись, но я вовремя спохватилась.

— Ну да, — прохрипел Джейкоб, — буду задавать наводящие вопросы.

Коснувшись моей щеки огромной, чересчур горячей ладонью, он склонился еще ниже и заглянул в глаза, будто взгляд был красноречивее слов.

— Помнишь нашу первую встречу на диком пляже в Ла-Пуш?

— Да, конечно.

— Расскажи о ней.

Сделав глубокий вдох, я попыталась сосредоточиться.

— Ты спросил про пикап...

Блэк кивнул: продолжай, мол.

— Мы разговорились о твоем «Рэббите».

— Угу, дальше.

— Пошли гулять по пляжу... — От воспоминаний щеки зарделись, но Джейк, с его жаром, вряд ли заметил. Тогда я предложила ему пройтись, неумело, однако довольно успешно кокетничая, чтобы получить нужную информацию.

Очередной одобрительный кивок.

— Ты рассказывал страшилки, — чуть слышно прошептала я. — Квилетские легенды...

Блэк на секунду зажмурился:

— Да... — Голос звенел от волнения, будто он собирался сообщить нечто архиважное. — Помнишь, о чем шла речь?

Даже в темноте можно было заметить, что я побледнела. Разве такое забудешь? В тот день, сам того не ведая, Джейкоб навсегда изменил мою жизнь сказав, что Эдвард — вампир.

В блестящих глазах, пожалуй, излишняя проницательность.

— Ну, подумай как следует!

— Я помню...

— Все исто?.. — осекся он и, будто подавившись, безвольно открыл рот.

— Все истории? — подсказала я.

Блэк молча кивнул.

Голова шла кругом. Меня интересовала только одна легенда. Естественно, были и другие, но память отказывалась воскрешать пустячную присказку, особенно когда сил совершенно не осталось.

Глухо застонав, Джейкоб вскочил с кровати и судорожно сжал виски.

— Ты все знаешь... ты все знаешь, — бормотал он.

— Джейк, пожалуйста, я так устала... Не надо сейчас меня допрашивать, давай лучше утром!

Кое-как успокоив дыхание, парень кивнул:

— Да, может, утром вспомнится. Я ведь понимаю, почему ты запомнила только одну историю, — едко добавил он и тяжело опустился на матрас. — Слушай, можно вопрос? — В его голосе по-прежнему звучал сарказм. — А то умираю от любопытства!

— Какой еще вопрос? — спросила я с опаской.

— Ну, про мою вампирскую страшилку.

Не в силах ответить, я буравила его настороженным взглядом.

— Ты тогда на самом деле не знала? — От волнения у Джейка даже голос сел. — Только я тебе про него рассказывал?

Откуда ему известно? Почему он склонился к такому варианту, почему именно сейчас? Стиснув зубы, я посмотрела на Блэка: от меня этот парень ничего не узнает! Впрочем, Джейкоб сам догадался.

— Теперь помнишь, что я говорил о клятвах и обещаниях? — Голос его стал совсем сиплым. — У меня та же ситуация, только сложнее. Я повязан...

Не нравилось мне это — как, вспоминая клятву, он закрывает глаза, будто от боли. Не просто «не нравилось» — я ненавидела сложившуюся ситуацию, ненавидела все, что причиняет Джейку боль.

Ненавидела искренне и страстно.

Перед глазами встало лицо Сэма.

Свою позицию я заняла абсолютно добровольно: секрет Калленов храню из-за любви, неразделенной, но настоящей. А вот у Джейкоба, похоже, иные обстоятельства.

— Неужели нет способа вырваться? — прошептала я, осторожно касаясь его коротко стриженных волос.

Крупные, как у взрослого, ладони задрожали, но глаза парень так и не открыл.

— Нет, эта порука на всю жизнь, как пожизненное заключение. — Он невесело рассмеялся. — А может, и дольше.

— Нет, Джейк! — простонала я. — Давай убежим! Только ты и я... Форкс останется в прошлом, а вместе с ним и Сэм!

— Белла, от такого не убежишь, — прошептал он. — Хотя с тобой бы я попробовал... — Вслед за ладонями задрожали широкие плечи, и Блэк судорожно вздохнул. — Мне пора.

— Почему?

— Во-первых, потому, что с минуты на минуту ты потеряешь сознание. Выспись как следует, наберись сил.

— А еще почему?

— Из дома я выскользнул тайком, — нахмурился парень. — Нам нельзя видеться. Меня, наверное, уже хватились. — Уголки губ поползли вниз. — Пожалуй, я должен им сказать...

— Ты ничего им не должен! — прошипела я.

— И все-таки скажу.

Душа превратилась в клокочущий от гнева котел.

— Я их ненавижу!

В темных глазах мелькнуло удивление.

— Нет, Белла, не стоит ненавидеть ребят! Ни Адли, ни кто другой не виноват. Говорю же, дело во мне! Сэм... просто замечательный. Джаред с Полом тоже отличные парни, хотя Пол немного... А с Эмбри мы сто лет дружим, здесь ничего не изменилось. Пожалуй, это единственное, что не изменилось... Мне очень стыдно, что я так плохо думал о Сэме.

Сэм просто замечательный?.. Я недоверчиво взглянула на Блэка, но от комментариев воздержалась.

— А почему нам нельзя видеться?

— Слишком опасно.

От его слов по спине пробежал холодок страха.

Неужели он и *это* знает? Вообще-то в курсе одна я... Хотя Джейк прав: полночь — идеальное время для охоты. Ему не место в моей комнате. Если кто-то появится, пусть лучше застанет меня одну.

— Будь риск неоправдан, я бы не пришел. Но, Белла, — парень заглянул мне в глаза, — я дал обещание и, хотя понятия не имел, как трудно его сдержать, отступать без боя не намерен.

Вероятно, на моем лице отразилось замешательство, потому что он пояснил:

— После того дурацкого фильма я поклялся, что никогда не причиню тебе боль. А сегодня, выходит, нарушил клятву?

— Я знаю, Джейк, ты не хотел, все в порядке.

— Спасибо. — Блэк взял меня за руку. — Обещание в силе: ты по-прежнему можешь на меня рассчитывать. — Неожиданно его губы изогнулись в улыбке: не открытой — моей, не болезненной — Сэма, а какой-то средней. — Хорошо бы ты раскрыла секрет сама. Давай напрягись.

— Ла-адно, — скорчила я вялую гримасу.

— При первой же возможности постараюсь к тебе выбраться. Хотя они наверняка будут отговаривать!

— А ты не слушай!

— Попробую. — Джейк покачал головой, будто сомневаясь. — Догадаешься — сразу дай мне знать. — В тот момент его посетила новая, такая жуткая мысль, что руки затряслись. — Конечно, если... если захочется.

— Почему мне вдруг не захочется?

На стопроцентно принадлежащем Сэму лице появились горечь и тревога.

— Появится причина, — резко проговорил он. — Слушай, мне правда пора. Пообещай кое-что, ладно?

Я только кивнула, испуганная неожиданной сменой его настроения.

— Решишь со мной не встречаться, хотя бы позвони известить.

— Этого не случится...

Подняв руку, он оборвал меня на полуслове:

— Просто извести.

Блэк шагнул к окну.

— Не будь идиотом! — взмолилась я. — Ноги переломаешь... Выходи через дверь, Чарли спит!

— Я не разобьюсь, — пробормотал он, но все-таки повернулся к двери, замер и посмотрел так, будто что-то не давало ему покоя. А потом умоляюще протянул руку.

Я взяла ее, а Джейк неожиданно и слишком грубо стащил меня с кровати и притянул к своей мускулистой груди.

— Это на всякий случай, — уткнувшись в мои волосы, пробормотал он и обнял так, что ребра чуть не треснули.

— Дышать не могу! — прохрипела я.

Хватку парень ослабил, однако из объятий не выпустил, наверное опасаясь, что упаду, а затем с величайшей осторожностью подтолкнул к кровати.

— Выспись как следует, Беллз, наберись сил! Ты должна догадаться, иначе просто нельзя. Не хочу тебя терять.

Один шаг — и он у двери, беззвучно открыл и исчез в темноте коридора. Я напряглась, ожидая услышать скрип ступеней, но ничего не последовало.

Мысли кружили в бешеном водовороте, и я откинулась на подушки. Смятение и усталость накрывали с головой. Я закрыла глаза, пытаясь сосредоточиться, однако с пугающей быстротой провалилась в забытье.

Естественно, на спокойный без сновидений отдых рассчитывать не приходилось. Я опять попала в лес, в котором начались бесплодные поиски.

Скоро стало ясно, что сон не такой, как обычно. Во-первых, в чаще я бродила не по необходимости, а скорее по привычке: чем еще заняться в лесу? Кстати, и лес был совсем иной — с каким-то особенным запахом и светом. Пахло не сырой от дождя землей, а океанской солью. Хотя неба я не видела, судя по золотисто-зеленой листве смыкающихся над головой деревьев, светило яркое солнце.

Это же лес на побережье, рядом с Ла-Пуш! Значит, если я выйду к океану, то увижу солнце!

Я поспешила на слабый плеск волн.

Потом рядом возник Джейкоб — схватил за руку и потащил обратно в чащу.

— Джейкоб, что случилось? — спросила я. Лицо у моего товарища, будто у перепуганного мальчика, а волосы, как прежде, длинные и шелковистые, собраны на затылке в хвост. Он тянул изо всех сил, но я сопротивлялась. Не желаю возвращаться во тьму!

— Беги, Белла, беги! — побелев от страха, шептал Блэк.

Ощущение дежавю было таким сильным, что я чуть не проснулась.

Теперь понятно, почему место показалось знакомым. Я была здесь раньше, тоже во сне. Миллион лет назад, в совершенно другой жизни. Тот сон приснился после нашей первой прогулки с Джейкобом, когда он рассказал, что Эдвард — вампир. Похоже, сегодняшний разговор выкопал его из недр памяти.

Словно со стороны, я стала ждать продолжения того старого сна.

Сейчас из-за деревьев выйдет Эдвард: его кожа будет источать неяркое сияние, а глаза — темную опасность. Прекрасный, как ангел, он улыбнется, обнажая острые клыки...

Впрочем, я забежала вперед, сначала должно случиться кое-что еще.

Блэк отпустил мою руку и, неожиданно забившись в конвульсиях, упал на землю.

— Джейкоб! — закричала я, но было поздно. Вместо парня на земле лежал крупный рыжий волк с черными глазами.

А потом плавный ход сна изменился, как у сошедшего с рельсов поезда.

Это не волк из старого сна, а рыжевато-коричневый гигант, которого неделю назад на лугу я могла коснуться рукой. Настоящее чудище, здоровее любого медведя!

Волк смотрел на меня так пристально, будто хотел что-то сказать, а глаза светились невероятным для дикого зверя умом. Знакомые темно-карие глаза Джейкоба Блэка...

Закричав во все горло, я, естественно, проснулась.

Все, сейчас прибежит Чарли... Зарывшись головой в подушку, я попыталась унять истерику, в которую переросли вопли, и прижалась к тонкому хлопку наволочки: может, она и кошмар заглушит?

Чарли не пришел, значит, судорожные горловые спазмы удалось как-то подавить...

Вспомнилось все: каждое слово Джейкоба, даже присказка к легенде о вампирах, «холодных», как называли их индейцы. *Особенно* присказка...

— Ты слышала истории про реку Квилет? Наше племя когда-то жило на ее берегах... — задумчиво начал он. — Легенд очень много, в некоторых рассказывается, как во время потопа древние квилеты привязали каноэ к верхушкам самых высоких сосен, чтобы спасти себя и детей. Совсем как Ной! — криво улыбнулся Джейкоб. — В других говорится, что мы якобы произошли от волков. Наше племя до сих пор считает их братьями, и убить волка — преступление. Еще есть истории про «белых», — чуть слышно продолжил Блэк, и я поняла, что он имеет в виду не просто представителей европеоидной расы.

— Про «белых»? — переспросила я с искренним интересом.

— Ну да, их еще называют «холодными». Некоторые рассказы о них очень древние, а некоторые появились недавно. По одной из легенд, мой прапрадедушка был «белым». Он запретил себе подобным появляться на нашей территории.

— Твой прапрадедушка был «белым»? — снова повторила я, рассчитывая на продолжение.

— Да, а еще вождем, как и мой отец. Видишь ли, «белые» — единственные враги волков. Ну, не настоящих волков, а тех, что превращаются в людей, как наши предки. Вы называете их оборотнями.

— У оборотней есть враги?

— Только один.

В горле что-то застряло, не давая дышать. Я попыталась проглотить неприятный комок, но он не двигался. Может, выплюнуть?

— Оборотень! — выпалила я.

Весь мир будто перекосился, сместившись с привычной для меня оси.

Да и что это за мир такой, что за реальность, если древние легенды оживают на улицах провинциальных городов и вступают в схватку с мифическими монстрами? Неужели самые невероятные сказки зиждутся на правде? Неужели в жизни не осталось ничего здравого и нормального и балом правит волшебство?

Я обхватила голову руками: вдруг разорвется?

Где-то в глубине сознания холодный голос рассудка поинтересовался, из-за чего весь сыр-бор. Разве я не смирилась с существованием вампиров давным-давно и без всяких истерик?

«Да, конечно! — хотело ответить сердце. — Но разве одной сказки на человека недостаточно?»

Кроме того, я и секунды не верила, что Эдвард Каллен такой, как все. Так что правда не стала потрясением — он явно был кем-то особенным.

Но Джейкоб... Джейкоб, мой старый друг, единственный человек, с которым удавалось нормально общаться.

Выходит, он даже не человек.

Снова захотелось закричать.

Что это обо мне говорит?

Ответ более чем очевиден: со мной что-то не так. Очень не так... Иначе зачем окружать себя героями фильмов ужасов? Зачем до боли в груди страдать, когда они возвращаются к своим сказочным делам?

В голове все крутилось, вертелось и перестраивалось: то, что еще вчера значило одно, теперь обозначало совсем другое.

Оказывается, секты не было. Никогда не существовало ни секты, ни банды. Компания Джейкоба намного ужаснее и называется «стая».

Стая невероятно огромных разномастных волков прошла по лугу Эдварда...

В следующую секунду у меня началась паника. Рань, судя по часам, несусветная, но я думала не об этом. Мне нужно в Ла-Пуш, скорее, пусть Джейкоб скажет, что я не выжила из ума окончательно.

Натянув попавшиеся под руку вещи (сочетаются или нет, посмотреть не удосужилась), я через две ступеньки скатилась вниз по лестнице и, заворачивая к двери, чуть не налетела на Чарли.

— Ты куда? — спросил папа, удивленный не меньше моего. — Знаешь, сколько времени?

— Мне нужно к Джейкобу.

— Я думал, его дружба с Сэмом...

— Не важно, хочу поговорить с ним прямо сейчас.

— В такую рань? — На моем лице не дрогнул ни один мускул, и отец нахмурился. — И не позавтракаешь?

— Пока не хочется, — бездумно пробормотала я. Ну что он встал на дороге? Может, под рукой у него прошмыгнуть? Нет, потом разговоров не оберешься! — Слушай, я скоро вернусь!

Чарли нахмурился:

— Прямо к Джейкобу, ладно? По пути никуда не заезжать!

— Само собой, куда мне заезжать? — Я так спешила, что слова неслись бешеной скороговоркой.

— Не знаю... — замялся папа. — Произошло еще одно нападение — волки никак не успокоятся. У горячих источников, совсем близко к курорту, причем у нас есть очевидец. По словам женщины, ее муж был метрах в десяти от дороги, а потом исчез. Она пошла искать, увидела огромного волка и бросилась за помощью.

Желудок болезненно сжался, будто я на огромной скорости налетела на штопор.

— Того мужчину загрыз волк?

— Нет, он просто исчез, осталась только окровавленная трава, — с болью в голосе проговорил Чарли. — Егери вооружаются, набирают добровольцев. Думаю, их будет немало: за каждого убитого волка назначили вознаграждение. В лесу начнется беспорядочная стрельба, и меня это пугает. — Он покачал головой. — В такой суматохе возможны несчастные случаи...

— Волков будут отстреливать? — Мой голос упал на три октавы.

— А как иначе? Что с тобой? — спросил Чарли, внимательно изучая мое лицо. Сильно кружилась голова, наверное, поэтому я и побледнела. — Только не говори, что в «Гринпис» вступила!

Я будто онемела и, если бы не папа, скрючилась бы от боли и ужаса. Пропавшие туристы и окровавленные следы совершенно вылетели из головы. Я даже не подумала связать их со своей догадкой...

— Ну, милая, не бойся, только с шоссе не съезжай, ладно?

— Ладно, — тихо пообещала я.

Присмотревшись внимательнее, я заметила, что Чарли в высоких охотничьих сапогах, а к поясу пристегнута кобура.

— Пап, ты что, тоже пойдешь на волков?

— Беллз, я должен помочь: люди пропадают.

Мой голос сорвался на истерический визг:

— Нет, нет, не ходи, это слишком опасно!

— Детка, у меня работа! Не волнуйся, все будет в порядке! — Он повернулся и приоткрыл дверь. — Идешь?

Я замялась, а невидимый штопор продолжал буравить желудок. Что сказать? Как остановить Чарли? Разве в таком состоянии что-нибудь дельное придумаешь?

— Беллз!

— Может, рано ехать в Ла-Пуш? — прошептала я.

— Согласен, — кивнул он и вышел под дождь, закрыв за собой дверь.

Едва на крыльце стихли шаги, я бессильно опустилась на пол и обхватила колени руками.

Побежать за Чарли? И что сказать?

А как насчет Джейкоба? Он мой лучший друг, нужно его предупредить. Если он действительно... м-м-м... — поежившись, я мысленно произнесла страшное слово — оборотень (сердце подсказывало: это правда), значит, егери будут стрелять в него! Нужно сообщить Блэку и его друзьям, что жители Форкса готовят облаву и в ипостаси огромных волков разгуливать опасно. Нужно их остановить...

Они должны остановиться! В лес отправился Чарли. Имеет это для них какое-то значение? Я задумалась... До сих пор пропадали только чужаки; интересно, это простое совпадение или часть плана?

Я убеждала себя, что хотя бы Джейкоб образумится...

И все-таки его стоит предупредить.

Или не стоит?

Джейкоб Блэк — мой лучший друг или монстр? Настоящее чудище, злое и бессердечное? Нужно ли предупреждать, если он и его друзья... — убийцы, безжалостно терзающие невинных туристов? Если они в самом деле монстры из фильма ужасов, разве их можно защищать?

Естественно, индейцев пришлось сравнивать с Калленами. От одного воспоминания руки судорожно метнулись к груди, так сильно болела зияющая рана.

Если честно, про оборотней я почти ничего не знала. В моем представлении это звероподобные чудища из фильмов ужасов. Зачем они охотятся: чтобы удовлетворить голод с жаждой или просто из желания убивать? Пока все это не выясню, судить трудно...

Но не верилось, что им приходится труднее, чем Калленам, которые ценой немыслимых усилий подавляли свою страсть. Я подумала об Эсми и чуть не зарыдала, воскресив в памяти ее красивое доброе лицо. Как хорошо она ко мне относилась, как, сгорая от стыда, вылетела из дома, когда я порезалась! Что может быть труднее? Вспомнился Карлайл, веками приучавший себя игнорировать кровь, чтобы спасать чужие жизни. Труднее просто не бывает!

А оборотни выбрали другую дорогу...

Что же теперь выбрать мне?

Глава тринадцатая

УБИЙЦА

«Кто угодно, только не Джейкоб!» — качая головой, думала я, когда пикап летел по лесной дороге в Ла-Пуш.

По-прежнему уверенная, что поступаю правильно, я пошла на компромисс с собой.

Не стану потворствовать тому, что творит Блэк и его друзья... эта свора! Теперь понятно, что вчера имел в виду Джейк, намекая, мол, мне не захочется его видеть. Нужно поговорить с ним наедине. Нужно сказать: я не стану смотреть на происходящее сквозь пальцы. Дружить с убийцей и позволять творить произвол... Такая позиция и меня монстром сделает!

Однако не предупредить его тоже нельзя: я должна сделать все возможное, чтобы защитить Джейка.

Сжав губы в тугую полоску, я остановилась у дома Блэков. Мало того что лучший друг оказался оборотнем, неужели ему обязательно еще и монстром стать?

Все окна темные: свет не горел ни в одной из комнат. Ничего страшного, придется разбудить и Джейкоба, и его отца. Мой кулак гневно заколотил в дверь; казалось, даже стены трясутся.

Через минуту я услышала голос Блэка-старшего, и в прихожей зажегся свет:

— Заходите!

Я повернула ручку, но дверь оказалась открытой. Из маленькой кухоньки выглядывал облаченный в махровый халат Билли. Похоже, он еще не в кресле... Увидев, кто пришел, он сначала удивленно вскинул брови, а потом поджал губы, превращаясь в эдакого индейца-стоика.

— Доброе утро, Белла! Что привело тебя к нам в такую рань?

— Привет, Билли! Хочу поговорить с Джейком. Где он?

— М-м-м, не в курсе, — сделав непроницаемое лицо, соврал мистер Блэк.

— Знаете, куда сегодня с утра отправился Чарли? — смертельно устав от лжи и притворства, спросила я.

— А мне следует знать?

— Он и половина мужчин Форкса, до зубов вооруженные, пошли охотиться на гигантских волков.

На секунду смуглое лицо вытянулось, а потом снова превратилось в маску.

— Мне хотелось бы поговорить об этом с Джейком, если не возражаете.

Билли поджал пухлые губы.

— Думаю, сын еще спит, — наконец произнес он, кивнув в сторону коридора. — В последнее время парень поздно возвращается. Пусть отдыхает, — наверное, не стоит его будить.

— Нет уж, сейчас моя очередь, — пробормотала я, решительно пересекая прихожую. Билли только вздохнул.

В метровом коридоришке крошечная, похожая на шкаф-купе комната Джейкоба была единственной.

Я даже стучать не стала, р-раз — и настежь распахнула дверь, с грохотом ударив ее о стену.

Джейкоб — во вчерашних тренировочных брюках, черных, по колено обрезанных, — растянулся по диагонали на двуспальной кушетке, которая занимала почти всю комнату. Даже в таком положении ему не хватало места: ноги свисали с одного конца, голова — с другого. Парень крепко спал, грудь мерно поднималась в такт дыханию. Надо же, дверь так грохнула, а он и не пошевелился.

Во сне лицо такое невинное — от злобы и тревоги не осталось и следа. Зато под глазами темные круги, которые я раньше не замечала. Несмотря на огромный рост, Джейк выглядел очень юным и усталым. У меня даже сердце защемило от жалости.

Я аккуратно прикрыла за собой дверь и, вернувшись в прихожую, наткнулась на любопытный и одновременно настороженный взгляд Билли.

— Пожалуй, ему нужно выспаться.

Блэк-старший кивнул, и целую минуту мы буравили друг друга взглядами. Так и подмывало расспросить его о происходящем. Что он думает о поступках сына? Впрочем, Билли с самого начала поддерживал Сэма, так что, по всей вероятности, убийства его не волнуют. Как и чем он их оправдывает, не представляю.

В темных глазах индейца тоже горело немало вопросов, но озвучить он их не решился.

— Мистер Блэк, — прервала я гнетущую тишину, — когда Джейкоб проснется, передайте: жду его на пляже, я прямо сейчас туда поеду.

— Да, да, конечно, — кивнул Билли.

Интересно, он действительно передаст? Даже если и нет, я ведь сделала все, что могла, правда?

Подъехав к пляжу, я поставила пикап на пустую стоянку. Было еще темно — мрачный предрассветный час пасмурного дня, — и, отключив фары, я поняла, что видимость почти нулевая. Тропинку, что вела сквозь высокую траву, пришлось искать чуть ли не на ощупь. У океана намного холоднее, от темной воды дул сильный ветер, и я засунула руки поглубже в карманы зимней куртки. Ну, хотя бы дождь кончился!

Я прошла по пляжу к северному волнолому. Сент-Джеймс и другие острова не видны, лишь бесконечный простор океана. Приходилось смотреть под ноги, чтобы не споткнуться о прибитые к берегу бревна.

То, что нужно, я нашла даже раньше, чем фактически начала искать. Из предрассветного сумрака выплыло длинное, белое, как кость, выброшенное далеко на скалы дерево. Корни сотней сухих щупалец тянулись к морю. Трудно сказать, было ли это то же самое бревно, сидя на котором мы с Джейком разговаривали год назад — после чего моя жизнь изменилась до неузнаваемости, — но место очень похоже. Устроившись поудобнее, я стала смотреть на почти невидимые волны.

При воспоминании о сладко спящем и таком невинном Джейкобе злость испарилась, да и решимости поубавилось. Я не желала вслед за Билли закрывать глаза на происходящее, но и отвернуться от парня не могла. Разве это по-дружески? С близкими людьми невозможно мыслить логически. Джейкоб мне дорог вне зависимости от того, убивает он людей или нет... Как вести себя в такой ситуации?

Представив Блэка мирно спящим на кушетке, я почувствовала огромное желание его защитить. Где же тут логика?

Ответа я не знала и вспоминала юное, истерзанное усталостью лицо, лихорадочно думая, как спасти приятеля.

— Привет, Белла!

Голос Джейкоба, донесшийся из полумрака, не на шутку меня испугал. Вообще-то он был тихим, почти смущенным, просто на каменистом пляже я ожидала услышать шаги, поэтому и вздрогнула от страха. Силуэт, вырисовывавшийся на фоне встающего солнца, казался огромным.

— Джейк?

Он стоял неподалеку, нерешительно переминаясь с ноги на ногу.

— Билли сказал, ты заезжала. Я знал, что ты догадаешься! Как быстро все получилось!

— Да, теперь я вспомнила нужную легенду, — прошептала я.

Повисла долгая пауза, и, несмотря на полумрак, я почувствовала испытующий взгляд, даже кожу покалывало. Похоже, недостаток света не помешал Джейкобу как следует меня рассмотреть, потому что, когда он заговорил, голос неожиданно стал язвительным.

— Могла просто позвонить!

— Знаю, — кивнула я.

Джейк принялся расхаживать взад-вперед. Прислушавшись, я уловила шорох гальки, чуть заметный на фоне плеска волн.

— Зачем пришла? — ни на секунду не останавливаясь, спросил он.

— Решила поговорить. Джейк, я хочу предупредить...

— О егерях и охотниках? Не беспокойся, уже знаем.

— Как это не беспокоиться? — не поверила я своим ушам. — У них ружья! Они ставят ловушки, объявляют вознаграждения и...

— Мы сами о себе позаботимся! — меряя пляж шагами, прорычал Джейк. — Они никого не поймают, а по сути, себе же хуже делают: число пропавших будет только увеличиваться.

— Джейк! — прошипела я.

— А что? Это всем известно!

Мой голос задрожал от отвращения.

— Как ты можешь... такое говорить? Ты что, местных не знаешь? Чарли тоже среди них! — От этой мысли заныло сердце.

Встающее солнце сделало облака серебристо-розовыми, и я смогла разглядеть смуглое лицо, в котором отражались злость и горечь разочарования.

— Неужели... ну... неужели нельзя как-нибудь... не быть оборотнем? — шепотом спросила я.

— Будто у меня есть выбор! — Джейкоб в отчаянии сжал руки. — Да и чем это поможет, если ты так беспокоишься об исчезающих туристах?

— Не понимаю...

Темные глаза прищурились, изо рта вырвалось звериное рычание.

— Знаешь, что меня больше всего бесит?

В его взгляде горела такая враждебность, что я невольно отпрянула. Джейк ждал ответ, так что пришлось покачать головой.

— Ты лицемерка, Белла: сидишь, рассуждаешь, а сама до смерти меня боишься! Как так можно?

— Лицемерка? Разве страх перед монстром — признак лицемерия?

— А-а! — простонал он, сжал виски и зажмурился. — Ты только послушай себя!

— Что?

Он шагнул ко мне и, дрожа от злобы, заглянул в глаза:

— Понимаю, Белла, тебе нравятся другие монстры! Я ведь кровопийце и в подметки не гожусь, верно?

— Дело совсем не в этом, идиот! — вскочив на ноги, заорала я. — А в тебе и твоих поступках!

— И что это означает? — сверкая глазами, зарычал он.

Бархатный голос Эдварда застал меня врасплох.

«Не доводи его, Белла! — предупредил он. — Пусть успокоится!»

Сегодня даже серебряный баритон не произвел впечатления, но я все-таки послушалась. Ради этого голоса на все готова!

— Джейкоб! — как можно мягче и спокойнее заговорила я. — Разве обязательно убивать людей? Неужели нет других способов? Если даже вампиры придумали, как обойтись без убийств, почему бы и тебе не попытаться?

Джейкоб выпрямился так резко, будто от моих слов било током. Глаза стали круглыми, темные брови изогнулись.

— Без убийств?

— Конечно, мы же об этом говорим!

Джейкоб перестал дрожать и взглянул на меня с робкой надеждой:

— Я думал, дело в том, что ты ненавидишь оборотней!

— Нет, Джейк, нет, это совсем не важно! — заверила я, уверенная, что говорю правду. Пусть даже в ипостаси огромного волка, Джейкоб Блэк останется моим другом. — Если удастся обойтись без человеческих жертв, будет совсем хорошо. Такие, как Чарли, ни в чем не виноваты, и я просто не могу не замечать...

— Правда? — неуверенно улыбнулся парень. — Боишься, что я убийца? Только и всего...

— А этого мало?

Джейкоб захохотал.

— Джейкоб Блэк, здесь нет ничего смешного!

— Да, да, конечно! — давясь смехом, согласился он.

Широченный шаг — и меня сжали в медвежьих объятиях.

— Нет! — прохрипела я. — Джейк, дышать нечем!

Он отпустил, но тут же взял меня за руки:

— Белла, я не убийца!

Я пытливо заглянула в глаза: он говорил правду. Из груди вырвался вздох облегчения.

— Честно?

— Честно! — торжественно проговорил он.

Прижав его к сердцу, я вспомнила первую поездку на мотоциклах — парень крупный, здоровый, но больше, чем когда-либо, похож на маленького ребенка.

Как и в прошлый раз, он потрепал меня по голове:

— Прости, что назвал тебя лицемеркой.

— Прости, что назвала тебя убийцей.

Джейк рассмеялся.

Неожиданно вернулась тревожная мысль, и я отстранилась, чтобы увидеть его лицо.

— А Сэм? И все остальные?

Джейкоб покачал головой и улыбнулся, будто стряхнув тяжелое бремя:

— Конечно, нет! Помнишь как мы себя называем?

Память не подвела, еще бы, я совсем недавно об этом думала.

— Защитники?

— Вот именно!

— Тогда не понимаю, что творится в лесу Исчезающие туристы, кровь...

Лицо Джейка стало серьезным и встревоженным.

— Белла, мы просто делаем свою работу Пытаемся защитить людей, хотя всегда чуть-чуть опаздываем.

— От кого защитить? В лесу правда водится огромный медведь?

— Милая, враг у нас один, от него и защищаем. Даже существуем только потому, что есть *они*

Целую минуту я в недоумении смотрела на старого приятеля и только потом поняла. На лице не осталось ни кровинки, а с губ сорвался беззвучный стон

Джейкоб кивнул:

— Я знал: из всех обывателей именно ты поймешь, чем мы на самом деле занимаемся.

— Лоран! - прошептала я. Он все еще здесь.

Блэк захлопал глазами и наклонил голову

– Кто такой Лоран?

Чтобы ответить, пришлось навести порядок в своих мыслях.

— Ну, ты его видел на лугу... Ты там был... — Я постепенно постигала непостижимую информацию. — Ты там был и не дал меня убить.

— А-а, тот смуглый, похожий на червяка? — недобро ухмыльнулся Блэк. — Как, говоришь, его зовут?

По спине побежали мурашки.

— О чем ты только думал?! — прошептала я. — Он мог тебя убить! Неужели ты не понимаешь, насколько опасен...

Меня перебил взрыв хохота.

— Белла, вампир-одиночка — легкая добыча для такой большой стаи, как наша! Все прошло почти моментально, даже неинтересно...

— Что прошло быстро?

— Убийство вампира, который собирался убить тебя. Ну, я это убийством не считаю, — поспешно добавил он. — Вампиры же не люди!

— Вы... одолели... Лорана? — ошарашенно спросила я.

Индеец кивнул:

— Общими усилиями.

— Так Лоран мертв?

Джейкоб изменился в лице.

— Ты что, расстроена? Он же хотел с тобой расправиться — мы знали, что у него на уме, еще до того, как вышли на ту поляну. Ты понимаешь?

— Да, да, понимаю и вовсе не расстроена. Просто.. — Захотелось присесть; я шагнула назад и, когда наткнулась на дерево бессильно опустилась на белесый ствол. — Лоран мертв... Он за мной не придет.

— Ты не злишься? Червяк ведь не был твоим другом?

— Другом? — переспросила я, вне себя от неожиданного облегчения, а потом слова понеслись бешеным потоком вместе со слезами: — Нет, Джейк! Надо же, какое... счастье! Я каждую ночь его ждала, надеялась, он остановится на мне и не тронет Чарли. Так боялась... Но как? Лоран же вампир! Как вы его убили? Он ведь такой сильный, кожа, словно броня...

Джейк присел рядом и огромной ручищей обнял меня за плечи, стараясь успокоить.

— Беллз, для этого и нужны защитники! У нас тоже силы хватает... Жаль, ты мне сразу не рассказала об этих страхах. Я бы утешил...

— Тебя не было рядом, — думая о своем, буркнула я.

— Да, верно.

— Слушай, Джейк, вчера вечером ты сказал. в моей комнате небезопасно. Я думала, ты знал, что может нагрянуть вампир... Но ты ведь другое имел в виду?

Сильно смущенный, парень опустил голову:

— Да, другое.

— Так почему ты не сказал, что никакой опасности нет?

Блэк поднял пристыженные глаза:

— Я не говорил, что опасность грозит мне... Речь шла о тебе!

— Обо мне?

Ссутулившись, он пнул ни в чем не повинную скалу.

— Причин, по которым мне лучше с тобой не общаться, несколько. Во-первых, я не должен был раскрывать наш секрет, а во-вторых... во-вторых, это небезопасно для тебя. Если я разозлюсь или расстроюсь... ты можешь пострадать.

Я тщательно обдумала услышанное.

— Днем, когда ты сердился или когда я орала... тебя начинало колотить и?..

— Да, — парень ссутулился еще сильнее, — я вел себя глупо, следовало держать себя в руках. Клянусь, что бы ты ни сказала, я бы не сорвался. Просто трудно смириться с тем, что ты не принимаешь меня таким, как есть...

— А что бы случилось, если бы ты... сорвался? — шепотом спросила я.

— Превратился бы в волка, — также шепотом ответил Джейк.

— И полнолуние не нужно?

Джейк усмехнулся:

— Голливудская версия немного... привирает. — Тяжело вздохнув, он вновь стал серьезным. — Не стоит волноваться, Беллз, мы обо всем позаботимся. За Чарли и остальными будем следить в оба и не позволим, чтобы с ними что-то случилось, можешь мне поверить.

Нечто совершенно очевидное, о чем следовал догадаться раньше, — но я думала лишь, как Джейхоб и его друзья расправились с Лораном, — осенило меня только сейчас, когда Блэк использовал будущее время.

«Мы обо всем позаботимся».

Значит, это еще не конец.

— Лоран умер, — прошептала я, чувствуя, как по телу растекается леденящий ужас.

— Белла! — коснувшись моей бледной щеки, позвал Джейкоб.

— Если Лоран умер неделю назад... значит сейчас людей убивает кто-то другой.

Джейкоб кивнул, а потом, крепко стиснув зубы, процедил:

— Их было двое. Мы думали, его подружка даст нам бой — по легендам, кровопийцы тяжело переживают потерю партнера, — но она сбегает, а потом возвращается. Вот бы узнать, что ей нужно! А то бродит по границам наших земель, будто на бдительность проверяет, путь прокладывает. Вот только куда? По мнению Сэма, она решила разделить нас, чтобы легче было...

Голос Блэка звучал все тише, и наконец стало казаться, что он доносится откуда-то из туннеля Я слышала только гул и не разбирала слов. По лбу градом катился пот, живот крутило, как при кишечном гриппе.

Да, совсем как при гриппе...

Быстро отвернувшись от Джейкоба, я прильнула к сухому стволу. Тело билось в бессмысленных конвульсиях, а пустой желудок судорожно сжимался

Виктория здесь... Ищет меня, убивает туристов в лесу. В том самом лесу, где сейчас бродит Чарли..

Голова закружилась, в глазах потемнело.

Поддержав, Джейк не дал мне сползти на камни. По щеке полыхнуло его горячее дыхание.

— Белла, что с тобой?

— Виктория! — кое-как справившись с рвотными спазмами, прохрипела я.

Померещилось или я правда услышала возмущенное рычание Эдварда?

Джейкоб поднял меня на руки и неуклюже посадил на колени, моя безвольно болтающаяся голов оказалась у него на плече. Бедный парень не знал, как взять меня поудобнее, чтобы на землю не скатилась, и свободной рукой убрал с потного лица волосы.

— Кто? — переспросил он. — Белла, ты меня слышишь? Белла!

— Виктория не была подружкой Лорана. Они просто давно друг друга знали...

— Хочешь воды? Может, в больницу поедем? Чт делать, скажи!

- Мне не плохо, а страшно, — выдохнула я, хотя слово «страшно» совсем не выражало охвативший меня ужас.

— Викторию боишься? — Джейкоб потрепал меня по щеке.

Вздрогнув, как от выстрела, я кивнула.

— Это та рыжая?

Я снова вздрогнула и плаксивым голосом ответила:

— Да.

— Откуда ты знаешь, что она не подружка червяка?

— Лоран сказал, что она подружка Джеймса, — пояснила я, машинально согнув руку со шрамом.

Коснувшись моего лица, Блэк осторожно повернул его к себе и пытливо заглянул в глаза

— Что еще он сказал? Белла, это важно! Ты знаешь, что нужно этой рыжей?

— Конечно... Ей нужна я.

Темные глаза стали огромными, а потом сжались в узенькие щелки.

— Зачем?

— Эдвард убил Джеймса, — пояснила я. Джейкоб обнимал меня так крепко, что можно было не сжимать рану в груди: он не даст рассыпаться. — И она, разъярившись, решила: справедливее убить меня, чем Эдварда; подругу за друга. Очевидно, она до сих пор не знает, что... что... — я нервно сглотнула, — что ситуация изменилась, по крайней мере для Эдварда.

На лице Джейкоба промелькнул целый калейдоскоп чувств: он растерялся.

— Так вот что произошло! Поэтому Каллены уехали?

— В конце концов, я самая обычная девушка, — пожав плечами, добавила я.

Из груди Блэка, что была прямо под моим ухом, вырвалось что-то похожее на звериный рык, в человеческом, естественно, эквиваленте.

— Если никчемный кровопийца оказался таким идиотом...

— Пожалуйста, — простонала я ... не надо.

Секундное колебание — ... парень кивнул с таким видом, будто наступил на горло собственной песне.

— Твой рассказ очень важен, — по-деловому сухо проговорил он. — Именно это нам и нужно было ...нать. Я должен немедленно передать остальным.

Он вскочил и осторожно поднял меня, поддерживая за талию до тех пор, пока не убедился, что я самостоятельно стою на ногах.

— Мне уже лучше, — соврала я.

— Тогда пошли! – Джейкоб взял меня за руку и повел к пикапу.

— Куда мы?

— Еще не знаю. Хочу созвать собрание. Слушай, подожди здесь минутку, ладно? — Прислонив меня к кабине, он выпустил руку.

— Ты куда?

— Сейчас вернусь, — пообещал Блэк и через пустую стоянку побежал в начинающийся за дорогой лес. Между деревьями он пробирался легко и непринужденно, будто молодой олень.

— Джейкоб! — хрипло крикнула я вслед, но меня не услышали.

В таком состоянии быть одной совершенно невыносимо. Едва Блэк скрылся из вида, у меня началась одышка. Кое-как забравшись в кабину, я тут же заблокировала дверцы. Особого облегчения не наступило.

Виктория начала охоту и до меня еще не добралась лишь благодаря случайности и пяти подросткам-оборотням. Что бы ни говорил Джейкоб, при мысли об их возможной встрече с подругой Джеймса становилось не по себе. Подумаешь, в волка от злости превращаются! Перед глазами стояло дикое лицо, рыжие, словно пламя, волосы... Беспощадная, неуязвимая Виктория.

Однако, по словам Джейкоба, Лоран убит. Неужели правда? Эдвард — я машинально схватилась за грудь — рассказывал, как трудно убить вампира.

Такое якобы по силам только другому вампиру. А Блэк утверждает, что именно для этого существуют оборотни...

Джейк пообещал приглядывать за Чарли: мол, мне следует доверить папину жизнь его стае. Но разве я могу? В опасности мы все, а Джейкоб особенно, раз пытается встать между Викторией и Чарли... Между Викторией и мной.

Похоже, меня сейчас стошнит.

От легкого стука в окно кабины я истерически взвизгнула, но это уже вернулся Джейкоб. Дрожащими от страха и облегчения пальцами я разблокировала замки.

— Что, так сильно напугана? — забравшись в кабину, спросил он.

Я кивнула.

— Не бойся! Мы позаботимся о вас с Чарли, обещаю!

— Почему-то такая перспектива пугает сильнее, чем наша с ней возможная встреча, — прошептала я.

— Тебе стоит чуть больше нам доверять! — захохотал парень. — А то смотри, обидимся!

Прекрасно зная, на что способны вампиры, я только головой покачала.

— Куда ты сейчас ходил?

Блэк молча поджал губы.

— Секрет?

— Ну, не совсем... Просто... не хочу пугать.

— Слушай, кажется, страх превратился в мою вторую натуру!

— Да, похоже, — ухмыльнулся Джейкоб. — Ну, ладно... Видишь ли, мы, волки, способны слышать друг друга. И не только звуки; мы слышим мысли себе подобных, на каком бы расстоянии ни находились. На охоте очень помогает, а так — сплошные проблемы. Представь, не иметь никаких секретов! Ужас, правда?

— Вчера ночью ты это имел в виду, когда заявил, что расскажешь о нашей встрече, хоть и не хочется?

— А ты сообразительная!

— Спасибо!

— А еще здорово воспринимаешь самые невероятные новости. Я боялся, что на дыбы встанешь.

— Из моих знакомых ты не единственный, кто умеет так удивить, поэтому я и отнеслась спокойно.

— Неужели?.. Стой, ты кровопийц своих имеешь виду?

— Пожалуйста, не называй их кровопийцами!

— Как хочешь, — осклабился Джейкоб. — Так речь о Калленах?

— Только... об Эдварде. — Я как можно незаметнее прижала к груди руку.

Джейкоб был явно удивлен, неприятно удивлен.

— Я думал, это сказки... Конечно, я слышал байки о вампирах с... особыми способностями, но почему-то не верил.

— Разве хоть что-то сейчас можно назвать «байкой»? — безрадостно поинтересовалась я.

— Пожалуй, — нахмурился Блэк. — Ладно, сейчас встретимся с Сэмом и остальными там, где катались на мотоциклах.

Повернув ключ зажигания, я выехала на дорогу.

— Значит, чтобы пообщаться с Адли, ты превратился в волка?

Джейк смущенно кивнул:

— Я в подробности не вдавался и о тебе не думал, чтобы они поменьше узнали. Вдруг Сэм велел бы прийти одному?

— Меня бы это не остановило. — Почему-то я продолжала считать Адли плохим и каждый раз, слыша его имя, ощущала прилив отвращения.

— Зато остановило бы меня, — помрачнел Джейкоб. — Помнишь, вчера я фразу не мог закончить? Не сумел все объяснить до конца?

— Угу, мне показалось, что ты чем-то подавился.

— Почти, — мрачно рассмеялся Блэк. — Сэм запретил мне рассказывать. Видишь ли, он — вожак стаи, лидер, самый главный. Если велит что-то делать или не делать, взять и отмахнуться нельзя.

— Странно... — пробормотала я.

— Очень, — согласился индеец, — но так уж заведено у волков.

— Ха! — только и смогла выдохнуть я.

— И таких правил немало. Я с ними только знакомлюсь и не представляю, как Сэм справился со всем этим в одиночку. Сложности возникают, даже когда тебя поддерживает целая стая.

— Адли справлялся в одиночку?

— Да, — глухо проговорил Джейкоб. — Когда я... изменился, было просто ужасно, ничего страшнее я в жизни не испытывал, ничего отвратительнее и представить не мог! Однако меня не бросили одного: в подсознании постоянно слышались голоса, объясняющие, что произошло и как поступать дальше. Пожалуй, лишь благодаря им я не сошел с ума! А вот Сэму... — парень покачал головой, — Сэму никто не помогал.

После объяснений Джейкоба было просто невозможно не сочувствовать Адли. Придется напоминать себе, что объективных причин ненавидеть его больше нет.

— Им не понравится, что я с тобой?

— Пожалуй, — поморщился индеец.

— Так, может, не стоит?

— Нет, все в порядке, — заверил Блэк. — Тебе столько полезного известно! Не думай, тебя воспринимают не как невежественную девицу, скорее как... ну, не знаю, шпионку, что ли? Ты ведь на вражеской стороне была!

Я нахмурилась. Так вот что от меня нужно Джейкобу! Компромат, который поможет им одолеть врага? Я ведь не шпионка и намеренно информацию не собирала. И все же после слов Джейкоба я почувствовала себя предательницей.

Но мне хочется, чтобы он остановил Викторию, верно?

Нет.

Мне хотелось, чтобы Викторию остановили до того, как она до смерти замучает меня, встретится с Чарли или очередным невинным туристом. Только пусть этим займется не Джейк, ему лучше даже не пытаться! Пусть за сотни километров от нее держится!

— Например, то, что кровопийцы умеют читать мысли, — не подозревая о моих опасениях, продолжал Джейк. — Здорово, что мы это выяснили! Жаль, конечно, что сказки оказались правдой, — задача намного усложняется. Как считаешь, у рыжей есть необычные способности?

— Вряд ли, — ответила я, а потом замялась. — Он бы об этом сказал.

— Он? В смысле Эдвард? Ой, прости, забыл: ты ведь не любишь произносить его имя и от других слышать не хочешь.

Я сжала ребра, пытаясь не обращать внимания на то, как пульсирует рана.

— Верно, не люблю.

— Прости!

— Джейкоб, откуда ты так хорошо меня знаешь? Порой будто мысли читаешь!

— Не-а, всего лишь держу ушки на макушке.

Мы выехали на грунтовую дорогу, где Блэк учил меня водить мотоцикл.

— Сюда?

— Да, да, правильно!

Остановившись у обочины, я заглушила двигатель.

— Ты до сих пор несчастна? — пробормотал он.

Я кивнула, незрячими глазами глядя на темный лес.

— А о том... ну, что так даже лучше, не думала?

Сделав глубокий вдох, я медленно выпустила изо рта воздух.

— Нет.

— Он далеко не самый...

— Джейк, пожалуйста, не надо! — умоляюще зашептала я. — Не будем о нем говорить, это просто невыносимо!

— Ладно, — пробормотал Джейкоб, — зря я это затеял!

— Не расстраивайся! Будь все иначе, я с удовольствием бы душу излила!

— Точно, — кивнул парень. — Я-то с трудом две недели от одной тебя таился, а когда не можешь рассказать никому, наверное, сущий ад!

— Сущий ад, — согласилась я.

— Вот и они. Пошли!

— Не передумал? — спросила я, когда он распахнул дверцу. — Может, мне не стоит туда идти?

— Они справятся, — пообещал Блэк, а потом усмехнулся: — Милая, ты что, серого волка боишься?

- Ха-ха, — притворно засмеялась я, но, проворно выбравшись из пикапа, встала рядом с приятелем: уж слишком хорошо запомнились гигантские чудища лесной поляны! Руки дрожали, как совсем недавно у Джейкоба, только не от гнева, а от страха.

Блэк ободряюще сжал мою ладонь:

— Идем!

Глава четырнадцатая

СЕМЬЯ

Я испуганно жалась к Джейкобу, а глаза метались по лесу в поисках других оборотней.

Выйдя из-за деревьев, они оказались совсем не такими, как я ожидала. В голове засели огромные волки, а передо мной стояли всего лишь четверо крупных, по пояс голых парней.

Уже в который раз они напомнили мне близнецов-четверняшек. Молодые индейцы примерно одного роста, одинаково стрижены, одинаковые мускулы под бронзовой кожей, дорогу нам загородили чуть ли не синхронно, а выражение лиц менялось практически одновременно.

Сначала они излучали настороженное любопытство, затем, разглядев за спиной Джейкоба меня, тотчас встали на дыбы.

Сэм по-прежнему был самым крупным (хотя мой приятель буквально на пятки ему наступал) и уже не мог называться мальчиком. Даже лицо казалось взрослым, не из-за морщин или каких-то признаков старения, а благодаря зрелости и спокойствию, сквозившим в его чертах.

— Джейкоб, что ты наделал? — спросил он.

Прежде чем Блэк объяснил, кто-то из свиты, вероятно Джаред или Пол, протиснулся мимо Адли и заорал:

— Ну почему нельзя просто соблюдать правила? О чем ты только думал? Неужели она важнее всего, важнее племени? Важнее того, что люди гибнут?

— Она нам поможет, — спокойно ответил Джейкоб.

— Поможет? — усмехнулся разъяренный парень, и его руки мелко задрожали. — Да, конечно, эта любительница кровососов просто мечтает нам помочь!

— Не смей так говорить о Белле! — взвился Джейк, уязвленный словами приятеля.

Теперь тот парень дрожал всем телом.

— Пол, немедленно успокойся, — скомандовал Сэм.

Молодой индеец покачал головой, но не вызывающе, а будто пытаясь сосредоточиться.

— Боже, Пол, — прошептал кто-то из спутников Адли, наверное Джаред, — возьми себя в руки!

Пол раздраженно взглянул на приятеля, а когда повернулся в мою сторону, Джейкоб тут же заслонил меня собой.

Это и стало последней каплей.

— Давай защищай ее! — возмущенно орал Пол, снова забился в конвульсиях, а потом запрокинул голову, и из горла вырвался настоящий звериный рык.

— Пол! — хором закричали Сэм и Джейкоб.

Сильно дрожа, молодой индеец полетел лицом вниз. Послышался громкий хлопок, и будто изнутри парня вылетел комок темно-серого меха, быстро превращаясь в огромного, готового к прыжку зверя.

Волк оскалился, из массивной груди снова вырвался рык, а темные глаза пронзили меня яростным взглядом.

В ту же секунду Джейкоб побежал через лесную тропинку прямо к чудищу.

— Джейк, не надо! — закричала я.

Неожиданно моего товарища заколотило, и он головой вперед нырнул в пустое пространство.

Раздался еще один хлопок, и из Джейкоба вылетели бурый комок и какие-то черно-белые клочья. Превращение произошло моментально, отвлекись я на миг, пропустила бы весь процесс. В одну секунду в воздух взлетело тело Джейкоба, а уже в следующую — гигантский рыжевато-коричневый волк опустился на землю и бросился на готового к прыжку темно-серого монстра.

Блэк дал другому оборотню настоящий бой. Свирепое рычание громовыми раскатами сотрясало вершины деревьев.

Черно-белые клочья — то, что осталось от одежды моего приятеля, — дождем опустились на землю.

— Джейкоб! — снова закричала я, делая шаг вперед.

— Белла, ни с места! — приказал Сэм, однако из-за рыка дерущихся волков его было почти неслышно.

Они драли друг друга, норовя схватить за горло. Похоже, весы склонялись в сторону рыжего: он явно крупнее и сильнее. Р-раз — и он снова поддел серого, отшвырнув к деревьям.

— Отведите ее к Эмили! — крикнул Адли своим помощникам, которые с восхищением следили за дракой.

Джейк продолжал теснить соперника с тропинки, и звери постепенно углублялись в лес, однако рычание и визг по-прежнему сотрясали опушку. Скинув обувь, Сэм бросился за ними, и я заметила, что его колотит дрожь.

Клацанье зубов постепенно стихало, а потом резко оборвалось, и поляну накрыла тишина.

Один из парней захохотал. Я обернулась к весельчаку: от страха глаза будто остекленели, даже моргать было больно.

Да он над моим перекошенным лицом смеется!

— Ну, такое не каждый день увидишь! — выдавил из себя смутно знакомый парень, худощавее, чем другие... Так и есть, Эмбри Колл.

— А я вижу, — проворчал Джаред, — каждый божий день!

— Ну, Пол не каждый день из себя выходит, — по-прежнему усмехаясь, возразил Эмбри. — Может, два дня из трех.

Подняв что-то длинное и белое, Джаред передал Эмбри, и тот раздосадованно взглянул на бесформенные лоскутья.

— Испорчена безвозвратно, — отметил Джаред. — А новая обувь ему не по карману, так что ходить Джейкобу босым.

— Вторая уцелела, — объявил Эмбри, отыскав кроссовку, — пусть на одной ножке прыгает.

Джаред начал собирать с земли ошметки.

— Возьми обувь Сэма, а остальному дорога в мусорный коллектор.

Схватив кроссовки, Эмбри побежал к деревьям, за которыми скрылся Адли, и буквально через минуту вернулся с джинсовыми лоскутьями. Джаред смял обрывки одежды Джейка и Пола в комок и только тут вспомнил о моем существовании.

Темные глаза пытливо оглядели меня с ног до головы.

— Эй, надеюсь, тошноты или обморока не предвидится?

— Надеюсь, — кивнула я.

— Выглядишь неважно, может, лучше присесть?

— Ладно, — буркнула я и, бессильно опустившись на землю, обхватила колени руками.

— Джейку следовало нас предупредить, — посетовал Эмбри.

— И вообще не впутывать подружку! Чего он ожидал?

— Все, секрет раскрыт, — вздохнул Колл. — Так держать, Джейк.

Подняв голову, я смерила болтунов негодующим взглядом.

— Неужели вы совершенно о них не беспокоитесь?

— Беспокоиться? — удивился Эмбри. — Это еще зачем?

— Они могут друг друга покалечить!

Парни покатились от смеха.

— Надеюсь, Пол как следует его проучит.

Я побледнела.

— Ну, не знаю, — возразил Эмбри. — Видел, как переродился Джейк? В прыжке даже Сэм бы не смог! У парня талант!

— Спорим на десять баксов?

— С удовольствием! У Пола нет ни малейшего шанса.

Ухмыляясь, ребята пожали друг другу руки.

Поддавшись их беззаботному настроению, я попыталась успокоиться, но из головы не шли дерущиеся оборотни. Пустой желудок судорожно сжался, в висках застучало.

— Пошли к Эмили! У нее небось завтрак готов... — посмотрел на меня Эмбри. — Подвезешь нас?

— Без проблем... — прохрипела я.

Джаред многозначительно поднял брови:

— Эмбри, может, лучше ты за руль сядешь? Похоже, ее сейчас стошнит!

— Отличная идея. Где ключи? — спросил Эмбри.

— В зажигании.

Колл открыл пассажирскую дверцу.

— Заходи, — гостеприимно предложил парень и, оторвав от земли, затолкнул меня в пикап. — Тебе придется ехать сзади! — бросил он Джареду, поняв, что места в кабине не осталось.

— Ну и ладно! У меня слабый желудок, не хочу смотреть, как ее рвет!

— Уверен, она не такая размазня, как кажется! Все-таки с вампирами водится!

— Спорим на пять баксов?

— Ладно... Конечно, подло таким образом тебя обирать...

Эмбри сел в кабину и завел двигатель, а Джаред проворно забрался в кузов.

— Смотри, чтобы не стошнило, — закрыв дверцу, прошептал Эмбри. — У меня только десятка, и если Пол укусил Джейкоба...

Эмбри погнал пикап к деревне.

— Слушай, как Джейку удалось обойти запрет?

— М-м, что?

— Ну, приказ не разглашать тайну. Как он смог тебе рассказать?

— Ах, это... — пробормотала я, вспомнив давящегося правдой Блэка. — Он и не рассказывал, сама догадалась.

Эмбри удивленно поджал губы:

— Надеюсь, так оно и есть.

— Куда мы едем?

— К Эмили. Она подружка Сэма... нет, сейчас, наверное, уже невеста. Пол с Джейком приедут к ней после того, как получат от Адли на орехи. Ну и, естественно, когда разыщут новую одежду, если, конечно, у Пола что-то осталось...

— А Эмили знает...

— Да, и слушай, не надо на нее глазеть, ладно? Сэма это бесит.

— Зачем мне глазеть? — нахмурилась я.

— Ну... — замялся Эмбри, — сама же только что видела: общение с оборотнями чревато определенным риском. — Индеец поспешно сменил тему: — Как ты себя чувствуешь после встречи с тем чернявым кровопийцей? Не похоже, чтобы он был твоим другом...

— Да, это был не друг.

— Вот и славно. Видишь ли, мы не хотели начинать первыми, нарушать соглашение и так далее.

— Однажды Джейк рассказывал мне о соглашении, но я не понимаю, как его нарушало устранение Лорана.

— Лоран! — фыркнул Эмбри, будто удивляясь, что у вампира есть имя. — Ну, формально мы были на территории Калленов, а за границей наших земель нельзя нападать на «холодных», и в первую очередь на Карлайла и остальных, пока они сами не нарушат соглашение. Мы же не знали: вдруг тот чернявый их родственник...

— Как он мог нарушить соглашение?

— Человека бы укусил.. Джейк не хотел, чтобы до этого дошло...

— А-а, ну, спасибо, что не промедлили!

— Всегда пожалуйста.

По-видимому, для Колла это не расхожее выражение.

Эмбри проехал по шоссе к последнему дому и свернул на узкую грунтовую дорогу.

— Твой пикап чуть шевелится! — ворчал он.

— Ну уж прости...

В конце дороги притаилась развалюха, которую когда-то покрасили серой краской. Над облупленной голубой дверью узенькое окошко, зато под ним в ящиках ярко-оранжевые и желтые бархатцы, несколько оживлявшие убогую обстановку.

Открыв дверцу, Эмбри с наслаждением понюхал воздух:

— М-м, Эмили что-то печет.

Выпрыгнув из кузова, Джаред бросился было к крыльцу, но Эмбри схватил его за шиворот.

Многозначительно кивнув в мою сторону, Колл кашлянул.

— Я без кошелька, — забился Джаред.

— Ладно, только не думай, что я забуду.

Поднявшись по ступенькам, они без стука влетели в дом, а я робко вошла следом.

Как и у Билли, большую часть передней заняли под кухню. Девушка с шелковистой медового цвета кожей и гладкими черными, как смоль, волосами стояла у разделочного стола и выкладывала кексы из формочек на бумажные тарелки. На секунду я подумала: Эмбри не велел глазеть на девушку, потому что она красавица.

— Проголодались? — пропела Эмили и, улыбаясь, повернулась к нам.

На правой стороне лица от корней волос до подбородка багровели три широких рубца. Один спускался из угла миндалевидного глаза, другой скривил левую сторону рта в постоянной ухмылке.

Страшно благодарная за предостережение, я тут же перевела взгляд на кексы. Пахли они изумительно, свежей черникой.

— Ой! — удивленно воскликнула девушка. — Кто это?

Я подняла голову, стараясь смотреть на левую сторону ее лица.

— Белла Свон, — ответил Джаред и пожал плечами: вне всякого сомнения, меня в этом доме уже обсуждали. — Кто же еще?

— Та-ак, Джейкоб в своем амплуа, — проворчала Эмили, обе стороны ее некогда красивого лица дышали враждебностью. — Значит, ты подружка вампиров?

— Ага, — подобравшись, кивнула я. — А ты, стало быть, подружка оборотней?

Девушка прыснула, а за ней и Эмбри с Джаредом. Здоровая сторона лица будто оттаяла.

— Да, пожалуй, — согласилась она и глянула на парней. — А где Сэм?

— Видишь ли, сегодня утром Белла... хм... застала Пола врасплох.

— Ох уж этот Пол! — закатила здоровый глаз Эмили. — По-вашему, они задержатся? Я яичницу собралась жарить.

— Не беспокойся! — пробасил Эмбри. — Даже если задержатся, мы не позволим еде пропасть.

Усмехнувшись, хозяйка открыла холодильник.

— Не сомневаюсь... Белла, есть хочешь? Попробуй мою выпечку!

— Спасибо! — Взяв с тарелки кекс, я начала обкусывать края. Тесто нежнейшее, то, что нужно для моего слабого желудка.

Эмбри Колл схватил уже третий и запихнул в рот целиком.

— Братьям оставь! — упрекнула Эмили и стукнула его по голове деревянной ложкой.

Меня удивила столь неожиданная метафора, но остальные приняли ее, как само собой разумеющееся.

— Вот свинья! — фыркнул Джаред.

Прислонившись к столу, я слушала по-семейному добродушную болтовню присутствующих. Белый буфет, светлый деревянный пол — у Эмили спокойно и уютно. На круглом столике в треснутом кувшине из бело-голубого фарфора огромный букет полевых цветов.

Молодая хозяйка сбивала огромное количество яиц — штук тридцать, не меньше — в большой желтой миске. Рукава бледно-лиловой блузки закатаны, и я заметила: шрамы и царапины есть и на тыльной стороне запястья. Эмбри прав: общение с оборотнями действительно чревато определенным риском.

Входная дверь распахнулась, и появился Сэм.

— Эмили! — позвал он. В его голосе было столько любви, что я почувствовала себя лишней, незваной гостьей, которая портит идиллию. Наклонившись,

Адли поцеловал багровые шрамы, а потом прильнул к губам девушки.

— Эй, прекратите! — взмолился Джаред. — Я ем!

— Так заткнись и ешь! — прикрикнул Сэм, снова целуя разбитые губы невесты.

— А-а-а! — мелодраматично простонал Эмбри.

Это в сто раз хуже любого романтического кино: разыгрывающаяся на моих глазах сцена абсолютно реальна и, казалось, поет громкую ликующую песнь настоящей любви. Положив кекс на блюдо, я отвернулась: лучше смотреть на цветы, отрешившись от всего происходящего и пульсирующей боли в ранах.

Как же я обрадовалась, когда пришли Джейкоб с Полом! Неужели хохочут?! Вот Пол ткнул приятеля в бок, тот дал сдачи, и оба снова покатились от смеха. Похоже, помирились!

Взгляд Джейкоба остановился на мне, одиноко стоящей у разделочного столика.

— Привет, Беллз! — радостно воскликнул он и, прихватив два кекса, подошел ко мне. — Извини, что так получилось! — чуть слышно прошептал он. — Как ты тут?

— Все в порядке, не волнуйся! А выпечка у Эмили просто чудо! — Взяв кекс, я снова начала его щипать. Удивительно, но рядом с Джейкобом пульсирующая боль тут же утихла.

— Боже мой! — неожиданно взвыл Джаред.

Я подняла голову. Оказывается, они с Эмбри рассматривали розовый, быстро бледнеющий след на предплечье Пола, и приятель Джейка торжествующе улыбался.

— Пятнадцать долларов! — ликовал он.

— Это ты сделал? — вспомнив условия пари, уточнила я.

— Почти не тронул! К заходу солнца будет как новенький!

— К заходу солнца? — переспросила я, глядя на розовый след на руке Пола. Судя по цвету, ему уже несколько недель!

— Волчья особенность: заживает чуть ли не моментально, — шепнул Блэк.

Я кивнула, стараясь не выдать потрясения.

— Ты сам в порядке? — тихо спросила я.

— Ни царапинки! — похвастался приятель.

— Эй, парни! — громко позвал Адли, прерывая все разговоры. Эмили стояла у плиты и лопаточкой поддевала жарящуюся на большой сковороде яичницу. А рука Адли по-хозяйски лежала на ее пояснице. — Джейкоб хочет сказать что-то важное!

У Пола вид совершенно незаинтересованный: наверное, Блэк уже все объяснил им с Сэмом или... или они прочли его мысли.

— Я знаю, что нужно той рыжей! — проговорил Джейк, обращаясь к Джареду и Эмбри. — Об этом и пытался рассказать на поляне... — Он пнул ножку стула, на котором устроился Пол.

— И? — нетерпеливо спросил Джаред.

Лицо Блэка тотчас посерьезнело.

— Она пытается отомстить за своего приятеля. Но не за того червяка, которого мы устранили. Дружка в прошлом году убили Каллены, и теперь рыжая охотится за Беллой.

Хоть для меня это и не было новостью, по спине побежали мурашки.

Джаред, Эмбри и Эмили даже рты раскрыли от удивления.

— Но ведь она обычная девчонка! — возразил Эмбри.

— Та кровососка пыталась нас обойти и направлялась прямо в Форкс.

Собравшиеся сверлили меня ошеломленными взглядами, пришлось даже голову опустить.

— Чудесно! — наконец проговорил Джаред, и толстые губы расплылись в улыбке. — У нас есть наживка!

Молниеносным движением Блэк схватил со стола открывалку и швырнул приятелю в голову. Джаред с потрясающей быстротой поднял руку и перехватил железку буквально в нескольких сантиметрах от лица.

— Белла не наживка!

— Ну, ты знаешь, что я имел в виду, — ничуть не смутился Джаред.

— Мы изменим тактику, — не обращая внимания на спор, заявил Сэм. — Оставим несколько лазеек и посмотрим, купится она или нет. Придется разделиться. Если рыжей действительно нужна Белла, она не воспользуется тем, что мы разделились.

— Квилу пора к нам примкнуть, — пробормотал Эмбри, — тогда группы будут равными.

Все опустили глаза. Заглянув в лицо Джейкоба, я увидела безнадежность, совсем как вчера вечером, когда мы разговаривали за домом Билли. Все присутствующие на уютной кухне уже примирились со своей судьбой, но никто не хотел такой же участи для друга.

— Ну, на это не стоит рассчитывать, — глухо сказал Сэм, а потом заговорил обычным голосом: — Пол, Джаред и Эмбри встанут по внешнему периметру, мы с Джейкобом — по внутреннему, а когда поймаем рыжую, так сказать, сомкнем ряды.

Мне показалось, Эмили не особенно по душе, что Сэм будет в малочисленной группе. Заразившись ее тревогой, я повернулась к Блэку.

Сэм перехватил мой взгляд.

— Джейкоб считает, что тебе лучше проводить побольше времени в Ла-Пуш. По крайней мере, рыжей сложнее будет тебя найти.

— А как же Чарли?

— Сейчас «Мартовское безумие»*, — напомнил Джейкоб. — Думаю, Билли и Гарри смогут удержать здесь твоего отца, по крайней мере, в свободное от работы время.

— Подожди. — Подняв руку, Адли скользнул взглядом сначала по Эмили, потом по мне. — Это — пожелание Джейкоба, но ты должна решать сама, не спеши, подумай. Сегодня утром ты видела, как быстро ситуация может стать опасной и выйти из-под контроля. Если решишь остаться с нами, я не смогу гарантировать твою безопасность.

— Я ее не обижу, — потупившись, пробормотал Блэк.

Сэм пропустил его слова мимо ушей.

— Где-нибудь в другом месте тебе будет спокойно?

---

* «Мартовское безумие» — чемпионат NCAA — Студенческой лиги американского баскетбола.

Я прикусила губу: куда отправиться, чтобы не подвергать опасности других? Впутывать Рене по-прежнему боязно — зачем делать из нее мишень...

— Не стоит вести Викторию в другое место, — прошептала я.

— Верно, — кивнул Сэм, — кровопийце лучше остаться здесь, где мы сможем с ней расправиться.

По коже побежал холодок: не хотелось, чтобы Блэк или кто-то из парней даже пытались расправиться с Викторией. Я заглянула Джейкобу в глаза: в них покой, умиротвореност и ни тени волнения по поводу охоты на вампиров — почти как до начала истории с волками.

— Будьте осторожны, ладно? — сглотнув непри ятный комок, попросила я.

Парни покатились от хохота. Смеялись все, кроме Эмили. Наши взгляды пересеклись, и под уродливыми шрамами я разглядела удивительную симметрию черт. Ее лицо было по-прежнему красиво и дышало тревогой куда сильнее, чем мое. Пришлось отвести глаза, пока от породившей эту тревогу любви не заболело сердце.

— Завтрак готов! — объявила девушка, и серьезные разговоры прекратились. Индейцы окружили стол — такой крошечный, что, казалось, вот-вот опрокинется от их напора, — и в рекордные сроки уничтожили огромную яичницу, которую приготовила хозяйка. Не желая участвовать в общем бедламе, Эмили, так же как и я, ела у разделочного столика и с нежностью наблюдала за прожорливой ордой. Судя по выражению лица, она считает ее семьей.

В общем и целом стаю волков-оборотней я представляла себе несколько иначе.

Тот день я провела в Ла-Пуш, в основном в доме Билли. Блэк-старший позвонил Чарли на работу и оставил сообщение, а к ужину папа сам приехал в резервацию с двумя огромными пиццами, одну из которых целиком съел Джейкоб.

Я заметила, как Чарли целый вечер следил за нами, особенно за моим сильно изменившимся приятелем. Папа спросил про волосы, и Джейк ответил, что так ему удобнее.

Не трудно было догадаться, что едва мы с отцом уедем, Джейкоб убежит к другим волкам, что он время от времени делал целый день. Они с братьями несли что-то вроде постоянной вахты, на случай, если вернется Виктория. Но поскольку прошлой ночью ее отогнали от горячих источников — по словам Блэка, чуть ли не до канадской границы, — в ближайшее время набега ожидать не следовало.

На то, что подружка Джеймса откажется от своего замысла, я не надеялась. Такая удача вряд ли улыбнется.

Джейкоб проводил меня до пикапа и стоял у открытого окна, выжидая, чтобы Чарли уехал первым.

— Сегодня ничего не бойся, — сказал он, а папа тянул время, делая вид, что не может справиться с ремнем безопасности.

— За себя не буду, — пообещала я.

— Глупенькая, охотиться на вампиров здорово! Лучшая забава в мире!

— Если я глупенькая, то ты ужасно неуравновешен.

— Белла, успокойся, — захихикал он. — У тебя усталый вид.

— Постараюсь.

Чарли нетерпеливо засигналил.

— Давай, до завтра, — сказал парень, — и главное, никаких волнений.

— Хорошо.

Чарли ехал за мной следом, но я думала не о свете фар в зеркале заднего обзора, а о Сэме, Джареде и Поле. Где они сейчас? Джейкоб уже с ними?

Войдя в дом, я бросилась к лестнице, однако Чарли буквально дышал в затылок.

— Белла, что происходит? — загремел он, не успела я подняться и на одну ступеньку. — Я думал, что Джейкоб связался с дурной компанией и вы поссорились.

— Уже помирились.

— А компания?

— Ну... разве подростков поймешь? Их мир — терра инкогнита. Зато я познакомилась с Сэмом Адли и его невестой Эмили. По-моему, очень милые люди. — Я пожала плечами. — Мы, наверное, неправильно друг друга поняли.

Папино лицо смягчилось.

— Не знал, что у них с Эмили все официально... Бедняжка!

— А что с ней стряслось?

— Медведь изуродовал. Чудовищное происшествие произошло на севере около года назад во время лососевого нереста. Слышал, Сэм очень переживал.

— Чудовищное происшествие... — эхом отозвалась я. Случилось в прошлом году, когда в Ла-Пуш был всего один оборотень. Я содрогнулась, представив, что переживает Адли каждый раз, глядя на лицо невесты.

В тот вечер я долго лежала без сна, пытаясь разобраться в последних событиях. Вот я ужинаю с Билли, Джейкобом и Чарли, вот сижу в доме Блэков, нетерпеливо ожидая новостей от Джейка, вот стою на кухне Эмили, вот, онемев от ужаса, наблюдаю за дракой оборотней, вот разговариваю с Блэком-младшим на пляже...

Вспомнились горькие слова Джейка о лицемерии. Я ведь давно об этом думала. Не хотелось считать себя двуличной, только кого обманывать?

Я свернулась в клубок, подтянув колени к подбородку. Нет, Эдвард не убийца! Даже в самые нелегкие годы он никогда не убивал... по крайней мере, не убивал невинных.

А если убивал? Если во время нашего знакомства он вел себя, как остальные вампиры? Если и раньше в лесах исчезали люди? Оттолкнуло бы это меня?

Я грустно покачала головой. К сожалению, любовь слепа. Чем сильнее любишь, тем больше теряешь чувство реальности.

Я заставила себя думать о чем-нибудь другом — и первым в голову пришел Джейкоб, крадущийся в темноте со своими братьями. Так и заснула, представляя, как почти невидимые в ночи волки охраняют меня от напастей. Снова приснился лес, но на этот раз я не бродила, а просто стояла, держась за изуродованную руку Эмили. Всматриваясь в сумрак, мы ожидали возвращения оборотней.

Глава пятнадцатая

ДАВЛЕНИЕ

В Форкс снова пришла весна. Проснувшись в понедельник утром, я несколько секунд лежала пытаясь это постичь. В прошлые весенние каникулы на меня охотился вампир. Надеюсь, традиции тут не возникнет?

Я понемногу привыкала к жизни в Ла-Пуш и почти все выходные проводила на пляже, а папа гостил в доме Билли. Считалось, что мы гуляем с Джейкобом, но у него других забот хватало, и, чтобы нашу тайну не узнал Чарли, я бродила в одиночестве.

Время от времени Блэк-младший меня навещал и каждый раз извинялся, что надолго бросает Пока не уничтожена Виктория, волки должны быть в состоянии повышенной боевой готовности.

Теперь, когда мы гуляли по пляжу, мой товарищ держал меня за руку. А у Джареда во всех разговорах о Джейкобе стала мелькать фраза «его подружка». Наверное, именно так мы выглядели со стороны. Я бы не придавала этому значения, если бы не знала, как парню хочется, чтобы миф соответствовал реальности.

Во вторник вечером я работала, а Блэк, желая убедиться, что со мной все в порядке, приехал к магазину на велосипеде. Неудивительно, что нас заметил Майк.

— Ты встречаешься с тем парнем из Ла-Пуш? Девятиклассником? — спросил он, не пытаясь скрыть презрения.

— Ну если в полном смысле этого слова, то нет. Хотя провожу с ним почти все время. Джейкоб мой лучший друг

Майк прищурился.

— Не обманывай себя! — проницательно заявил он. — Парень по уши влюблен.

— Знаю, — кивнула я. — Жизнь — штука сложная.

— А девчонки — бессердечные создания.

Пожалуй, такой вывод напрашивался сам собой.

В тот вечер вслед за нами с папой к Блэкам приехали Сэм с Эмили. Разговор серьезных тем не касался; насколько я поняла, все папины опасения относительно банд в Ла-Пуш рассеялись.

Мы с Джейкобом при первой же возможности выскользнули из дома, отправились в гараж и укрылись в салоне «Рэббита». Серый от усталости, мой приятель откинулся на подголовник.

— Джейк, тебе нужно выспаться!

— Всему свое время...

Когда он взял меня за руку, смуглая ладонь казалась пылающей.

— Еще одна волчья особенность? — спросила я. — В смысле — твой жар?

— Ага, мы теплее, чем обычные люди. Нормальная температура — сорок градусов, так что я больше не мерзну Могу выйти в метель вот так, — он показал на обнаженный торс, — и ничего. Ну, разве что снег в дождь превратится.

— А раны у всех быстро заживают? Это ведь тоже особенность?

— Да, показать? Выглядит классно! — усмехнувшись, Джейкоб потянулся на мою сторону, долго возился в бардачке и достал перочинный нож.

— Нет, даже смотреть не желаю! — едва поняв, что он задумал, закричала я. — Убери немедленно!

Парень захихикал, но нож в бардачок убрал.

— Ладно... Хорошо, что на нас все заживает как на собаках! Не пойдешь же к доктору с температурой, при которой обычные люди умирают!

— Пожалуй... — На секунду я задумалась. — Огромный рост тоже волчья особенность? Поэтому вы все так волнуетесь за Квила?

— Его дед говорит, что на лбу у мальчишки можно яичницу жарить. — В глазах Блэка мелькнуло отчаяние. — Думаю, ждать ему осталось недолго. Определенного возраста нет, просто... все копится, копится, а потом раз... Иногда превращение начинается с сильного расстройства или потрясения. Хотя я не был расстроен, а, наоборот, счастлив, — горько рассмеялся Джейкоб, — и в основном благодаря тебе. Чувства копились, копились, я будто в бомбу замедленного действия превратился. Знаешь, что заставило взорваться? Когда вернулся из кино, Билли сказал, что у меня странный вид. Я вспылил и чуть не располосовал ему лицо — собственному отцу! — Джейкоб побледнел и содрогнулся.

— Джейк, это действительно так страшно? — с тревогой спросила я, искренне желая помочь. — Ты несчастен?

— Нет, уже нет. Только не сейчас, когда ты все узнала! Вот поначалу было тяжело... — Наклонившись, он коснулся щекой моей макушки.

На минуту в машине воцарилась тишина, и я гадала, о чем думает мой приятель. Может, об этом лучше не знать?

— Что самое трудное? – по-прежнему желая помочь, спросила я.

— Самое трудное... когда теряю контроль над собой. Когда не отвечаю за свои поступки и понимаю: тебе и всем остальным рядом со мной не место. Словно я монстр, способный нанести непоправимый вред. Ты же видела Эмили: Сэм вскипел буквально на секунду, а она стояла слишком близко. Я слышу его мысли и знаю, каково это...

— Ясно, кому хочется быть чудищем из фильма ужасов?

— А легкость, с которой даются превращения, явные способности — не делает ли это меня менее человечным? От того, что теряю себя, мне порой страшно становится!

— А обрести себя вновь трудно?

— Сначала да, в превращении туда и обратно нужна сноровка. Впрочем, мне намного легче, чем остальным.

— Почему? — удивилась я.

— Потому что моим прадедушкой со стороны отца был Эфраим Блэк, а со стороны матери — Квил Атеара

– Квил? — изумленно спросила я.

— Его прадедушка, а наш общий знакомый — мой двоюродный брат

– Почему важно, кто твои предки?

— Потому что Эфраим с Квилом были последними из стаи, а третьим — Леви Адли. Так что выбора нет, волк живет у меня в крови. Квилу тоже не отвертеться.

Лицо Джейка стало беспросветно мрачным.

— А что самое приятное? — спросила я, надеясь немного его взбодрить.

— Самое приятное, — широко улыбнулся Блэк, — это скорость.

— Лучше, чем мотоциклы?

— Даже не сравнить!

— Как быстро ты можешь?..

— Бегать? — договорил он. — Довольно прилично. Так, с чем бы сравнить? Мы поймали этого, как его... Лорана. Думаю, для тебя этот пример показательнее, чем для кого-либо.

В самом деле, пример показательный. Невероятно: волки передвигаются быстрее, чем вампиры! У Калленов, например, скорость такая, что во время бега их даже не видно.

— Ну, теперь ты расскажи мне что-нибудь новенькое. Про вампиров, например. Каково тебе было среди них? От страха не умирала?

— Нет, — коротко сказала я.

Очевидно, мой резковатый тон навел Джейкоба на размышления.

— Слушай, а зачем твоему кровопийце понадобилось устранять Джеймса?

— Джеймс пытался меня убить, я для него была чем-то вроде дичи. Пытался, но не сумел. Помнишь, в прошлом году в Финиксе я попала в больницу?

— Значит, он едва не добился своего? — с шумом вдохнул воздух Джейк.

— Да, едва-едва — Я машинально погладила свой шрам, и Блэк заметил, потому что держал за руку

— Что это? Какой необычный шрам и какой холодный.. — Внезапно в темных глазах блеснула догадка, и парень негромко охнул.

— Да, это правда. Джеймс меня укусил.

Джейк остолбенел, смуглая кожа приобрела желтоватый оттенок — похоже, его сейчас вырвет.

— Но если он тебя?.. Разве ты не?..

— Эдвард спас меня дважды! — прошептала я. — Он отсосал из ранки яд, ну, как после гремучей змеи. — Я вздрогнула: зияющие в груди дыры полоснула боль.

Увы, дрожала не я одна: огромное тело Джейкоба сотрясалось в конвульсиях.

— Спокойно, Джейк, расслабься!

— Да... — простонал парень. — Спокойно... — Он закачал головой, и через минуту лишь руки подрагивали.

— Ты в порядке?

— Почти. Расскажи что-нибудь еще, чтобы я отвлекся.

— Что ты хочешь услышать?

— Ну, не знаю. — Пытаясь сосредоточиться, он зажмурился. — Что-нибудь интересное. У других Калленов есть... хм-м, дополнительные способности? Вроде умения читать чужие мысли?

Я замялась: подобные вопросы задают шпионам, а не друзьям. Хотя какой смысл скрывать то, что знаю? Калленам это уже не навредит, зато Джейку поможет удержать себя в руках.

Перед глазами стояло изуродованное лицо Эмили, а на затылке зашевелились волосы. Невозможно представить, во что превратит машину рыжевато-коричневый волк. Да юный Блэк весь гараж разнесет!

— Джаспер умел... менять настроение окружающих. Не в плохую сторону, а, наоборот, успокаивать. Полу бы это очень помогло, — пошутила я. — А Элис видела будущее, хотя и не совсем точно. Ее предсказания не сбывались, если люди меняли свое поведение. Например, она видела меня мертвой... а потом, что стану такой, как они. Эти два предсказания не исполнились, а одно не исполнится никогда.

Голова сильно закружилась: в воздухе не хватало кислорода. Легкие не справлялись.

Джейкоб окончательно пришел в себя и сидел спокойно.

— Зачем ты это делаешь? — спросил он, потянув меня за руку, которая судорожно стиснула грудь. Надо же, закрыла раны машинально, бессознательным движением. — Ты сидишь в такой позе всегда, когда сильно расстроена. Из-за чего?

— Очень больно о них вспоминать, — прошептала я. — Будто в горле судорога... Будто грудь на части рассыпается... — Удивительно, какую откровенность я позволяла себе рядом с Джейкобом. Секретов между нами не осталось.

Джейк пригладил мои волосы:

— Все в порядке, Белла, все в порядке. Зря я об этом заговорил! Прости...

— Ничего страшного, — выдохнула я. — Такое случается сплошь и рядом. Ты не виноват.

— Сумасбродная мы пара, верно? — усмехнулся Джейкоб. — Оба не в состоянии держать себя в руках

— Да уж, обхохочешься — хрипло согласилась я

— По крайней мере мы друг у друга есть... — проговорил Джейкоб, успокоенный такой мыслью.

Я тоже успокоилась.

— Да, по крайней мере, это.

Рядом с ним было хорошо и уютно, но Джейкобу приходилось нести страшную и очень опасную службу, так что я часто оставалась в Ла-Пуш одна, а занятия, способного отвлечь от тревожных мыслей, не находилось.

Целыми днями торчать в доме Билли было неловко, и я стала готовиться к контрольной по матанализу, которая ожидалась на следующей неделе. Но разве надолго математикой отвлечешься? Пыталась я и проявить хоть минимальную общительность: завести разговор с Билли. Увы, мистер Блэк не отличался умением заполнять долгие паузы, и гнетущее молчание продолжалось.

Для разнообразия в среду я поехала к Эмили. Сначала все шло хорошо. Невеста Адли оказалась очень светлым человеком и ни секунды не сидела на месте. Я едва за ней поспевала: хозяйка порхала по крошечному дому и дворику, скребла безукоризненно чистый пол, выдирала микроскопические сорняки, смазывала дверные петли, пряла шерсть за древним ткацким станком и постоянно готовила. Хотя Эмили полушутя жаловалась на возросший аппетит мальчиков, было ясно: забота о них ей не в тягость.

Рядом с этой девушкой время летело быстро и незаметно, тем более что мы обе стали подружками волков.

Но через несколько часов пришел Сэм, и, удостоверившись, что плохих новостей нет и с Джейком все в порядке, я тотчас уехала. Аура счастья и любви, которую они излучали, воспринималась еще тяжелее, когда ее никто не рассеивал.

Так я и попала на пляж.

Одиночество оказалось гнетущим и неприятным. Благодаря полной откровенности, установившейся между мной и Джейкобом, в последнее время я только и говорила, что о Калленах. А сейчас, о чем бы ни пыталась думать — а забот накопилось немало: Блэк и его братья, Чарли, искренне верящий, что охотится на обычных волков, отношения с Джейкобом, все сильнее сбивающиеся с намеченного курса, собственная нерешительность, — ни одна из этих заслуживающих внимания проблем не ослабляла боль в груди на более-менее продолжительный срок.

В таком состоянии и нашел меня Джейкоб.

— Прости, — тут же извинился он, помог встать и обнял за плечи. Только тогда я почувствовала, что сильно замерзла. От его тепла бросило в дрожь, зато хоть дыхание нормализовалось. — Похоже, я испортил тебе каникулы, — покаянно сказал Блэк, когда мы шли по пляжу.

— Нет, вовсе нет, особых планов у меня не было, да я и не очень люблю весенние каникулы.

— Завтра утром отпрошусь, пусть подежурят вместо меня, а мы с тобой придумаем что-нибудь веселое.

— Веселое? — В моей теперешней жизни это слово было настолько неуместным, что даже смысл начал забываться.

— Именно! Веселье — как раз то, что тебе нужно. Хм... — Джейкоб задумчиво уставился на вздымающиеся серые волны. Темные глаза блуждали по горизонту, пока в них не загорелся огонек. — Придумал! Заодно выполню еще одно обещание.

— О чем ты?

Отпустив мою руку, он показал на южную оконечность пляжа, где пологий каменистый полумесяц упирался в обрывающиеся в море скалы. Я непонимающе хлопала глазами.

— Разве я не обещал научить тебя нырять со скал?

Я вздрогнула.

— Да, будет прохладно, хотя и не так холодно, как сегодня. Чувствуешь, погода меняется, давление скачет? Завтра потеплеет. Ну, ты как, за?

Темная вода особого восторга не вызывала, а скалы отсюда казались еще выше.

С другой стороны, я уже несколько дней не слышала голос Эдварда. Наверное, боль в груди отчасти объясняется именно этим: я пристрастилась к звуковому сопровождению своих иллюзий и чем дольше без него, тем хуже себя чувствовала. Прыжки со скал наверняка исправят положение...

— Конечно, за! Повеселимся!

— Устроим настоящее свидание! — пообещал парень и обнял меня за плечи.

— Ладно, только сначала ты как следует выспишься. — Мне очень не нравилось, что темные круги под глазами с каждым днем все больше напоминали татуировки.

* * *

На следующее утро я проснулась пораньше и тайком пронесла в пикап сменную одежду. Боюсь, сегодняшняя затея понравится Чарли не больше, чем катание на мотоциклах.

Возможность отрешиться от горестей увлекла не на шутку. Может, правда повеселюсь? Свидание с Джейкобом, свидание с Эдвардом... Я мрачно улыбнулась своим мыслям. Пусть юный Блэк сколько угодно считает нас сумасбродной парой; сумасбродка именно я. Рядом со мной даже оборотень кажется совершенно нормальным.

Я надеялась, Джейкоб встретит меня на подъездной дорожке, как он обычно делал, услышав обреченный гул пикапа, а не увидев его, решила, что парень еще спит. Что ж, подожду, пусть отдохнет как следует. Во-первых, сон ему просто необходим, а во-вторых, за это время хоть немного поднимется температура. Мой приятель не ошибся: за ночь погода и правда изменилась. Небо застилала толстая пелена облаков, и под серым одеялом стало чуть ли не душно, даже свитер не понадобился.

Я робко постучала в дверь.

— Белла, заходи! — позвал Билли.

Блэк-старший сидел за кухонным столом и ел корнфлекс.

— Джейк еще спит?

— М-м... нет, — нахмурившись, отложил ложку Билли.

— В чем дело? — По его лицу ясно: что-то стряслось.

— Сегодня утром Эмбри, Джаред и Пол нашли свежий след, и Сэм с Джейком поспешили к ним на помощь. Адли считает, что она укрылась в горах, и надеется сегодня с ней разделаться.

— Нет, Билли, нет! — прошептала я.

Он невесело усмехнулся:

— Неужели тебе так нравится Ла-Пуш, что захотелось продлить ссылку?

— Не шутите, Билли. Мне слишком страшно.

— Ты права, — снисходительно кивнул старый индеец. Темные, сияющие вековой мудростью глаза не выдавали никаких чувств. — Рыжая очень коварна.

Я закусила губу.

— Для братьев охота не так опасна, как тебе кажется. Сэм знает, что делает, и беспокоиться следует только о себе. Кровопийце битва не нужна, она пытается пробраться сквозь заслон... к тебе.

— А откуда Адли знает, что делать? — мысленно отмахнувшись от его тревоги за меня, спросила я. — Они ведь убили только одного вампира, что могло быть чистой случайностью.

— Белла, мы относимся к своей миссии очень серьезно. Ничто не забыто: необходимые знания из поколения в поколение передаются от отца к сыну.

Увы, слова Билли не возымели эффекта, на который он, вероятно, рассчитывал. Перед глазами стояла Виктория, дикая, коварная, безжалостная. Если она не сможет обойти волков, наверняка постарается пробраться сквозь их ряды.

Блэк-старший вернулся к завтраку, а я, упав на диван, стала бесцельно щелкать пультом телевизора. Продолжалось это очень недолго: у меня будто приступ клаустрофобии начался, крошечная комнатка давила и я мучилась, что не могу ничего видеть сквозь зашторенные окна.

— Пойду на пляж, — сказала я Билли и бросилась вон из дома.

Вопреки ожиданиям, на улице легче не стало. Незримо давившие с небес облака явно не помогали бороться с клаустрофобией. Я медленно пошла к пляжу. Лес выглядел подозрительно пустым: ни белок, ни мышей, а птиц не только не видно, но и не слышно. Тишина стояла жуткая, даже ветер листьями не шелестел.

Прекрасно понимая, что это результат неожиданно наступившего тепла, я все равно нервничала. Даже мои невосприимчивые органы чувств улавливали давление влажного воздуха, наверняка предвещавшее сильную грозу. Беглый взгляд на небо подтвердил опасения: тучи так и бурлили — и это при полном отсутствии ветра! Нижний слой облаков темно-серый, но сквозь него проглядывал другой, зловещего багрового оттенка. Судя по всему, в небесной канцелярии замыслили нечто ужасное. Вот звери и попрятались.

Едва оказавшись на пляже, я пожалела, что пришла: длинный каменистый полумесяц набил оскомину. Я приходила сюда чуть ли не ежедневно и бесцельно бродила по берегу. Вот и высохшее дерево! Я присела с одного конца, так, чтобы можно было откинуться на переплетенные корни, и задумчиво подняла глаза к мрачному небу: сейчас гнетущую тишину нарушит мерный стук капель.

Об опасности, нависшей над Джейкобом и его друзьями, лучше не думать. С ними ничего не случится. Любая мысль об обратном просто невыносима. Уже столько всего произошло — неужели судьба заберет последние осколки разбитого счастья? Это нелогично и несправедливо... Или я нарушила какой-то неведомый закон, чем обрекла себя на вечные муки? Может, нельзя погружаться в мифы и легенды, пренебрегая миром людей? Может...

Нет, с Джейкобом ничего не случится. Нужно верить, иначе... иначе я просто не выживу.

— Ах! — простонала я и соскочила с дерева. Сидеть на месте еще хуже, чем бесцельно бродить по пляжу.

Сегодня утром я так рассчитывала услышать голос Эдварда! Казалось, только он поможет пережить этот день. В последнее время рана в груди стала нарывать, будто мстя за часы, когда присутствие Джейкоба ее лечило.

С каждой минутой волны становились все выше и яростнее бились о скалы, хотя ветер так и не поднялся. Где-то за лесом все кружилось в бешеном калейдоскопе, а вокруг меня застыла тишина. В воздухе появился слабый электрический заряд — волосы даже потрескивать начали.

Чуть дальше море волновалось: швыряя к небу белые шапки, волны неистово обрушивались на скалы. В воздухе по-прежнему не было никакого движения, хотя тучи побежали быстрее. Зрелище зловещее, будто небеса подчиняются своей собственной воле. Я содрогнулась, хотя прекрасно понимала: всему виной перепады давления.

Черные скалы острым ножом вспарывали багровое небо, и, глядя на них, я вспомнила день, когда Джейк рассказал о Сэме и его «банде» Перед глазами встали парни, точнее, оборотни, бросающиеся в пустоту. Вот они отрываются от скалы, кувыркаются и летят... Я представляла их свободными, как птицы. Я представляла голос Эдварда, раздающийся в моем подсознании: гневный, бархатный, прекрасный... Жжение в груди переросло в невыносимую боль.

Нужно как-то его унять! С каждой секундой боль сильнее. Я глянула на скалы и хлещущие их волны.

Почему бы и нет? Почему бы не утолить боль прямо сейчас?

Джейкоб ведь обещал научить меня прыгать со скал? Разве следует отказываться от столь необходимого развлечения только потому, что его нет рядом? Развлечения особенно необходимого, потому что в этот самый момент юный Блэк рискует жизнью. Если бы не я, Виктория убивала бы туристов не здесь, а где-нибудь в другом городе. Случится что-то с парнем — виновата буду я.

Страшная мысль ударила в самое сердце и заставила бежать обратно к дому Билли.

Я знала: ведущая к дороге тропка проходит у самых скал, однако выбрать следовало ту, что выведет к выступу. Быстро шагая по ней, я искала ответвления: хотел же Джейк отвести меня на скалу пониже? Увы, дорожка тянулась к обрыву сплошной ниточкой. Высматривать другую не было времени: с пугающей скоростью приближалась гроза. Поднялся ветер, тучи еще сильнее давили на землю. Не успела я достичь точки, где грунтовая дорожка разветвлялась перед каменной пропастью, как на лицо упали первые капли.

Убедить себя, что искать обходной путь некогда, было совсем несложно: я хотела прыгнуть с вершины. Эта идея прочно засела в голове и не давала покоя. Бесконечно долгое, похожее на полет падение... Ну чем не мечта?

Вне всякого сомнения, поступок будет самым глупым и отчаянным в моей жизни. Я улыбнулась, даже боль начала проходить: тело словно замерло в ожидании серебряного баритона...

Океан шумел где-то далеко, гораздо ниже, чем казалось в начале тропки. Представив температуру воды, я поморщилась. Но нет, это меня не остановит!

Ветер окреп, превращая дождь в вихри водяной пыли.

Не спуская глаз с темно-серой пустоты, я шагнула к обрыву. Ступни будто сами двигались вперед, лаская острые камни, что попадались по пути. Я набрала в грудь побольше воздуха и задержала дыхание. Жду...

«Белла».

Я улыбнулась и выдохнула.

«Да...»

Вслух я ответить не решалась, боясь разрушить красивую иллюзию. Голос звучал так близко, так естественно... Лишь негодуя, как сейчас, он полностью соответствовал моим воспоминаниям, демонстрируя те бархатные переливы и мелодичность, которые делали его самым совершенным на свете.

«Не надо!» — умолял он.

«Ты хотел, чтобы я была ближе к людям, — напомнила я, — так смотри!»

«Пожалуйста, ради меня!»

«Иначе ты со мной не останешься».

«Пожалуйста!»

Среди ливня, что ерошил волосы и промочил одежду так, будто я уже ныряла, голос казался чуть ли не шепотом.

Я перенесла вес на пятки.

«Нет, Белла!» — В голосе звенел настоящий гнев, но он был прекрасен.

Улыбнувшись, я подняла руки, словно собираясь лететь головой вниз. Увы, многолетние занятия плаванием в школьном бассейне укоренили другую привычку: прыгать солдатиком. Я наклонилась вперед, чтобы сильнее оттолкнуться...

А потом бросилась со скалы.

Громко вскрикнув, я стрелой понеслась в пустоту, однако кричала не от страха, а от возбуждения. Ветер сопротивлялся и, пытаясь победить несокрушимую гравитацию, толкал обратно и крутил спиралями, словно несущуюся к земле ракету.

«Да!» — эхом раздалось в ушах, когда я вошла в воду. Она была ледяной, куда холоднее, чем я предполагала, но озноб только увеличивал возбуждение.

Страшно гордая собой, я погружалась в черную воду. Страха не чувствовалось ни капли — лишь разгоняющий кровь адреналин. В самом деле, прыжок нисколько не напугал, из-за чего было столько разговоров?

Тогда меня и подхватило течение. Поглощенная мыслями о высоте скал и их опасной гладкости, я даже не подумала, что главная опасность поджидает под темной поверхностью воды.

Волны швыряли меня туда-сюда так, будто решили разорвать на части. Я знала: попав в быстрину, нужно плыть параллельно берегу, а не бороться с волнами, но это не помогало: как догадаться, в какой стороне берег?

Что говорить, я даже, где дно, не знала.

Злой океан повсюду одинакового цвета. Зря думают, что гравитация всесильна; волны ей, похоже, не подчиняются. Вниз меня не тянуло, лишь швыряло взад-вперед и по кругу, как тряпичную куклу.

Стиснув зубы, чтобы не выпустить последний глоток кислорода, я изо всех сил старалась не выдыхать.

Начавшаяся галлюцинация ничуть не удивила: Эдвард должен был вернуться, я же умираю!

Поразительно, насколько сильна была моя уверенность. Я тону... Тону...

«Плыви!» — Голос Эдварда умоляюще звенел в моем сознании.

В какую сторону? Куда ни взгляни, везде тьма. Мне некуда плыть.

«Прекрати! — негодовал Каллен. — Не смей сдаваться!»

От холодной воды немели руки и ноги. Я даже течения больше не чувствовала: только слабость от беспомощного барахтанья в воде.

Все-таки я послушалась — руки продолжали грести, ноги — работать, — хотя каждую секунду плыла в новом направлении. Ни к чему хорошему это не приведет. Зачем мучиться?

«Не сдавайся! — кричал Эдвард. — Черт подери, Белла, борись!»

Зачем?

Бороться больше не хотелось, но смириться с нынешним состоянием заставили не головокружение, не холод, не онемевшие от усталости конечности. Я просто радовалась, что все кончилось. Такая смерть куда легче той, что мне угрожала. Настолько обыденная, даже странно!

Вспомнились избитые выражения о том, что перед глазами должна промелькнуть вся жизнь. Слава богу, мне повезло: кому нужна безрадостная ретроспектива?

Сопротивляться не хватало духа, а перед глазами стояло лицо Эдварда. Образ удивительно четкий, сознание сохранило малейшие детали, будто для последнего момента сберегло. Все как в жизни: оттенок ледяной кожи, форма губ, скулы и золотое сияние разгневанных глаз. Конечно, он злился, потому что я не пыталась бороться за свою жизнь. Зубы стиснуты, тонкие ноздри трепещут от ярости.

«Нет, Белла, нет!»

Уши заливала ледяная вода. Не обращая внимания на слова, я сосредоточилась на музыке серебряного баритона. Зачем бороться, если я и так счастлива? Счастлива, пусть даже легкие пылают от нехватки кислорода, а ноги свела судорога. Надо же, я почти забыла, на что похоже настоящее счастье.

Счастье... Ради него и умереть можно.

В тот момент волны окончательно меня одолели и швырнули на невидимую в темноте скалу. Словно железный лом, камень ударил в грудь, и плотным облаком серебристых пузырьков из легких вылетел воздух. Хлынувшая в горло вода душила и обжигала. Железный лом тянул меня прочь от Эдварда, в темную глубину, на самое дно.

Последней мыслью было: «Прощай, я тебя люблю».

Глава шестнадцатая

ПАРИС

Тут мое лицо поднялось над поверхностью воды. Непонятно, я же думала, что тону!

Течение не ослабевало, оно швыряло меня на скалы, которые ритмично колотили в спину, выбивая из легких воду. Из носа и рта целые реки лились! Морская соль жгла носоглотку, камни терзали позвоночник, а попавшая в горло вода мешала вздохнуть. Куда ни глянь, везде океан, грозящий накрыть меня с головой.

— Дыши! — приказал искаженный тревогой голос. Узнав его, я передернулась от невыносимой боли: это не серебряный баритон Эдварда!

Послушаться я не могла. Бьющий изо рта водопад не ослабевал, не оставляя ни малейшего шанса вздохнуть. Ледяная вода разъедала легкие.

— Давай, Белла, дыши! — умолял Джейкоб.

Перед глазами появились черные точки. Они все росли и росли, пока наконец не заслонили свет.

Скала вновь ударила в спину. Только почему-то она не холодная, как вода, а горячая. Да это же рука Джейкоба, пытающаяся выбить из меня воду... Голова кружилась, черные точки заслоняли все...

Неужели я снова умираю? Что-то мне не нравится: в прошлый раз было гораздо приятнее. Любоваться нечем — перед глазами только темнота. Мрак съел даже плеск волн, который превратился в мерное ш-ш-ш, доносящееся из глубины моих ушей...

— Белла! — позвал Джейкоб все еще напряженно, но без прежнего отчаяния. — Беллз, милая, ты меня слышишь?

В голове все крутилось и шипело, словно безжалостные волны проникли и туда.

— Давно она без сознания? — спросил кто-то другой.

Голос, принадлежащий не Блэку, поразил до глубины души и привел в почти сознательное состояние.

Оказалось, я лежу неподвижно. Течение больше не гоняет мое тело, а волны вздымаются только у меня в голове. Подо мной что-то плоское.

— Не знаю! — никак не мог успокоиться Джейкоб. Он совсем близко: руки — как обычно теплые — убрали с моих щек влажные волосы. — Пару минут... Я ведь быстро ее на берег вытащил!

Мерное ш-ш-ш, что звучало в ушах, было не шелестом волн, а свистом наполнявшего легкие воздуха. Каждый вдох причинял боль, дыхательные пути саднило, будто их скребли стальной проволокой. Но все-таки я дышала!

И еще мерзла. Тысячи острых ледяных бусинок впились в лицо и руки, не давая согреться.

— Она дышит... Скоро придет в себя, но нужно поскорее отнести ее в тепло. А то лицо слишком бледное... — На этот раз я узнала голос Сэма.

— По-твоему, ее можно передвигать?

— А она, когда падала, ничего не повредила?

— Трудно сказать.

Повисла пауза — парни не знали, на что решиться.

Я попробовала открыть глаза: ушла целая минута, зато потом показались темно-пурпурные тучи, из которых сыпал ледяной дождь.

— Джейк! — прохрипела я.

Лицо моего друга заслонило небо.

— О-ох! — вырвалось у него, и в глазах отразилось облегчение. — Белла, ты слышишь меня? Что-нибудь болит?

— Т-т-только г-г-горло, — заикаясь, пролепетала я, потому что губы дрожали от холода.

— Тогда я тебя отсюда унесу. — Блэк обнял меня и поднял без малейших усилий, словно пустую коробку. Обнаженная грудь излучала тепло и укрывала от дождя. Положив голову на его мускулистую руку, я равнодушно разглядывала яростно лижущие пляж волны.

Откуда-то сзади донесся голос Сэма:

— Все нормально?

— Угу, дальше я сам о ней позабочусь. Возвращайся в больницу. Я подъеду чуть позже. Спасибо, Сэм.

Голова гудела и кружилась, и смысл его слов дошел до меня далеко не сразу. Адли не ответил. Не услышав ни звука, я решила, что он ушел.

Джейкоб нес меня к дороге, а прибой жадно лизал песок, будто не в силах смириться с тем, что мне удалось ускользнуть. Я смотрела на океан, и мои усталые глаза неожиданно выхватили нечто яркое: далеко в бухте среди темных волн пылал огонь. Что за ерунда? Может, опять сознание теряю? Голова шла кругом от воспоминаний о черных бушующих волнах и собственной беспомощности: надо же, не знала, где дно, где поверхность! Совсем запуталась... однако Джейкоб все-таки...

— Как ты меня нашел? — прохрипела я.

— Потому что искал. — Пробираясь сквозь дождь, он не брел, а бежал к дороге. — Сначала шел по твоим следам, а потом услышал крик... — Парень вздрогнул. — Зачем ты прыгнула, Белла? Неужели не заметила, что начинается шторм? Почему меня не дождалась? — Теперь его лицо дышало гневом.

— Извини, — пролепетала я, — сглупила.

— Да уж, причем сильно, — согласился Джейкоб, а когда кивнул, с волос слетели дождевые капли. — Слушай, давай договоримся: все глупости только в моем присутствии! Я не смогу как следует нести службу, думая, что в эту самую минуту ты, возможно, прыгаешь со скал.

— Хорошо... Договорились! — Голос как у заядлой курильщицы! Я попыталась прочистить горло, но тут же поморщилась: ощущения такие, будто острый нож проглотила. — Что сегодня произошло? Вы... нашли ее? — Теперь содрогнулась я, хотя у теплой, как печка, груди холодно не было.

Блэк покачал головой. Он по-прежнему не шел, а бежал по ведущей к дому тропе.

— Нет, рыжая бросилась в океан, а в воде у кровопийц значительное преимущество. Поэтому я и спешил домой: боялся, что она запутает следы. Ты так долго бродила по пляжу... — Джейк осекся и нервно сглотнул.

— Сэм вернулся вместе с тобой, значит... остальные уже дома?

— Ага... Вроде того.

Прищурившись, я сквозь серые нити дождя пыталась понять выражение его лица. Глаза стали жесткими от боли и тревоги.

Внезапно услышанные чуть раньше слова обрели смысл.

— Ты говорил о больнице... Ну, Сэму, на пляже... Кто-то ранен? Она дала вам бой? — Мой голос сорвался на визг, что вместе с простудной хрипотой звучало престранно.

— Нет, нет, когда вернулись, нас ждал Эмбри со страшными новостями. Гарри Клируотер... Сегодня утром у него случился сердечный приступ.

— Гарри? — Я покачала головой, пытаясь осмыслить услышанное. — А Чарли знает?

— Да, он тоже в больнице с моим папой.

— Гарри поправится?

Джейкоб снова прищурился:

— Не знаю, пока вид у него неважный.

Чувство вины ударило тяжелым молотом: зачем только я решилась на идиотский прыжок со скалы?! Для отчаянных поступков я выбрала далеко не лучший день.

— Могу я чем-нибудь помочь?

Неожиданно дождь прекратился, а что мы уже вернулись к дому Блэков, я поняла, только когда Джейкоб распахнул дверь. Теперь шторм колотил в крышу.

— Посиди здесь, — велел Блэк, опуская меня на диванчик. — Я принесу сухую одежду.

Пока мои глаза привыкали к темноте, Джейкоб бросился в свою комнату. Без Билли крошечная гостиная казалась пустой, чуть ли не заброшенной и зловещей, наверное, потому, что я знала, куда уехал ее хозяин.

Парень вернулся через несколько секунд и швырнул комок серого меланжевого трикотажа:

— Вот, тебе будет велико, но ничего лучше я не нашел. Давай, э-э... выйду, чтобы ты переоделась.

— Пока не надо. Сил нет шевелиться. Побудь со мной.

Джейкоб опустился на пол рядом с диваном, прислонившись к нему спиной. Интересно, когда он в последний раз спал? Вид у него такой же усталый, как у меня.

Опустив голову на подушку, Джейк сладко зевнул.

— Пожалуй, можно немного отдохнуть...

Карие глаза закрылись, и я тоже зажмурилась.

Бедный Гарри... Бедная Сью. Чарли наверняка с ума сходит. Гарри его лучший друг. Несмотря на пессимизм Джейка, я искренне надеялась, что Клируотер поправится. Ради Чарли, ради Сью, Ли и Сэта...

Диван Билли стоял рядом с батареей, и в промокшей одежде я согрелась. Почему-то саднящие легкие не помогали бодрствовать, а, наоборот, толкали к забытью. Интересно, спать можно? Джейкоб негромко захрапел, и этот звук успокаивал не хуже, чем колыбельная. Я быстро провалилась в забытье.

Впервые за очень долгое время мне приснился нормальный сон. Этакое размытое попурри из старых воспоминаний: ослепительно яркое солнце Финикса, мамино лицо, полуразвалившийся домик в лесу, линялое одеяло, зеркальная стена, пламя на черной воде... Едва картинка менялась, предыдущую я тотчас забывала.

Лишь последняя застряла в памяти дольше других. Какая-то странная, словно театральная декорация. Обвитый плющом балкон и будто нарисованная в ночном небе луна. Я увидела девушку в сорочке: прислонившись к колонне, она разговаривала сама с собой.

Ерунда, конечно, но, медленно возвращаясь к реальности, я думала о Джульетте.

Джейкоб спокойно спал, обняв диванную подушку, дыхание глубокое и ровное. Сгущались сумерки, и в доме стало намного темнее. Я будто одеревенела, зато согрелась и почти высохла, хотя горло пылало от каждого вдоха.

Придется встать — дико хотелось пить. Вот только мое тело отказывалось подняться с дивана. Зачем шевелиться, если можно лежать и думать о Джульетте?

Что бы сделала совсем юная девушка, если бы Ромео бросил ее, но не под давлением семьи, а потому что разлюбил? Допустим, Розалина проявила бы чудеса обаяния и он передумал? Вместо того чтобы жениться на юной Капулетти, он бы просто исчез?

Прекрасно понимаю, каково было бы Джульетте!

Нет, девушка не вернулась бы к прежней жизни и от потрясения — нисколько не сомневаюсь — не смогла бы оправиться. Доживи она до глубокой старости, каждый раз, закрывая глаза, видела бы Ромео. В конце концов ей пришлось бы смириться.

Интересно, Джульетта вышла бы за Париса, просто чтобы угодить родителям и не создавать проблем? Вряд ли. Хотя в пьесе о нем сказано немного. Этакий схематично обрисованный герой: угрожал счастью Джульетты, притязал на ее руку.

А что, если дополнить образ Париса? Что, если он был другом Джульетты? Лучшим другом? Что, если он стал единственным, кому она могла довериться после ужасного поступка Ромео? Единственным, кто понял и сумел вернуть хотя бы к получеловеческой жизни? Если он был добрым и терпеливым? Если он о ней заботился? Если Джульетта чувствовала, что без него не выживет? Если он искренне любил ее и желал счастья?

А может... Может, и она любила Париса? Конечно, не как Ромео, а лишь настолько, чтобы тоже желать ему счастья?

В крошечной гостиной раздавалось мерное дыхание Джейкоба. Оно было как колыбельная для малыша, как скрип кресла-качалки, как тиканье старых часов в уютной комнате — звук умиротворения и покоя.

Если Ромео безвозвратно исчез, почему бы Джульетте не принять предложение Париса? Не следовало ли бы ей обустроить и привести в порядок свою жизнь? Может, это и стало бы подобием счастья, на которое она могла рассчитывать?

Я тяжело вздохнула и тут же застонала от саднящей боли в горле. Похоже, слишком увлеклась Шекспиром. Ромео не передумал, именно поэтому его имя люди вспоминают в неразрывной связи с именем возлюбленной: Ромео и Джульетта. Именно поэтому шекспировская пьеса стала шедевром, а произведение под названием «Брошенная Джульетта спуталась с Парисом» давно бы кануло в Лету.

Закрыв глаза, я вновь погрузилась в раздумья. Хватит мусолить пьесу, пора вернуться к реальности, например к сегодняшнему прыжку со скалы. Какая же я дура! И дело не только в скалах, но и в мотоциклах и идиотском подражании Ивелу Книвелу*. Случись со мной что-то страшное, как бы это пережил Чарли?

Сердечный приступ Гарри заставил посмотреть на все с другой стороны. Со стороны, которую я отказывалась замечать, потому что, если быть до конца честной, она показывала: мне стоит пересмотреть свои взгляды. Вот только смогу ли я жить иначе?

Вероятно, да. Легко не будет. Более того, отказаться от иллюзий и вести себя, как взрослая, будет просто невыносимо. Но я должна и, возможно, смогу... С помощью Джейкоба.

Окончательно сейчас я ничего не решу: слишком больно. Лучше подумать о другом.

---

* Ивел Книвел — знаменитый американский мотогонщик-трюкач, известен прыжками через автомобили, автобусы, грузовики и даже бассейн с акулами.

Как я ни пыталась отвлечься на что-то приятное, перед глазами крутились воспоминания о неудачном каскадерском трюке. Похожее на полет падение... черная вода... раздирающее меня течение... лицо Эдварда... На нем я задержалась подольше. Теплые руки Джейкоба, пытающиеся вернуть меня к жизни... Колючий дождь, льющий из пурпурных туч... Странное пламя среди волн...

Почему-то яркая вспышка на фоне черной воды показалась знакомой. Конечно, это не пламя...

Размышления прервал истеричный визг шин — перед домом затормозил автомобиль. Дверцы открылись, затем хлопнули. Может, сесть? Нет, не стоит...

Голос Билли с другим не спутаешь, но мистер Блэк говорил так тихо, что я слышала лишь скрипучий шепот.

Входная дверь распахнулась, вспыхнул свет, и, на мгновение ослепленная, я заморгала. Джейкоб проснулся и, отчаянно зевая, вскочил на ноги.

— Извините, — проворчал Билли. — Мы вас разбудили?

Я подняла глаза на Блэка-старшего и, всмотревшись в его лицо, чуть не заплакала.

— Ой, нет, Билли, нет!

Посерев от горя, он медленно кивнул. Джейк бросился к отцу и взял за руку. Искаженное гримасой боли, его лицо казалось неестественно детским в сочетании с телом взрослого мужчины.

Стоящий позади Сэм проталкивал коляску в дверной проем. Всепоглощающего спокойствия, которым обычно дышал его облик, сегодня как не бывало.

— Мне очень жаль... — прошептал он.

— Нам всем будет непросто, — кивнул Билли.

— Где Чарли?

— Твой отец еще в больнице вместе со Сью. Нужно... нужно столько всего организовать.

Я нервно сглотнула.

— Пожалуй, пойду, — буркнул Адли и поспешно скользнул за дверь.

Выпустив руку сына, Билли покатил через кухню в свою комнату.

Посмотрев отцу вслед, Джейкоб опустился на пол рядом со мной и спрятал лицо в ладонях. Я потрепала его по плечу, лихорадочно подбирая нужные слова.

После долгой паузы он прижался щекой к моей руке:

— Ты как? Наверное, стоило заехать к врачу.

— Обо мне не беспокойся, — прохрипела я.

Джейк повернулся, и я увидела: глаза у него покраснели.

— Выглядишь неважно.

— Наверное, потому, что и чувствую себя неважно.

— Сейчас подгоню пикап и отвезу домой — думаю, тебе лучше вернуться до прихода Чарли.

— Да, пожалуй.

Дожидаясь его, я валялась на диване. В соседней комнате совсем тихо. Я чувствовала себя чрезмерно любопытной особой, сующей нос в чужое горе.

Джейк вернулся быстро: знакомый гул двигателя вспорол ночь гораздо раньше, чем я ожидала. Не сказав ни слова, парень обхватил меня за плечи и помог встать.

От ночной прохлады бросило в дрожь. Ничего не спрашивая, Блэк устроился на водительском сиденье и привлек меня к себе. Я прильнула к его груди.

— Сам-то как домой попадешь?

— Я и не собираюсь. Мы ведь до сих пор не поймали кровопийцу!

Я вновь содрогнулась, на этот раз не от холода.

В кабине стало тихо, холодный воздух выветрил остатки сна. В голове воцарилась полная ясность, сознание работало с поразительной скоростью.

Что, если... Как же мне поступить?

Свою жизнь без Джейкоба я не мыслила; сама идея представить ее в таком виде внушала ужас. Каким-то образом он сумел стать неотъемлемой частью моего существования. Но оставить все, как есть... не будет ли это, как выразился Майкл, бессердечно?

Вспомнилось, как я мечтала, чтобы Джейк был моим братом. Теперь ясно: на самом деле мне просто хотелось иметь на него определенные права. Например, сейчас он обнимал явно не по-братски, но мне в его руках очень тепло и уютно. И безопасно. Джейкоб — мой островок безопасности, тихая гавань.

Пожалуй, определенные права на Джейкоба Блэка заявить можно, думаю, мне это вполне по силам...

Понятно, в обмен придется все ему рассказать, иначе получится несправедливо. Придется объяснить так, чтобы Джейк понял: я в норму не приду никогда и он для меня слишком хорош. Парень уже в курсе, что мое сердце разбито, так что это откровением не станет, нужно только уточнить, до какой степени... Придется добавить, что я сумасшедшая и слышу голоса. Пусть узнает все, прежде чем принять окончательное решение.

Впрочем, я чувствовала, Джейк примет меня несмотря ни на что. Ни на секунду не задумается.

Если решусь, придется идти до конца, подключив все фибры души и осколки разбитого сердца. Лишь так я смогу воздать Джейкобу по заслугам. Хочу ли я этого? Смогу ли?

Что плохого в том, чтобы сделать юношу счастливым? Пусть даже чувства к нему — слабый отголосок того, на что я способна, пусть даже в сердце до сих пор царствует ветреный Ромео, что в этом плохого?

Блэк остановился перед моим домом, заглушил двигатель, и воцарилась тишина. Далеко не в первый раз я отметила, что он будто чувствует мое настроение.

Одна рука Джейкоба уже обнимала меня за плечи, теперь к ней присоединилась вторая, прижимая, приковывая меня к мускулистой груди. Ощущения удивительные, будто из зомби с разбитым сердцем я превратилась в нормальную девушку. Почти нормальную...

Сначала показалось, что он думает о Гарри, однако, когда Джейк заговорил, голос был приглушенным, извиняющимся.

— Прости, Беллз, я знаю, ты относишься к этому немного иначе, чем я. Но клянусь, меня это не коробит. Я дико рад, что с тобой все в порядке, я готов петь, а это шоу не для слабонервных! — Он засмеялся неподражаемым гортанным смехом прямо мне в ухо.

Дыхание участилось, царапая стенки горла

Разве Эдвард, несмотря на равнодушие, не захотел бы, чтобы я была счастлива, насколько это возможно при таких обстоятельствах? Неужели в его душе не осталось бы ни капли дружеского участия, чтобы желать мне самого лучшего? Уверена, что осталось и он не лишил бы меня шанса подарить кусочек ненужной ему любви Джейкобу Блэку Тем более это совсем другая любовь...

Теплая щека Джейка прижалась к моим волосам.

Если повернусь и прильну губами к его обнаженному плечу... Нетрудно догадаться, что за этим последует. Причем совершенно естественно, сегодня никаких объяснений не понадобится.

Смогу ли я? Смогу предать разбитое сердце ради спасения никчемной жизни?

Всего-то нужно — повернуть голову...

А потом я услышала бархатный голос Эдварда; он звучал поразительно четко, будто мне грозила смертельная опасность.

«Будь счастлива!»

Я так и застыла, и почувствовавший напряжение Джейкоб немедленно выпустил меня из объятий и потянулся к дверце.

«Подожди! — хотела закричать я. — Буквально минуту!» — но меня парализовало эхо серебряного баритона, которое звучало в подсознании.

В кабину залетел охлажденный сильным дождем ветерок.

— Ах! — вырвалось из груди Джейкоба, будто кто-то пнул его под дых. — Черт побери!

С поразительной скоростью индеец захлопнул дверцу и повернул ключ зажигания. Непонятно, как ему это удалось: крупные ладони дрожали мелкой дрожью.

- Что случилось?

Мотор пикапа нельзя заводить так быстро: он обреченно фыркнул и заглох.

— Вампир! — изрыгнул Блэк.

Кровь отхлынула от перенапряженного мозга, и мне стало плохо.

— Откуда ты знаешь?

— Запах чувствую, черт подери!

Дикие глаза Джейкоба буравили темную улицу. Его тело сотрясали малозаметные толчки.

— Переродиться или увезти? — спросил самого себя Блэк.

Долю секунды индеец изучал мои круглые от ужаса глаза и побелевшее лицо, а потом снова впился в темную улицу.

— Лучше увезти...

Оглушительно взвыв, мотор завелся, шины заскрипели — пикап разворачивался, чтобы спасти нас обоих. Фары осветили асфальт, темную лесную опушку и наконец скользнули по машине, припаркованной напротив моего дома.

— Останови! — прохрипела я.

Машина черная и до боли знакомая. До автолюбительницы мне очень далеко, но про тот автомобиль я могла рассказать все. «Мерседес S55 AMG»... Я знала точную мощность двигателя, цвет внутренней отделки салона, характерный аромат кожаных сидений и как темная тонировка окон способна превратить самый солнечный полдень в прохладные сумерки.

Машина Карлайла!

— Останови! — закричала я громче, потому что Джейкоб на полной скорости гнал пикап прочь от дома.

— Что?!

— Это не Виктория. Останови, я хочу вернуться!

От резкого торможения меня бросило на приборную панель.

— Что? — ошеломленно переспросил он, буравя меня полными ужаса глазами.

— Я знаю ту машину! Это «мерседес» Карлайла, это Каллены!

Джейкоб смотрел, как на моем лице играют отблески рассвета, а его тело била сильная дрожь.

— Эй, успокойся! Никакой опасности нет! Расслабься...

— Да, нужно успокоиться... — чуть не задыхался Блэк. Пока он всеми силами пытался не превратиться в волка, я смотрела в окно на черную машину.

Наверное, это только Карлайл. Другого лучше не ждать. Может, Эсми? Все, стоп, стоп! Только Карлайл... Это уже много, больше, чем я смела надеяться.

— В твоем доме вампир, — прошипел мой приятель, — а ты хочешь вернуться?!

Я посмотрела на него, с трудом оторвав взгляд от «мерседеса». Вдруг машина исчезнет, если я отвернусь?

— Конечно — изумленная таким вопросом, ответила я

Лицо Джейкоба посуровело, превратившись в горькую маску. Прежде чем маска окончательно застыла, в глазах мелькнули боль и разочарование: Блэк считает меня предательницей. Его руки дрожали, он казался лет на десять старше, чем я.

Пытаясь прийти в себя, парень тяжело вздохнул:

— А это не ловушка?

— Это не ловушка, а Карлайл! Отвези меня обратно!

Широкие плечи сотрясала дрожь, хотя глаза были холодными и бесстрастными.

— Нет!

— Джейк, все в порядке...

— Нет, Белла, езжай сама! — Ответ прозвучал резко, как пощечина, и я поморщилась. Блэк сжимал и разжимал кулаки. — Пойми, — тем же ледяным голосом продолжил он, — я не могу вернуться. Есть соглашение или нет, там мой враг

— Дело совсем не...

— Нужно скорее сообщить Сэму! Нас не должны видеть на их территории.

— Это не война!

Но Джейк не слушал. Поставив пикап на нейтралку, он выпрыгнул на дорогу.

— Прощай, Белла! Очень надеюсь, что ты останешься в живых.

Он помчался в темноту, трясясь так сильно, что фигура казалась нечеткой, и исчез, прежде чем я открыла рот, чтобы ответить.

На долю секунды раскаяние буквально пригвоздило меня к сиденью. Зачем было так вести себя с Джейкобом? Впрочем, угрызения совести мучили совсем недолго: сев за руль, я завела мотор. Руки тряслись почти как у Блэка, и успокоиться удалось не сразу, но потом я аккуратно развернулась и покатила обратно к дому.

Когда я выключила фары, стало совсем темно. Уходя из дома, Чарли спешил так, что даже лампу на крыльце не зажег. Глядя на погруженный во мрак дом, я засомневалась. Вдруг это действительно ловушка?

Я оглянулась на черную, почти невидимую в ночи машину. Нет, я ее знаю!

И все-таки, пока доставала ключи, руки дрожали еще сильнее, чем прежде. Дверная ручка повернулась с поразительной легкостью, и дверь распахнулась. В прихожей кромешная тьма.

Хотелось громко поздороваться, но в горле пересохло, и никак не удавалось привести в порядок дыхание.

Нерешительно шагнув вперед, я стала нащупывать выключатель. В доме темно, совсем как среди черных волн... Где же чертов выключатель?

Совсем как среди волн с непонятным островком оранжевого пламени. Огнем это пламя быть не могло, тогда что?.. Трясущиеся пальцы продолжали шарить по стене...

Внезапно в подсознании зазвучали слова Джейкоба, и я поняла их глубинный смысл: «...рыжая бросилась в океан, а в воде у кровопийц значительное преимущество. Поэтому я и спешил домой: боялся, что она запутывает следы».

Ощупывающая стену рука замерла, тело охватил озноб: я поняла, почему у воды был такой странный оттенок.

Пламя напоминали волосы Виктории, развевающиеся на ветру.

Она была рядом. Прямо там, в бухте, вместе со мной и Джейкобом. А если бы рядом не оказалось Сэма, только мы вдвоем?.. Я даже пошевелиться боялась.

Тут зажглась лампа, хотя моя окоченевшая рука до сих пор не нащупала выключатель.

Замигав от яркого света, я увидела: в прихожей кто-то есть, меня ждут

Глава семнадцатая

ГОСТЬЯ

Удивительно неподвижная и бледная, с огромными черными глазами, моя гостья ждала посреди прихожей, красивая до умопомрачения.

Колени задрожали, я с трудом сдержалась, чтобы не упасть, а потом бросилась к ней.

— Элис, ой, Элис! — причитала я, стремительно приближаясь к любимой подруге.

За долгие месяцы некоторые физиологические особенности Калленов забылись. Боже, я будто в бетонную стену врезалась!

— Белла! — Облегчение в голосе смешивалось с замешательством

Я обнимала точеные плечи, жадно вдыхая аромат бледной кожи. Ее запах не сравним ни с чем — не пряный, не цветочный, не мускусный, не цитрусовый. Разве такой запомнишь?

Хриплое дыхание переросло во что-то другое, я даже внимания не обратила, а что плачу, поняла, только когда девушка утащила меня на диван в гостиной и посадила рядом. Ожидая, когда я успокоюсь, Элис гладила меня по спине.

— П-прости, я... я т-так рада тебя видеть...

— Все в порядке, Белла, все хорошо.

— Угу, — рыдала я и впервые за долгое время верила, что это действительно так.

— Я уже забыла, какая ты эмоциональная, — неодобрительно заметила девушка.

Я подняла на нее зареванные глаза Элис старалась отстраниться от меня — жилы на тонкой шее напряглись, губы плотно сжались, в глазах непроглядная тьма.

— Ой! — разобравшись, в чем дело, выдохнула я. Элис хочет пить, а у меня довольно аппетитный запах. Полгода с такими проблемами не сталкивалась! — Прости...

— Сама виновата, давно не охотилась. Нельзя нагуливать такой аппетит, но я спешила... — Черные глаза пронзили свирепым взглядом. — Раз уж речь зашла об этом, будь добра, объясни, каким образом ты еще жива?

Огорошенная вопросом, я даже рыдать перестала. Теперь понятно, что должно было случиться и почему появилась Элис.

— Ты видела, как я падаю! — вырвалось меня.

— Нет, — прищурилась девушка, — видела, как ты прыгаешь.

Я поджала губы, пытаясь придумать наименее сумасбродное объяснение

Гостья покачала головой:

— Говорила я ему, что это случится, но он не верил. «Белла обещала!» — Девушка так здорово копировала голос брата, что я замерла от ужаса: острая боль полоснула исстрадавшееся сердце. — «Не заглядывай в ее будущее, — не унималась Элис. — Мы причинили ей достаточно вреда». Но то, что не заглядываю, еще не означает, что не вижу. Клянусь, Белла, я за тобой не следила. Просто... уже настроена на твою волну, и... увидев, как ты прыгаешь, я недолго думая села на самолет. Хотя и знала, что опаздываю... Приехав сюда, решила: хоть Чарли утешу. И тут появилась ты! — Подруга покачала головой, на этот раз в замешательстве. — Я видела, как ты погружаешься в воду, потом все ждала, что всплывешь... Так и не дождалась. Что произошло? Как ты могла поступить так с Чарли? Хоть на секунду представила, что с ним будет? А с моим братом? По-твоему, как Эдвард...

Услышав заветное имя, я тотчас ее оборвала. При других обстоятельствах я промолчала бы, даже поняв, что гостья появилась по недоразумению, — только бы не смолкал звонкий, как серебряный колокольчик, голос. Но вмешаться пришлось.

— Элис, самоубийство я не планировала.

— Хочешь сказать, что не прыгала со скалы? — недоверчиво спросила девушка.

— Лишь... — Я поморщилась. — Лишь для развлечения.

Элис нахмурилась еще сильнее.

— Я видела, как со скал прыгают друзья Джейкоба, — оправдывалась я. — Показалось очень... забавно, а мне было скучно...

Гостья ждала продолжения.

— Я не думала, что гроза повлияет на течение. Честно говоря, о воде вообще не думала.

Элис не верила. Не сомневаюсь, она по-прежнему считала, что я пыталась покончить с собой. Лучше сменить тему.

— Раз ты видела меня, то как не заметила Джейкоба?

Сестра Эдварда растерянно наклонила голову.

— Если бы не Джейкоб, я бы, наверное, утонула. Он меня нашел и, думаю, сразу вытащил на берег. Точно сказать не могу, потому что потеряла сознание. Под водой провела не больше минуты, а затем он поднял меня на поверхность. Как же ты это не видела?

Элис недоуменно нахмурилась.

— Кто-то вытащил тебя из воды?

— Да, Джейкоб.

Я с любопытством наблюдала, как на бледном лице сменяли друг друга не совсем понятные мне чувства. Гостью что-то беспокоило. Несовершенство ее видения? Кто знает.. Неожиданно она наклонилась и понюхала мое плечо.

Я окаменела.

— Не валяй дурака! — продолжала нюхать Элис.

— Что ты делаешь?

— Кто подвез тебя к дому? — не обратив внимания на мой вопрос, поинтересовалась девушка. — Судя по шуму, вы ссорились.

— Джейкоб Блэк. Он... мой лучший друг. По крайней мере, был. — Перед глазами встало искаженное болью лицо Джейка. Кем теперь его считать?

Поглощенная своими мыслями, Элис рассеянно кивнула.

— Что такое?

— Не знаю... — проговорила она. — Я не знаю, что обозначает этот запах.

— Ну, по крайней мере, я жива!

— Напрасно брат решил, что без нас тебе будет лучше. Я еще не встречала человека более склонного к опасному для жизни идиотизму, чем ты.

— Я же не погибла...

Элис беспокоило что-то другое.

— Если ты не могла справиться с течением, как Джейкобу удалось?

— Он очень... сильный.

Поняв, что я что-то недоговариваю, гостья вопросительно подняла брови.

Я закусила губу. Это тайна или нет? Если тайна то чью сторону принять: Джейкоба или Элис?

Чужие тайны хранить слишком трудно, и, раз Блэку все известно, почему бы не поставить в равное положение Элис Каллен?

— Джейк... вроде оборотня, — выпалила я. — Когда вампиры рядом, квилеты превращаются в волков. Они давно знают Карлайла. Ты была с ним, когда он появился в этих краях?

Глаза Элис стали совсем круглыми.

— Пожалуй, запах этим объясняется, — пробормотала она, — а то, что я его не видела, нет... — Девушка нахмурила белоснежный, как у фарфоровой статуэтки, лоб.

— Какой еще запах? — переспросила я.

— Твой, совершенно ужасный, — рассеянно ответила гостья, по-прежнему хмурясь. — Оборотень? Ты уверена?

— Да, стопроцентно. — Я поморщилась, вспоминая, как на опушке дрались Джейк с Полом. — Значит, ты не была с Карлайлом, когда в Форксе в последний раз видели оборотней?

— Нет, мы встретились позже, — задумчиво покачала головой Элис, а потом, будто очнувшись, ужаснулась: — Твой лучший друг — оборотень?

Я робко кивнула.

— И давно это продолжается?

— Не очень, — оправдывалась я. — Джейк стал оборотнем всего несколько недель назад.

— Молодой оборотень? — разозлилась Элис. — Так даже хуже! Эдвард прав: ты ходячий магнит для неприятностей. Кому было велено себя беречь?

— Оборотни не такие уж плохие, — буркнула я, уязвленная ее критикой.

— Пока держат себя в руках, — покачала головой девушка. — Белла, ты в своем амплуа! После того как вампиры покинули город, любой другой вздохнул бы с облегчением, а ты заводишь дружбу с первыми же попавшимися монстрами.

Спорить с Элис не хотелось, я не могла нарадоваться, что она правда здесь, можно прикоснуться к ее мраморной коже и слушать напоминающий перезвон колокольчиков голос. И все же подруга ошибается.

— Нет, Элис, вампиры не покинули город, по крайней мере, не все. В этом-то и проблема! Если бы не оборотни, Виктория давно бы до меня добралась. А если бы не Джейк с его друзьями, Лоран убил бы меня еще раньше...

— Виктория? — прошипела дочь Карлайла — Лоран?

Я кивнула, слегка обеспокоенная выражением бледного лица.

— Магнит для неприятностей, верно? — Я ткнула себя в грудь.

Уже в который раз гостья покачала головой:

— Расскажи все с самого начала.

Начало пришлось слегка изменить, опустив мотоциклы и звучащие в подсознании голоса, зато я не утаила больше ничего, вплоть до сегодняшнего злоключения. Элис не понравились притянутые за уши объяснения о беспросветной тоске и манящих скалах, поэтому при первой же возможности я перешла к странному пламени среди черных волн и сообщила, что, по моему мнению, оно означало.

Черные глаза девушки превратились в узенькие щелочки. Непривычно было видеть ее такой... опасной, совсем как вампир.

Нервно сглотнув, я перешла к финалу — скоропостижной кончине Гарри.

Сестра Эдварда слушала, не перебивая, лишь изредка качала головой, а морщины на лбу стали такими глубокими, что казалось, навсегда отпечатаются на мраморной коже. Я замолчала и, проникшись чужой болью, искренне горевала о Гарри. Скоро вернется Чарли... В каком он сейчас состоянии?

— Наш отъезд совершенно тебе не помог... — пробормотала Элис.

Я коротко хохотнула — звук получился какой-то истерический.

— Цель-то была не в этом, верно? Вы уехали вовсе не ради меня.

Помрачнев, Элис уставилась в пол:

— Пожалуй, напрасно я поддалась порыву... Вмешиваться не следовало.

Кровь отхлынула от щек, сердце сжалось.

— Не уезжай, — прошептала я и, вцепившись в ворот ее белой блузки, начала задыхаться. — Не бросай меня!

Черные глаза казались огромными.

— Хорошо, — четко проговаривая каждый звук, отозвалась Элис, — сегодня останусь здесь. Давай, сделай глубокий вдох...

Я послушалась, хотя в тот момент толком не понимала, как заставить легкие работать нормально. Пока я приводила в порядок дыхание, Элис внимательно следила за моим лицом.

— Выглядишь ужасно.

— Я чуть не утонула, — пришлось напомнить мне.

— Дело не только в этом. У тебя в голове полный бардак!

Меня даже передернуло.

— Слушай, я стараюсь!..

— О чем ты?

— Пришлось очень нелегко, но я учусь жить поновому.

Гостья нахмурилась.

— Говорила же ему... — пробормотала она.

— Элис, — вздохнула я, — что ты рассчитывала увидеть? Ну, помимо моего бездыханного тела? Думала, я тут песни пою и скачу на одной ножке? По-моему, ты достаточно хорошо меня знаешь...

— Да уж, но просто надеялась...

— Тогда, наверное, не стоит обвинять меня в идиотизме.

Зазвонил телефон.

— Это Чарли! — Вскочив, я схватила каменную ладонь Элис и потащила за собой на кухню. И на секунду глаз с нее не спущу! — Папа!.. — подняв трубку, выпалила я.

— Это я, — проговорил Блэк-младший.

— Джейк!

За мной, не отрываясь, следила Элис.

— Хотел убедиться, что ты жива.

— Все в порядке. Говорю же, это совсем не то...

— Да, понял. Пока! — Он повесил трубку.

Тяжело вздохнув, я запрокинула голову:

— Так, одной проблемой больше...

Девушка взяла меня за руку:

— Похоже, они не рады моему возвращению.

— Не особенно... Хотя это не их дело.

Тонкие, как веточки, руки обняли меня.

— Чем же сейчас заняться? — задумчиво проговорила Элис, обращаясь, видимо, к себе. — Столько дел нужно сделать, столько проблем решить...

— Каких еще дел?

Бледное лицо тут же стало настороженным.

— Пока не знаю... Спрошу Карлайла.

Она хочет уйти?

— Может, останешься? — взмолилась я. — Хоть ненадолго... Мне так тебя не хватало! — Голос сорвался.

— Ну, если хочешь... — Черные глаза стали совсем несчастными.

— Да, хочу! Переночуй у нас — вот Чарли обрадуется!

— Белла, у меня есть дом.

Я кивнула покорно, но с бесконечным разочарованием. В лице пристально следившей за мной Элис что-то дрогнуло.

— Ну, хоть какую-то одежду надо взять...

— Элис, ты чудо! — взвизгнула я, прижимая девушку к себе.

— А еще мне нужно на охоту. Срочно!

— Ой! — Я невольно отпрянула.

— Сможешь хоть час спокойно посидеть дома, не впутываясь ни в какие истории? — с сомнением спросила Элис и, не давая мне ответить, зажмурилась и подняла указательный палец. На несколько секунд лицо стало спокойным и невозмутимым. Открыв глаза, девушка ответила на свой вопрос: — Все будет в порядке, по крайней мере сегодня. — Она скорчила выразительную гримасу, но, даже ерничая, была похожа на ангела.

— Вернешься? — тихо спросила я.

— Через час, обещаю.

Я глянула на стоящие на кухонном столе часы. Рассмеявшись, сестра Эдварда чмокнула меня в щеку и исчезла.

Пытаясь успокоиться, я набрала в грудь побольше воздуха: Элис вернется... Сразу полегчало.

Мне было чем занять себя в ее отсутствие. Прежде всего на повестке дня — душ. Раздеваясь, я обнюхала плечо: вроде бы пахнет только морской солью и водорослями... Интересно, что имела в виду Элис, когда пеняла на плохой запах?

Вымывшись, я вернулась на кухню. Вряд ли Чарли ел в последние несколько часов, значит, приедет голодным. Хлопоча у плиты, я беззвучно напевала что-то.

Пока в микроволновке грелась вчерашняя запеканка, я постелила на диван простыни и старое одеяло. Моей гостье они не нужны, а вот для отца придется устроить спектакль. На часы лучше не смотреть и панику устраивать незачем: Элис обещала!

Ужин я проглотила быстро, даже вкус еды не почувствовала. Пить хотелось гораздо сильнее, и незаметно для себя я осушила полуторалитровую бутыль воды. Огромное количество соли в организме привело к сильному обезвоживанию.

Вымыв посуду, я пошла в гостиную смотреть телевизор.

Элис уже ждала меня, удобно устроившись на застеленном диване. Глаза стали цвета сливочной тянучки. Улыбнувшись, девушка примяла подушку:

— Спасибо!

— Ты так быстро! — обрадовалась я и, присев рядом, положила голову на ледяное плечо.

Крепко обняв меня, Элис вздохнула:

— Белла... Что же нам с тобой делать?

— Не знаю... Я честно старалась изо всех сил!

— Верю...

Гостиную накрыла тишина.

— А... он... — Горло судорожно сжалось: произносить заветное имя про себя я уже отваживалась, но вслух — куда труднее. — Эдвард знает, что ты здесь? — Удержаться не удалось. В конце концов, больно-то будет мне. Когда Элис исчезнет, потихоньку приду в себя... От такой перспективы в глазах потемнело.

— Нет.

М-м-м, это возможно в одном-единственном случае.

— Он не с Карлайлом и Эсми?

— Навещает их раз в два-три месяца.

— А-а... — Понятно, развлекается от души... Лучше спросить о чем-то менее опасном. — Ты вроде сказала, что прилетела на самолете... Откуда?

— Из Денали. У Тани гостила.

— Джаспер тоже здесь? Он с тобой прилетел?

Девушка покачала головой:

— Нет, ему моя идея не понравилась. Мы ведь обещали... — Элис осеклась и заговорила совсем другим тоном: — Слушай, а Чарли ничего не скажет? Ну, по поводу моего появления?

— Элис, папа тебя обожает!

— Вот сейчас и проверим...

Действительно, через пару минут я услышала, как на подъездной аллее остановилась патрульная машина. Я вскочила с дивана и побежала открывать дверь.

Чарли брел по дорожке, сильно ссутулясь, не отрывая глаз от земли. Я бросилась навстречу, но пока не обняла, он даже меня не видел; затем, будто проснувшись, порывисто прижал к себе.

— Мне так жаль Гарри...

— Нам будет очень его не хватать, — пробормотал папа.

— Как Сью?

— В каком-то ступоре, до сих пор не понимает, что произошло. С ней остался Сэм... — Голос Чарли дрожал и звучал то громче, то тише. — Бедные дети! Ли всего на год старше тебя, а Сэту только четырнадцать...

Он покачал головой и, не выпуская меня из объятий, пошел к дому.

— Пап, — решив, что сюрпризы сегодня ни к чему, начала я, — ты не представляешь, кто к нам приехал!

Чарли непонимающе на меня посмотрел, а потом, обернувшись, увидел по ту сторону дороги «мерседес», черная крыша которого лоснилась в ярком свете лампы. Не успел он и рта раскрыть, как в дверях появилась Элис.

— Привет, Чарли! — негромко сказала она. — Простите, что приехала в столь неудачное время.

— Элис Каллен? — Папа вглядывался в стоящую перед ним девушку, будто не веря собственным глазам. — Элис, это ты?

— Да, я. Случайно была неподалеку и решила заглянуть.

— Карлайл тоже?.

— Нет, я одна.

И Элис, и я прекрасно понимали, что на деле речь идет не о Карлайле. Папина рука плотнее обняла меня.

— Можно Элис у нас остановится? Я уже пригласила...

— Конечно! — машинально ответил Чарли. — Элис, мы всегда тебе рады.

— Спасибо, мистер Свон. Понимаю, вам сейчас не до гостей...

— Ну что ты, что ты! В ближайшие дни я буду занят: нужно помочь семье Гарри... Очень хорошо, что Белла не останется одна.

— Пап, ужин на столе, — благодарно сказала я.

— Спасибо, Беллз! — Чарли крепко прижал меня к себе и пошел на кухню.

Мы с Элис снова устроились на диване, только на этот раз она сама положила мне голову на плечо.

— У тебя усталый вид.

— Наверное, — вздохнула я, — после смертельных трюков такое бывает... А что думает о твоем приезде доктор Каллен?

— Карлайл ничего не знает. Они с Эсми на охоте, через несколько дней, когда вернутся, мы должны созвониться.

— Но в следующий приезд... *ему-то* ты ничего не расскажешь? — спросила я, имея в виду не отца Элис.

— Конечно, нет, он мне голову оторвет! — мрачно отозвалась девушка.

Я рассмеялась, а потом тяжело вздохнула.

Тратить время на сон совершенно не хотелось, лучше всю ночь с Элис разговаривать! Да и устать-то с чего, если весь день провалялась на диване Блэков? Но все-таки борьба с течением отняла немало сил, и глаза закрывались сами. Прижавшись к подруге, я погрузилась в такое безмятежное забытье, о каком и мечтать не могла.

Спала долго, без сновидений, а проснулась рано, отдохнувшая и слегка заторможенная. Я на диване, заботливо укрытая одеялом, которое приготовила для Элис. Элис... Серебристый голосок доносился с кухни. Наверное, папа готовит ей завтрак...

— Чарли, как же вы справились? — осторожно спросила Элис, и я подумала было, что речь идет о Клируотерах.

— С огромным трудом.

— Пожалуйста, расскажите, мне важно знать, что именно произошло после нашего отъезда.

Последовала небольшая пауза: хлопнула дверца буфета, щелкнул таймер микроволновки, а я все ждала, съежившись от страха.

— Никогда не чувствовал себя таким беспомощным, — задумчиво начал Чарли, — совершенно не знал, что делать... Первую неделю хотел даже в больницу отвезти! Девочка не ела, не пила, почти не двигалась. Доктор Джеранди сыпал словечками вроде «кататонический ступор», но я не подпускал его к дочке, боялся, что напугает.

— Как же ей удалось вырваться из этого состояния?

— Я попросил Рене увезти ее во Флориду. Не хотелось... самому класть в больницу. Думал, вдруг матери удастся оживить Беллу? Мы уже начали собирать вещи, но она проснулась, да с каким настроем! Никогда не видел, чтобы Белла закатывала истерику, она вообще спокойная, но тут вспылила не на шутку. Швыряла по комнате одежду, кричала, что никто не заставит ее уехать, а потом рыдала так, что сердце разрывалось.

Я подумал: это криз, и не стал спорить, когда она решила остаться. Сначала правда казалось, что дочь идет на поправку...

Папа осекся, а я, зная, сколько боли ему причинила, напряженно вслушивалась в тишину.

— Но? — подсказала Элис.

— Белла вернулась в школу и на работу, ела, спала, делала домашнее задание, отвечала, когда ей задавали вопросы. Но при этом была какой-то... пустой, в глазах ни света, ни тепла. Плюс другие мелкие признаки: перестала слушать музыку — я даже нашел в корзине несколько разбитых дисков, — перестала читать, не оставалась в гостиной, когда там работал телевизор, хотя она и раньше не особо его любила... Потом я сообразил, в чем дело: девочка избегала любого напоминания... о нем.

Мы почти не разговаривали: я страшно боялся расстроить Беллу — ее от любых мелочей в дрожь бросало, а она сама никакой инициативы не проявляла... Спросишь — ответит, и ни слова больше.

Все время сидела одна. Отказывалась общаться с друзьями, и со временем они перестали звонить. Страшнее всего было по ночам — до сих пор слышу, как она кричит во сне...

Даже не заглядывая на кухню, я поняла, что Чарли содрогнулся; от воспоминаний меня саму бросило в дрожь. Потом из груди вырвался тяжелый вздох: думала, что провела отца, а он все знал с первой до последней минуты.

— Чарли, мне очень жаль, — проговорила Элис.

— Тебе извиняться не за что. — По папиному тону ясно, кого он считает виноватым. — Ты всегда была ей настоящей подругой.

— Но сейчас-то все наладилось.

— Да, с тех пор как Белла начала общаться с Джейкобом Блэком, я заметил улучшение. Щеки румяные, глаза блестят, домой возвращается довольная... — Чарли помолчал, а потом заговорил совсем иначе: — Парень года на полтора моложе, и дочь считает его просто другом, однако, по-моему, дело тут посерьезнее. Если не сейчас, то все к этому идет... — Папин голос звучал чуть ли не вызывающе: таким образом он предостерегал — не саму Элис, а тех, кого она рано или поздно увидит. — Джейк заботится об отце точно так же, как Белла когда-то о своей матери, а может, и больше, потому что Билли — инвалид. Благодаря этому парень рано повзрослел, да и внешне он очень ничего. В общем, для Беллы лучшей кандидатуры не подобрать, — не унимался папа.

— Значит, хорошо, что они сошлись, — согласилась Элис.

Чарли шумно выдохнул: не встретив сопротивления, он растерял весь пыл.

— Ну, пожалуй, я немного преувеличиваю... Знаешь, даже с Джейкобом я то и дело замечаю в ее глазах нечто непонятное и гадаю, сколько же боли на душе у дочери. Она ведет себя странно, Элис. Очень, очень странно... Будто не рассталась с парнем, а... похоронила его... — Папа осекся.

Я действительно похоронила — себя и свою душу, потому что потеряла не только самую сильную на свете любовь, хотя одно это могло погубить любую девушку. Я потеряла будущее, семью. Целую жизнь, к которой так стремилась...

— Не уверен, что Белла сможет оправиться, — безнадежно продолжал Чарли. — Кто знает, по силам ли ей подобное... Она ведь девушка консервативная. Всегда долго переживает, вкусы и убеждения менять не любит.

— Ваша дочь необыкновенная! — подыграла гостья.

— А еще... — замялся Чарли. — Элис, ты знаешь, как я к тебе отношусь, и вижу: Белла рада твоему появлению, но... я немного беспокоюсь о последствиях.

— Я тоже, мистер Свон. Знала бы, каково ей, не решилась бы приехать. Простите.

— Не извиняйся, милая! Вдруг это даже к лучшему?

— Надеюсь, вы правы.

Тишина прерывалась стуком вилок по тарелкам и шумным чавканьем Чарли. Интересно, куда моя подруга прячет еду?

— Хотел тебя кое о чем спросить... — неловко начал отец.

— Давайте, — спокойно проговорила Элис.

— Он ведь сюда не приедет? — В папином голосе звенел готовый вырваться на свободу гнев.

Ответ девушки получился мягким, чуть ли не обнадеживающим:

— Ему даже не известно, что я здесь. В последний раз, когда мы разговаривали, он был в Южной Америке.

Неожиданно получив новую информацию, я насторожилась и прислушалась.

— Какой молодец! — фыркнул Чарли. — Надеюсь, развлекается как следует!

Впервые с начала разговора в голосе Элис зазвенела сталь.

— Я бы не спешила с выводами, мистер Свон! — сказала она, наверняка сверкнув черными глазами.

Громко заскрипел стул, и я сразу представила, как встает Чарли, — вряд ли столько шума подняла Элис! Потом открыли кран, послышался плеск воды и звон посуды.

Похоже, об Эдварде больше говорить не будут, значит, можно вставать.

Я перевернулась на другой бок, стараясь, чтобы заскрипели пружины дивана, и громко зевнула.

На кухне замолчали.

Я сладко потянулась, из груди вырвался полустон-полувсхлип.

— Элис! — невинно позвала я. Голос скрипучий — то, что надо для моего маленького спектакля.

— Белла, я на кухне! — отозвалась подруга, будто не подозревая, что я подслушивала. Впрочем, она актриса первоклассная.

Папе вскоре пришлось уйти — он помогал Сью Клируотер готовиться к похоронам, так что без Элис я бы мучилась бездельем. Об отъезде она не заговаривала, а я не напоминала. Чему быть, тому быть, зачем думать об этом каждую минуту?

Зато мы обсуждали ее родственников — всех, кроме одного.

Карлайл ночами работал в одном из госпиталей Итаки и читал лекции в Корнеллском университете. Эсми помогала восстанавливать особняк постройки семнадцатого века — исторический памятник, обнаруженный в лесу к северу от города. Эмметт с Розали летали в Европу на второй медовый месяц, недавно вернулись. Джаспер учился в университете на философском факультете, а сама Элис занималась исследованиями личного характера, основываясь на фактах, которые прошлой весной неожиданно узнала я. Она отыскала психиатрическую больницу, где провела последние годы человеческой жизни. Той, что совсем не помнила.

— Меня звали Мэри Элис Брэндон, — невозмутимо сообщила она. — А мою младшую сестру — Синтия... Ее дочь, то есть моя племянница, до сих пор живет в Билокси.

— Выяснила, почему тебя поместили в то... заведение?

Что толкнуло родителей на крайние меры? Пусть даже их дочь видела будущее...

Девушка покачала головой, цвета золотистых топазов глаза стали задумчивыми.

— О них я почти ничего не узнала, хотя просмотрела все старые газеты на микрофишах. Моих родственников упоминали редко: они не принадлежали к кругу, о котором пишут журналисты. Есть сообщение о свадьбе родителей, о свадьбе Синтии тоже. — Имя сестры подруга произнесла как-то неуверенно. — О моем рождении, потом о смерти... Я и могилу нашла, а еще стащила из больничного архива историю болезни. Дата поступления в больницу совпадает с датой на надгробии.

Я не знала, что сказать, и после небольшой паузы Элис заговорила о менее тягостных вещах.

За исключением одного, Каллены снова были вместе и проводили весенние каникулы в Денали с Таниной семьей. Даже самые незначительные новости я слушала с огромным интересом. О том, кто волновал меня больше всего, Элис не заговаривала, за что я была ей очень благодарна. Счастье уже то, что она рассказывает про семью, к которой мне так хотелось примкнуть.

Чарли вернулся после наступления темноты, измотанный еще больше вчерашнего. Следующим утром предстояло ехать в резервацию на похороны Гарри, и он рано ушел к себе. Мы с Элис снова ночевали в гостиной.

Папа казался каким-то чужим, когда еще до рассвета спустился в гостиную. На нем был старый костюм, который я никогда не видела. Пиджак расстегнут: наверное, уже не сходится, а такие широкие галстуки давно не носят. Стараясь нас не разбудить, Чарли на цыпочках подошел к двери. Притворившись спящей, я дала ему спокойно уйти, устроившаяся в раскладном кресле Элис сделала то же самое.

Не успела дверь закрыться, как моя гостья резко села, а когда откинула одеяло, оказалось, что она полностью одета.

— Ну, чем сегодня займемся?

— Не знаю. Ты видишь в окрестностях города что-нибудь интересное?

Девушка улыбнулась и покачала головой:

— Еще слишком рано!

В последнее время я целыми днями пряталась в Ла-Пуш и успела порядком забросить хозяйственные дела. Нужно хоть сегодня наверстать упущенное и как-нибудь порадовать Чарли: может, если вернется в чистый, аккуратный дом, ему станет немного легче? Начать лучше с ванной: почему-то она выглядит самой запущенной.

Пока я мыла кафель, Элис, облокотившись на дверной косяк, расспрашивала (правда без особого интереса), чем мои, то есть наши, одноклассники занимались во время ее отъезда.

Бледное лицо казалось бесстрастным, но я чувствовала неодобрение: рассказать почти нечего и подруге это не нравилось. Или у меня просто угрызения совести за подслушанный разговор?

Оттирая пол, я в буквальном смысле была по локоть в «Комете», когда в дверь позвонили.

Мельком взглянув на гостью, я заметила: она озадачена, чуть ли не встревожена. Ничего себе: разве Элис Каллен врасплох застанешь?

— Минутку! — выглянув на лестницу, прокричала я, быстро поднялась и ополоснула руки.

— Белла! — В голосе Элис слышалось разочарование. — Я догадываюсь, кто это, и думаю, мне лучше уйти.

— Догадываешься? — недоверчивым эхом отозвалась я. С каких пор ей понадобились догадки?

— У меня провал в ясновидении — так же, как и вчера, значит, скорее всего, это Джейкоб Блэк и его... друзья.

Пытаясь осмыслить услышанное, я смотрела на нее во все глаза.

— Ты не видишь оборотней?

— Выходит, так, — скорчила гримасу Элис. Похоже, она раздосадована, очень-очень раздосадована.

В дверь снова позвонили: несколько раз подряд, гневно и нетерпеливо.

— Элис, ты не обязана никуда уходить, ты первая пришла!

Моя гостья засмеялась серебристым переливчатым смехом, но как-то безрадостно:

— Уверяю тебя, нам с Джейком в одной комнате лучше не оставаться!

Чмокнув меня в щеку, девушка скрылась в спальне Чарли, а там наверняка заднее окно открыто...

Еще один звонок.

Глава восемнадцатая

ПОХОРОНЫ

Спустившись на первый этаж, я распахнула дверь.

Конечно, Джейкоб!

Даже временно лишенная своего дара, Элис не ошиблась.

Неприязненно сморщив нос, парень стоял метрах в двух от двери. Старался быть спокойным, лицо бесстрастно, как маска, но меня не проведешь, заметила, как ладони трясутся!

Джейкоб буквально источал враждебность. Вспомнив день, когда он предпочел мне Сэма Адли, я вызывающе подняла подбородок.

У тротуара урчал на холостом ходу «Рэббит». За рулем — Джаред, на пассажирском сиденье — Эмбри. Нетрудно догадаться, что это значит. Братья боялись отпускать Джейкоба одного.

Я почувствовала грусть и небольшое раздражение. Каллены совершенно не такие.

— Привет! — решила я прервать затянувшееся молчание.

Не приближаясь к двери, Джейкоб поджал губы. Темные глаза шарили по прихожей.

— Ее нет, — стиснув зубы, процедила я. — Что тебе нужно?

— Ты одна? — недоверчиво переспросил индеец.

— Да...

— Можно зайти на минутку?

— Конечно, можно! Заходи!

Блэк обернулся на сидящих в машине приятелей. Эмбри чуть заметно кивнул, и по какой-то причине это меня взбесило.

— Трус! — чуть слышно прошипела я.

Джейк скользнул по мне взглядом: темные брови над глубоко посаженными глазами угрожающе изогнулись. Нахмурившись, он прошествовал — иначе и не скажешь — мимо меня в дом.

Прежде чем захлопнуть дверь, я смерила глазами сначала Джареда, потом Эмбри. Тяжелый пристальный взгляд индейцев страшно не понравился: они что, думают, я кому-то позволю обидеть Джейкоба?

Блэк застрял у двери, глядя на подушки и брошенные на пол одеяла.

— Девичник с ночевкой? — саркастически усмехнулся он.

— Ага, — не менее язвительно отозвалась я. Ненавижу, когда Джейк разговаривает таким тоном. — А тебе-то что?

Он вновь наморщил нос, будто почувствовав неприятный запах.

— Где твоя «подружка»? — В голосе столько яда, что я слышала кавычки у последнего слова.

— Ушла по делам. Джейк, ты зачем пришел?

Что-то в гостиной его сильно нервировало: длинные руки мелко затряслись. Мой вопрос так и остался без ответа: индеец прошел на кухню, не переставая шарить повсюду глазами.

Бросившись следом, я увидела, как он расхаживает взад-вперед вдоль разделочного столика.

— Эй, — встав на пути, окликнула я. Блэк наконец остановился и посмотрел на меня. — В чем дело?

— Мне здесь не нравится!

Как обидно... Я поморщилась, а незваный гость пронзил меня тяжелым взглядом.

— Очень жаль... Тогда почему бы не объяснить, в чем дело, и поскорее уйти?

— У меня всего пара вопросов. Много времени не займу, нам нужно вернуться до похорон.

— Ладно, давай выкладывай! — Возможно, я слегка перегибала со своей враждебностью, просто не хотелось, чтобы Джейк видел, как мне больно. Да, я вела себя неправильно. Ведь это я вчера ночью предпочла ему кровопийцу. Я первой причинила боль.

Джейк глубоко вздохнул, и крупные ладони тут же перестали дрожать. Лицо превратилось в безмятежную маску.

— В этом доме остановился кто-то из Калленов...

— Да, Элис.

Индеец задумчиво кивнул:

— Долго она пробудет?

— Сколько сама захочет. — В моем голосе до сих пор звучала воинственность. — Сроков мы не обговаривали.

— Может, попробуешь... то есть, пожалуйста, расскажи ей про ту рыжую... Викторию!

— Уже рассказала.

Блэк кивнул:

— Имей в виду, в присутствии Калленов мы можем нести дозор только на своих землях. В полной безопасности ты будешь лишь у нас в Ла-Пуш. Здесь я больше не смогу тебя защитить.

— Ясно... — чуть слышно отозвалась я.

Джейк повернулся к окну заднего фасада, но продолжать не спешил.

— Это все?

— Еще один момент...

— Ну? — устав слушать тишину, подсказала я.

— Остальные теперь тоже приедут?

Поразительным спокойствием он напоминал Сэма. С каждым днем мой приятель все больше похож на Адли... Интересно, почему это меня коробит?

Теперь пришел мой черед отмалчиваться, а Джейк, обернувшись, окинул меня проницательным взглядом.

— Так что? — поинтересовался он, с трудом пряча напряжение за внешней невозмутимостью.

— Нет, — с огромным сожалением ответила я, — они не вернутся.

На широком лице не дрогнул ни один мускул.

— Хорошо... У меня все.

Утопая в волнах раздражения, я гневно на него посмотрела:

— Давай беги! Передай Сэму: жуткие монстры за вами не явятся!

— Хорошо, — как ни в чем не бывало повторил Блэк.

Похоже, действительно все: Джейкоб быстрым шагом уходил с кухни... Я прислушалась: сейчас хлопнет входная дверь. Нет, тишина, лишь над плитой тикают часы. Надо же, он двигается совсем бесшумно.

Настоящая катастрофа! В рекордно короткие сроки мы стали врагами... Как же так вышло?!

Интересно, после отъезда Элис он меня простит? А вдруг нет?

Облокотившись на стол, я закрыла лицо руками. Боже, снова все испортила... Но разве можно было поступить иначе? Как же я должна была себя вести?

— Белла? — с тревогой позвал Блэк.

Убрав от лица руки, я увидела: Джейкоб переминается с ноги на ногу у кухонной двери. Значит, не ушел, мне только показалось. Лишь заметив на ладонях прозрачные капли, я поняла, что плачу.

Невозмутимого спокойствия Джейкоба как не бывало: на его лице неуверенность и смущение. Несколько быстрых шагов, и он уже стоял рядом и заглядывал мне в глаза.

— Что, дубль два?

— Какой еще дубль? — срывающимся голосом спросила я.

— Ну, я о том, что снова не сдержал слово. Прости!

— Все нормально, — пролепетала я. — На этот раз я первая начала.

Блэк скривился.

— Я знал, как ты к ним относишься. Нечего было удивляться... — В темных глазах вспыхнуло отвращение.

Захотелось рассказать, какая Элис на самом деле, объяснить, что его мнение ошибочно, но в последний момент показалось: сейчас не время.

— Извини, — вместо этого шепнула я.

— Не будем об этом беспокоиться, ладно? Она просто приехала в гости! Уедет — все вернется на круги своя.

— Разве мне нельзя одновременно дружить с вами обоими? — спросила я, уже не скрывая ни боли, ни разочарования.

— Нет, — покачал головой Джейкоб, — боюсь, что нельзя.

— Ты ведь подождешь? Будешь со мной дружить, несмотря на то что Элис я тоже люблю?

Глаза лучше не поднимать, лучше не видеть, как он реагирует на вопрос!

Джейк молчал.

— Люби, кого хочешь, — прохрипел он, — я всегда буду твоим другом.

— Обещаешь?

— Обещаю!

Парень крепко меня обнял, и, прижавшись к его груди, я всхлипнула:

— Такая мерзкая ситуация...

— Да уж... — Он понюхал мои волосы и фыркнул: — Фи!

— Что такое?! — возмутилась я, когда, подняв голову, увидела, что он морщит нос. — Почему все кривятся? От меня ничем не пахнет!

— Ты пахнешь, как они, — ухмыльнулся Джейк. — Фи-и! Такой приторный аромат и... ледяной, даже ноздри жжет.

— Правда? — Как странно: сестра Эдварда пахнет восхитительно, по крайней мере с точки зрения человека. — Тогда почему Элис мой запах не понравился?

Ухмылка тотчас исчезла.

— Хм, значит, от моего ее вообще замутит!

— По-моему, вы оба отлично пахнете. — Я снова прижала голову к груди Джейка. Сейчас он уйдет, и мне будет страшно его не хватать. Надо же, какое безвыходное положение: с одной стороны, хочу, чтобы Элис осталась навсегда. Без нее я, к сожалению, образно, а не в прямом смысле, умру. Но как жить без Джейка? Катастрофа, настоящая катастрофа!

— Я скучаю по тебе, — вторя моим мыслям, прошептал Джейк. — Каждую минуту! Надеюсь, она скоро уедет.

— Джейк, мы не должны загонять себя в такие рамки!

— Нет, Белла, должны! — вздохнул мой при ятель. — Ты... ее любишь, так что я должен держаться от вас подальше. Не уверен, что у меня хватит выдержки со всем справиться... Нарушу соглашение — Сэм взбесится, а ты.. — в голосе появился сарказм, — ты тоже не обрадуешься, если я убью твою подругу.

Услышав такое, я в ужасе отпрянула но Джейкоб, крепко сжимая меня в объятиях, не выпускал.

— Беллз, от правды не спрячешься! Жизнь такая, какая есть.

— Мне такая жизнь не нравится!

Высвободив одну руку, Джейк повернул мое лицо к себе:

— Скольких проблем не существовало, когда мы оба были просто людьми, правда?

Я вздохнула.

Показавшуюся бесконечной минуту мы молча наблюдали друг за другом. Красновато-коричневая ладонь Блэка обжигала кожу. Я знала, на моем лице — задумчивая грусть — не хотелось говорить ему «прощай» даже на короткий промежуток времени. Сначала в темных глазах отражалась моя тоска, но время шло, никто из нас взгляд не отводил, постепенно лицо Джейка начало меняться.

Разжав объятия, он аккуратно провел кончиками пальцев по моей щеке, будто скулы очерчивал. Чувствовалось, как дрожат его руки, только на этот раз не от гнева. Вот виска коснулась вторая ладонь, и все лицо оказалось в обжигающей ловушке.

– Белла! – прошептал он.

Я будто окоченела.

Нет решение еще не принято! Неизвестно, смогу ли я это сделать, а времени на обдумывание нет... Хотя наивно предполагать что если я его сейчас оттолкну, никаких последствий не будет.

Я окунулась в карие глаза: пока Джейкоб не мой, однако все может измениться. Лицо такое знакомое и дорогое! Если сойти с небес на землю, то я люблю его, он моя каменная стена, моя тихая гавань. Захочу — и этот парень будет принадлежать мне.

Элис заехала в гости, но что это изменит? Любовь умерла, принц не вернется, чтобы поцелуем меня разбудить. Да и я не принцесса... Что говорится в сказке о других поцелуях? О самых обычных, мирских, которыми никаких чар не разрушить?

Вдруг будет так же легко, как держать его за руку или греться в крепких объятиях? Вдруг будет очень приятно? Вдруг это не похоже на предательство... Да и кого я предаю? Только саму себя...

Прожигая взглядом, Джейкоб медленно наклонялся ко мне.

Что же делать? Что же делать? Что же делать?

Пронзительная телефонная трель напугала нас обоих, но решимость Джейкоба не ослабила. Отпустив мою щеку, он ловко поднял трубку, однако вторая ладонь не давала вырваться из плена. Темные глаза будто к месту пригвоздили. Смущенная и сбитая с толку я не то чтобы освободиться, даже воспользоваться благоприятной ситуацией не смогла.

— Дом семьи Свон, слушаю вас! — Сиплый голос Блэка звучал четко и ясно, как у диктора.

Невидимый собеседник что-то сказал, и в долю секунды мой друг изменился до неузнаваемости лицо превратилось в маску глаза потухли Я была готова поставить жалкие остатки своих сбережений на то, что звонит Элис

— Его не — отрезал Джейкоб и получилось довольно угрожающе

Последовал короткий ответ видимо, звонивший решил узнать подробности, потому что Блэк неохотно сообщил

— Он на похоронах

Затем Джейкоб повесил трубку

— Чертов кровопийца! — сквозь зубы пробормотал он, а когда повернулся ко мне, на лице снова застыла маска, изображающая горечь и озлобленность.

— С кем ты разговаривал? Почему бросил трубку? — задыхалась я от гнева — Это мой дом и мой телефон!

— Тише ты, он первый отсоединился

— Он? Кто звонил?

— Доктор Карлайл Каллен, — с презрением произнес Джейк.

— Почему ты не дал мне с ним поговорить?

— Потому что он сам не хотел, — холодно пояснил Джейкоб. Лицо его стало спокойным, непроницаемым, зато руки дрожали — Каллен спросил, где Чарли, и я ответил. По-моему правила хорошего тона не нарушены

— Послушай меня, Джейкоб Блэк.

Увы меня не слушали. Джейк оглянулся, будто его позвали из соседней комнаты. Глаза расширились, тело напряглось, а потом задрожало мелкой дрожью. Поддавшись порыву, я тоже сосредоточилась, но ничего не уловила.

— Пока, Беллз! — проговорил он и повернулся к входной двери.

— В чем дело? — бросилась следом я и, не рассчитав скорость, врезалась в него.

Сквозь зубы бормоча ругательства, парень обернулся. Он толкнул меня совсем несильно, но я, споткнувшись, упала на пол.

— Эй, больно! — воскликнула я, когда Джейк одним движением высвободился.

Пока я поднималась, он рванул было к двери черного хода, потом внезапно замер.

На ступеньках неподвижно стояла Элис.

— Белла... — прохрипела она.

Кое-как встав, я, пошатываясь, шагнула к ней. Темные глаза словно застыли, лицо осунулось и мертвенно побелело, худенькое тело судорожно вздрагивало.

— Элис, что случилось? — испуганно спросила я и, пытаясь успокоить подругу, прижала к ее бледной щеке ладонь.

Пылающий болью взгляд будто пригвоздил месту.

— Эдвард... — слетело с бескровных губ.

Тело отреагировало быстрее, чем разум осмыслил суть ее ответа. Сначала я даже не поняла, почему комната кружится и откуда взялся шум в ушах. Пока мозг нащупывал связь между унылым лицом подруги и Эдвардом, тело уже раскачивалось, пытаясь спастись от реальности в плену бессознательного состояния.

Лестница наклонилась под невероятным углом, и я неожиданно услышала голос Джейкоба, бормочущего ругательства. Фи, как грязно он выражается! Новые друзья плохо на него влияют.

Через секунду я уже лежала на диване, хотя как до него добралась, не помнила. Джейк продолжал сквернословить. Казалось, гостиную сотрясают подземные толчки; по крайней мере, диван подо мной так и дрожал.

— Что ты с ней сделала? — набросился на Элис Джейкоб.

Девушка и бровью не повела.

— Белла, Белла, скорее приди в себя! Нам надо спешить...

— Держись от нее подальше! — прорычал мой приятель.

— Джейкоб Блэк, немедленно успокойся! — приказала Элис. — Ты ведь не хочешь сделать это при ней!

— Я умею владеть собой, — возразил парень уже не так запальчиво.

— Элис, что случилось? — слабым голосом спросила я, хотя ответ слышать совершенно не хотела.

— Не знаю! — неожиданно пожаловалась она. — Что творит твой приятель?!

Несмотря на головокружение, я сумела встать. Надо же, оказывается, я держусь за руку Джейкоба и трясется не диван, а он.

Когда взгляд в очередной раз упал на Элис, девушка доставала из кармана маленький серебристый телефон. Пальчики быстро-быстро забарабанили по клавиатуре.

— Роуз, мне нужно срочно поговорить с Карлайлом! Хорошо, пусть перезвонит сразу, как вернется... Нет, прилечу на самолете. От Эдварда новостей нет?

Девушка внимательно слушала сестру, я смотрела нее и с каждой секундой мне становилось все страшнее и страшнее. Бескровные губы изогнулись в крошечную О, серебристый телефон затрясся.

— Почему? — вопрошала подруга. — Зачем ты так поступила, Розали?

Не знаю, каким был ответ, но лицо Элис перекосилось от гнева. Сузившиеся глаза метали молнии.

— Милая, ты в обоих случаях просчиталась, придется теперь расхлебывать, — съязвила младшая сестра Эдварда. — Да, именно... Она в полном порядке, я ошиблась... Долго рассказывать... В этом плане ты тоже не права, поэтому и звоню... Да, видение было именно таким.

Голос моей гостьи звучал беспощадно, губы скривились, обнажив чуть ли не звериный оскал.

— Ты опоздала, Роуз! Прибереги свое раскаяние для тех, кто в него верит! — Молниеносное движение — и сотовый захлопнулся.

Девушка подняла полные боли глаза.

— Элис, — не теряя ни секунды, выпалила я. Нужно выиграть немного времени, буквально чуть-чуть, прежде чем она заговорит и ее слова разрушат то, что осталось от моей жизни. — Элис, знаешь, Карлайл-то вернулся! Он звонил буквально...

В темных глазах полное недоумение.

— Когда именно? — глухо спросила она.

— Буквально за минуту до твоего появления.

— И что сказал? — Элис сосредоточилась, с нетерпением ожидая моего ответа.

— Я сама с ним не разговаривала...

Темные глаза-рентгены повернулись к Блэку. Он вздрогнул, но, вместо того чтобы отойти от дивана, неловко присел, будто пытаясь загородить меня своим телом.

— Он попросил Чарли, а я объяснил, что мистера Свона нет.

— И все? — ледяным голосом допытывалась Элис.

— Потом он бросил трубку, — выпалил Блэк, по спине которого растекалась дрожь, понемногу передававшаяся и мне.

— Ты сказал, что Чарли на похоронах, — напомнила я.

— Можешь дословно повторить его слова? — повернулась ко мне Элис.

— Джейк сказал: «Его нет», потом Карлайл спросил, где папа, и он ответил: «На похоронах».

С глухим стоном Элис рухнула на колени.

— Скажи, в чем дело!

— Это был не Карлайл! — с отчаянием проговорила она.

— Утверждаешь, что я лгу? — огрызнулся сидящий рядом со мной Джейкоб.

Не обратив на него ни малейшего внимания, Элис заглянула в мое озадаченное лицо.

— Звонил Эдвард, — с трудом проговорила она. — Он уверен, что ты умерла.

Мысли понеслись бешеным потоком. Я боялась услышать совсем не это, и облегчение помогло немного разобраться в ситуации.

— Розали передала ему, что я покончила с собой? — почти успокоившись, спросила я.

— Да, — кивнула Элис, и темные глаза сурово вспыхнули. — В защиту сестры могу сказать, что она положилась на меня. Но искать брата специально для того, чтобы сообщить эту новость! Она что, не думает... или не понимает...

— Значит, позвонив сюда, Эдвард решил, что речь идет о моих похоронах! — догадалась я. Надо же, любимый голос был совсем близко... Я впилась ногтями в широкую ладонь друга, а тот даже не шелохнулся.

Элис удивилась.

— Похоже, ты совсем не расстроена, — прошептала она.

— Подумаешь, небольшая путаница! Ничего непоправимого не произошло... Кто-нибудь ему объяснит, что на самом деле... — Я осеклась: темно-карие глаза задушили готовые вырваться слова.

Чего Элис боится? Почему ее лицо перекосилось от жалости и страха? Что такого сказала ей Розали? Что-то о видениях... Розали мучается раскаянием... Случись беда со мной, совесть красавицы была бы спокойна. А вот если причинить боль своей семье, младшему брату...

— Белла, — прошептала Элис, — Эдвард не позвонит... Он ей поверил.

— Я. Не. Понимаю. — Слова слетали с губ без единого звука, словно испуганные птички. Для нормальной, выражающей мысль фразы в легких не хватало воздуха.

— Он направился в Италию.

Чтобы понять, в чем дело, хватило и доли секунды.

В подсознании снова послышался голос Эдварда, но, увы, звучал он совсем не так божественно, как в галлюцинациях. Память выдавала лишь слабое, начисто лишенное музыкальности эхо. Слова сами по себе врезались в грудь, оставляя в ней зияющие раны. Слова из эпохи, когда я могла поставить все свое и даже чужое имущество на то, что он меня любит.

«Без тебя я жить не собирался, — заявил Эдвард в этой самой комнате, когда мы смотрели, как умирают Ромео и Джульетта, — только как и что делать, не знал... Само собой, Эмметт с Джаспером помогать бы не стали. Вот я и подумал: может, направиться в Италию и каким-то образом спровоцировать Вольтури... Вольтури раздражать не рекомендуется — если, конечно, не хочешь умереть...»

Если не хочешь умереть...

— НЕТ! — После шепота и многозначительных взглядов звериный, вырвавшийся из груди крик не на шутку напугал присутствующих. Мои щеки побагровели — я догадалась, что было в видениях Элис. — Нет! Нет! Нет! Он не может, не должен...

— Окончательное решение брат принял после того, как юный мистер Блэк подтвердил: тебя не спасти.

— Но ведь он... уехал. Я ему надоела... Так что какая разница? Эдвард знал: рано или поздно я умру.

— Вряд ли он планировал надолго тебя пережить, — тихо проговорила Элис.

— Да как он смеет! — вскочив на ноги, орала я, а Джейкоб неуверенно поднялся, чтобы снова заслонить меня от подруги.

— Прочь с дороги, Джейкоб! — Я с остервенением оттолкнула его. — Что нам делать? — В моем голосе звенела самая настоящая мольба: должен же быть какой-то выход! — Разве позвонить ему нельзя?

Девушка покачала головой:

— Пробовала... Брат швырнул сотовый в мусорный бак посреди Рио, и его уже подобрали... Мне ответил кто-то чужой.

— Пять минут назад ты сказала: надо спешить. Куда спешить? Давай сделаем то, что ты хотела!

— Белла, я... я не знаю, могу ли тебя просить... — договорить Элис не решилась.

— Проси! — потребовала я.

Словно пытаясь удержать на месте, девушка обняла меня и, подчеркивая то или иное слово, сжимала сильнее.

— Возможно, мы уже опоздали. Я видела, как он идет к Вольтури и... умоляет о смерти. — От ужаса мы обе съежились, а у меня будто глаза запорошило: борясь со слезами, я часто-часто моргала. — Все зависит от их решения. Окончательный вердикт мне откроется, лишь когда они его примут.

Скажут «нет» — а это вполне вероятно: Аро очень близок с Карлайлом и не захочет сделать ему больно, — у Эдварда есть план Б: Вольтури всеми правдами и неправдами защищают свой город, любой нарушитель покоя будет тотчас остановлен. Брат совершенно прав: они поступят именно так.

Стиснув зубы от бессилия, я смотрела на Элис: она до сих пор не объяснила, почему мы торчим здесь, а не спешим на помощь Эдварду.

— Получается, если Вольтури удовлетворят его просьбу, мы опоздали. Если скажут «нет» и он быстро придумает нарушение — тоже опоздали. А вот окажись план изощреннее, тогда, возможно, мы получим отсрочку.

— Так пошли!

— Белла, послушай! Успеем или нет, мы окажемся в самом сердце города Вольтури. Если Эдвард осуществит свой план, меня сочтут сообщницей. Ты же вообще смертная, которая слишком много знает да еще пахнет восхитительно. Весьма вероятно, что нас обеих просто устранят, хотя в твоем случае это будет не наказание, а скорее трапеза.

— Что же мы время теряем? — вырвалось у меня. — Если боишься, поеду одна. — Я мысленно подсчитала оставшиеся на счету деньги. Надеюсь, Элис одолжит недостающую сумму.

— Боюсь, для тебя эта затея чревата гибелью..

— Знаешь, у меня тут чуть ли не каждый день чреват гибелью... Говори, что делать!

— Напиши записку Чарли, а я позвоню в аэропорт.

— Чарли... — вздохнула я.

Не то чтобы мое присутствие оберегало отца, но оставлять его здесь одного перед лицом такой опасности...

— Я пригляжу за Чарли, не волнуйся! — раздраженно пообещал Джейкоб. — К черту соглашение!

Я выразительно посмотрела на товарища.

— Скорее, Белла, скорее! — прервала наш безмолвный диалог Элис.

Бросившись на кухню, я один за другим открывала ящики и вываливала их содержимое на пол. Ручку, срочно ручку!.. Джейкоб нашел ее первым и протянул мне.

— Спасибо! — буркнула я, сдирая колпачок зубами. Вслед за ручкой парень отыскал блокнот, где мы записывали телефонные сообщения. Оторвав страницу, я отшвырнула его подальше.

«Папа! Эдвард в беде, поэтому мне придется уехать с Элис. Когда вернусь, сотрешь меня в порошок: понимаю, время выбрала наихудшее. Прости... Очень тебя люблю, Белла».

— Не уезжай! — прошептал Джейкоб. В отсутствие Элис гнева и напускной бравады как не бывало.

Тратить время на пустые споры совершенно ни к чему.

— Прошу, пожалуйста, позаботься о Чарли! — умоляла я, бросаясь обратно в гостиную. Элис с сумкой через плечо уже ждала у входной двери.

— Захвати бумажник — понадобится удостоверение личности... Ради всего святого, надеюсь, у тебя есть паспорт, потому что изготовить фальшивый я уже не успею!

Кивнув, я помчалась в свою комнату. От благодарности даже в глазах потемнело: спасибо маме, пожелавшей выйти замуж за Фила на мексиканском побережье! Естественно, этот план, как и многие другие, с блеском провалился, но уже после того, как я оформила необходимые документы.

Влетев в комнату, я кинула в рюкзак старый бумажник, чистую футболку со спортивными брюками, а на самый верх — зубную щетку. Скорее, скорее! К этому моменту ощущение дежавю стало просто невыносимым. В отличие от прошлого раза, когда я бежала из Форкса, спасаясь от голодных вампиров, а не спешила в их логово, по крайней мере, не нужно прощаться с папой.

Перед распахнутой дверью ругались Элис с Джейкобом. Надо же, близко друг к другу не подходят, да на таком расстоянии вообще разговаривать невозможно! Моего возвращения даже не заметили.

— Допустим, тебе в большинстве случаев удается сдерживаться, но те червяки, итальянские пиявки, к которым ее везешь... — брызгал слюной Джейкоб.

— Да, ты прав, щенок! — огрызнулась Элис. — Можно сказать, Вольтури олицетворяют нашу сущность. Из-за таких, как они, у тебя волосы дыбом встают, когда ты чувствуешь мой запах. Я же понимаю: Аро, Кай и Марк — воплощение кошмаров и животного страха, что пропитывает все твои инстинкты!

— И ты везешь Беллу к этим кровопийцам, словно бутылку вина на праздник?

— По-твоему, лучше бросить ее здесь, на съедение Виктории?

— С рыжей мы справимся!

— Так почему она до сих пор жива?

Джейк зарычал, его грудь мелко-мелко задрожала.

— Прекратите! — сгорая от нетерпения, заорала я на обоих. — Вернемся, тогда ругайтесь на здоровье, а сейчас некогда...

Элис побежала к машине, двигаясь так быстро, что человеческим взглядом уследить за ней было невозможно. Я бросилась за ней, но машинально остановилась, чтобы запереть дверь.

Блэк зажал мою руку в дрожащих ладонях:

— Пожалуйста, Белла, умоляю!

В темных глазах блестела влага, и я нервно сглотнула:

— Джейк, я должна...

— Ничего ты не должна, абсолютно ничего! Ты можешь никуда не уезжать, можешь остаться в живых. Ради Чарли... Ради меня...

«Мерседес» Карлайла заурчал сначала мерно, потом, когда нетерпеливая Элис добавила мощность, громко и отрывисто.

Я покачала головой — от резких движений из глаз покатились слезы — и вырвала руку; Джейкоб даже не сопротивлялся.

— Белла, постарайся не погибнуть, — прохрипел он, — пожалуйста!

Что, если мы больше не увидимся?

От этой мысли слезы потекли еще сильнее, грозя перерасти в истерику. Обняв Джейка, я на секунду прижала его к себе и спрятала заплаканное лицо на широкой надежной груди. Крупная коричнево-красная ладонь легла на мой затылок, будто пытаясь удержать меня на месте.

— Прощай, Джейк! — Я осторожно поднесла его ладонь к губам. Смотреть в темные глаза нет никаких сил. — Прости... — шепнула я и побежала к машине.

Пассажирская дверца была гостеприимно открыта. Швырнув рюкзак через подголовник, я юркнула в салон.

— Позаботься о Чарли! — выглянув в окно, крикнула я, но Джейк уже исчез. Элис нажала на газ и под истерический визг шин повернула на дорогу. Под деревьями валялся какой-то белый лоскут. Боже, это ведь от рваной кроссовки!

Глава девятнадцатая

ГОНКА

На регистрацию мы успели буквально в последнюю секунду, а потом начались настоящие мучения. Самолет целую вечность стоял перед ангаром, а стюардессы неторопливо расхаживали по салону: раскладывали ручную кладь по находящимся над сиденьями отсекам и проверяли, все ли уместилось. Выглядывая из кабины, с ними беззаботно болтали пилоты.

Сгорая от нетерпения, я подпрыгивала в кресле, а Элис крепко обнимала меня за плечи, будто призывая успокоиться.

— Так быстрее, чем бегом, — тихо напомнила она.

Наконец «боинг» отъехал от ангара, набирая скорость так медленно, что я чуть не сошла с ума. Казалось, как только он оторвется от земли, я успокоюсь, но даже во время взлета бешеное волнение не улеглось.

Мы еще высоту не набрали, а Элис уже потянулась к телефону на спинке впереди стоящего кресла. Стюардесса неодобрительно покачала головой. однако я посмотрела на нее так, что девушка не решилась сделать замечание.

Хотелось отгородиться от разговора Элис и Джаспера: зачем снова себя мучить? Увы, кое-что я все-таки слышала.

— Не знаю, мне видится то одно, то другое, он постоянно меняет планы... Хочет устроить караемый смертью дебош: напасть на стражников, поднять машину на центральной площади — нечто такое, что выдаст с головой. Быстрейший способ добиться своего... Нет, не стоит... — Голос подруги стих до едва различимого шепота, и это при том, что мы сидели совсем рядом. Естественно, я тотчас прислушалась. — Скажи Эмметту, что так нельзя... Лучше верни их с Розали обратно... Сам посуди, что он сделает, увидев кого-то из нас?.. Да, именно, пожалуй, шанс есть только у Беллы. Если он вообще есть... Сделаю все, что смогу. Подготовь Карлайла: положение у нас не подарок! — Серебристый голосок дрогнул. — Я уже об этом думала... Обещаю... — Теперь в голосе звучала мольба: — Не надо, Джаспер, не приезжай! Клянусь... Как-нибудь, да выкручусь... Я люблю тебя!

Повесив трубку, девушка откинулась на спинку кресла и закрыла глаза.

— Терпеть не могу ему врать...

— Элис, пожалуйста, расскажи мне все! А то я как в тумане... Почему ты велела Джасперу остановить Эмметта? Почему не хочешь, чтобы они нам помогали?

— По двум причинам, и первую я ему назвала, — не открывая глаз, прошептала она. — Мы и без тебя могли бы попытаться остановить Эдварда. Доберись до него Эмметт — заставили бы слушать и убедили, что ты жива. Но ведь Эдварда врасплох не застанешь! Увидит нас и тут же выкинет какой-нибудь фокус. Например, въедет на большой скорости в стену, и Вольтури моментально его заберут. А главная причина — вторая, ее я Джасперу раскрыть не могла. Потому что, если они туда явятся и Вольтури убьют Эдварда, братья захотят отомстить. — Открыв глаза, Элис умоляюще на меня посмотрела. — Был бы хоть малейший шанс на победу... Если бы дав бой, мы вчетвером смогли спасти брата... Увы, нам это не по силам, и я не хочу таким образом терять Джаспера!

Теперь ясно, почему в темных глазах столько мольбы. Она защищает Джаспера — за наш счет и, возможно, за счет Эдварда. Я прекрасно ее понимала и совершенно не злилась.

— А Эдвард твои мысли не слышит? Может, проникнув в твой разум, он убедится, что я жива, а его жертва бессмысленна?

Впрочем, никакой гарантии и в этом случае не будет...

До сих пор не верилось, что Эдвард способен на подобные поступки. Ерунда какая-то... С болезненной точностью вспоминались слова, сказанные им, когда мы смотрели «Ромео и Джульетту». «Без тебя я жить не собирался», — заявил Каллен, будто это было прописной истиной. Но то, что он говорил мне в лесу, перед тем как бросить, категорически перечеркивало все предыдущие заявления.

— Думаешь, он слушает? — с сомнением спросила Элис. — К тому же хочешь верь, хочешь — нет, но и мыслями можно врать. Если бы ты погибла, я бы все равно пыталась его остановить и повторяла бы про себя: «Она жива, она жива, она жива». Эдварду это известно.

От досады я даже зубами заскрипела.

— Белла, имей я хоть один шанс спасти брата без твоей помощи, ни за что бы не стала подвергать тебя опасности. Наверное, я совершаю ужасную ошибку...

— Не валяй дурака! Обо мне вообще беспокоиться не стоит, — недовольно покачала головой я. — Лучше объясни, что ты имела в виду, когда сказала, что терпеть не можешь врать Джасперу.

Сестра Эдварда мрачно улыбнулась:

— Я обещала, что выкручусь и не позволю себя убить, а этого никоим образом гарантировать не в состоянии. — Элис выразительно подняла брови, будто намекая: к опасности стоит относиться серьезнее.

— Кто такие Вольтури? — шепотом спросила я. — Чем они опаснее тебя, Эмметта, Джаспера и Розали?

Невозможно представить, что Каллены кого-то боятся!

Элис тяжело вздохнула, а потом посмотрела назад. Оглянувшись, я успела заметить, как сидевший у прохода мужчина отвернулся, будто наш разговор его совершенно не интересовал.

Судя по виду, бизнесмен: темный костюм с галстуком, на коленях — ноутбук. Наткнувшись на мой раздраженный взгляд, мужчина открыл портативный компьютер и заткнул уши наушниками.

Я придвинулась ближе к Эллис, и та, прильнув к моему уху, начала рассказывать.

— Удивительно, когда я упомянула, что Эдвард направляется в Италию, ты узнала фамилию и тут же сообразила, в чем дело. Мне-то казалось, часами объяснять придется... Что он тебе рассказал?

— Только что они — древний влиятельный род, наподобие королевского. Мол, с ними лучше не конфликтовать, если, конечно, не хочется... погибнуть, — прошептала я, а последнее слово выдавила с огромным трудом.

— Попробуй понять. — Элис заговорила медленно и более обдуманно. — Мы, Каллены, не похожи на других больше, чем ты думаешь. Для таких, как мы, очень... нетипично мирно уживаться с себе подобными. В Таниной семье уклад такой же. Карлайл уверен, что благодаря воздержанию легче быть цивилизованным и строить отношения на основе любви, а не звериной борьбы за существование. Даже трио Джеймса считалось большим, и ты сама убедилась, с какой легкостью их покинул Лоран. Как правило, наши братья и сестры путешествуют в одиночку, наша семья самая многочисленная за всю историю, за исключением Вольтури. Сначала их было трое: Аро, Кай и Марк.

— Я их видела! На картине, в кабине у Карлайла.

Элис кивнула:

— Позднее к ним присоединились две женщины, и получилась семья из пятерых. Наверное, именно возраст позволяет Вольтури мирно сосуществовать. Вместе им более трех тысяч лет! Или они такие терпимые благодаря своим способностям... Понимаешь, как у нас с Эдвардом, у Аро с Марком есть... дар.

Прежде чем я успела задать вопрос, Элис заговорила снова:

— А может, все дело в объединяющей их любви к власти. По-моему, «величественность» — очень подходящее слово.

— Если их всего пятеро...

— Пятеро — это только семья, — поправила Элис. — Еще есть охранники, они в общее число не входят.

— Серьезно, — тяжело вздохнула я.

— Еще как, — кивнула Элис. — По моим данным, только постоянных охранников девять. Остальные... хм, на более свободном графике, так что общее число меняется. При этом почти все обладают потрясающими талантами, по сравнению с которыми мои — дешевые балаганные фокусы. Вольтури выбирают только самых способных: физически, духовно, интеллектуально...

Я открыла было рот, чтобы спросить, потом передумала: зачем еще раз убеждаться, что у нас нет ни малейшего шанса?

Девушка снова кивнула, прекрасно понимая, что у меня на уме.

— В конфликты они почти не ввязываются: идиотов, желающих выяснить с ними отношения, найдется очень немного. Вольтури ведут практически оседлый образ жизни и покидают свой город, только когда требует долг.

— Долг? — удивилась я.

— Эдвард не рассказывал, чем они занимаются?

— Нет, — ответила я, чувствуя, как озадаченно поднимаются брови.

Еще раз взглянув на любопытного бизнесмена, Элис прильнула ледяными губами к моему уху:

— Брат не случайно сравнил их с королевской семьей... правящим классом. За несколько тысячелетий они заняли позицию следящих за выполнением правил контролеров, что на деле сводится к наказанию нарушителей.

От изумления мои глаза стали совсем круглыми.

— Каких еще правил? — пожалуй, слишком громко спросила я.

— Тш-ш!

— Разве меня не должны были предупредить? — сердито зашептала я. — То есть... мне же хотелось стать одной из вас! Почему никто ничего не разъяснил?

Элис только усмехнулась:

— Белла, все не так сложно! Об основном правиле ты легко догадаешься сама.

Я задумалась.

— Нет, не получается.

Дочь Карлайла разочарованно покачала головой:

— Наверное, все слишком очевидно: нужно держать наше существование в тайне.

— О-о-ой! — вырвалось у меня: и правда, совершенно очевидно.

— Ограничение разумное, и большинству из нас надзиратели не требуются, — продолжала девушка. — Однако со временем одни начинают скучать, другие сходят с ума... Вариантов море. Тут на сцене появляются Вольтури, чтобы смутьяны не скомпрометировали их и всех остальных.

— Значит, Эдвард...

— Собрался попрать это правило в их родном городе, который Вольтури охраняют на протяжении трех тысячелетий, со времен этрусков. Аро, Кай и Марк так пекутся о мире и спокойствии, что даже охотиться в его стенах не разрешают. Так что можно сказать, Вольтерра — самый безопасный город на земле, по крайней мере в плане нападений вампиров.

— По твоим словам, они почти никуда не выезжают... Чем же тогда питаются?

— Вольтури на самом деле не выезжают. Еду ввозят из-за пределов города, а порой и из-за границы. Зато охранникам есть чем заняться, когда не истребляют бунтарей и не защищают хозяев от разных...

— Неприятностей вроде Эдварда, — договорила я. До чего легко сейчас произносить его имя — даже удивительно. Что изменилось? Может, дело в том, что разлуке скоро придет конец? Или, если опоздаем, не только разлуке, а вообще всему. Какое утешение — понимать, что смерть будет быстрой и безболезненной!

— Вряд ли Аро, Каю или Марку доводилось сталкиваться с чем-то подобным. Вампиров-самоубийц не так много.

Из груди вырвалось чуть слышное «ох!», которое Элис приняла за приглушенный крик боли. Тонкие, но удивительно сильные руки обняли меня.

— Белла, мы сделаем все, что можем. Битва еще не проиграна.

— Пока... — Пусть успокаивает, я-то знаю: шансов практически нет. — Стоит поднять шум, и Вольтури быстро нас успокоят.

Элис насторожилась:

— Тебя послушать — чуть ли не радуешься...

Я пожала плечами.

— Белла, немедленно прекрати, иначе в Нью-Йорке мы пересядем и полетим обратно в Форкс!

— А что такое?

— Сама знаешь! Не успеем спасти Эдварда — я в лепешку расшибусь, чтобы вернуть тебя к Чарли, так что смотри, никаких фокусов! Поняла?

— Конечно, милая!

Подруга отстранилась, чтобы перехватить мой взгляд.

— Никаких фокусов!

— Честное скаутское! — пробормотала я.

Девушка закатила глаза:

— Теперь дай сосредоточиться: я попытаюсь проникнуть в его планы.

Рука Элис продолжала обнимать меня за плечи, но голова откинулась на подголовник кресла, а глаза закрылись. Свободная рука прижалась к щеке, кончики пальцев запорхали по виску.

Целую вечность я следила за ней, затаив дыхание. Вот Элис замерла, лицо превратилось в профиль со старой монеты. Минуты сменяли одна другую, и, не знай я ее, решила бы, что она спит. Прерывать и спрашивать, в чем дело, я не решалась.

Господи, пусть она увидит что-то хорошее! Устала гадать, навстречу каким ужасам мы направляемся, или, еще хуже, какой шанс можем упустить. Нельзя, нельзя об этом думать, иначе закричу!

Неизвестность мучила. Если очень повезет, я спасу Эдварда. Но глупо надеяться, что после этого я смогу с ним остаться. Я ведь по-прежнему самая заурядная девушка... С чего ему вдруг захочется быть со мной? Увижу его и снова потеряю...

Грудь пронзила невыносимая боль. Это цена, которую придется заплатить за его жизнь, и я готова платить.

Во время полета показывали кино, и моему соседу принесли наушники. Я наблюдала за мечущимися по экрану фигурками, но так и не поняла, комедия это или фильм ужасов.

Прошла целая вечность, прежде чем самолет начал снижаться над Нью-Йорком. Элис не шевелилась. Я неуверенно к ней потянулась, но тотчас отдернула руку. Наконец самолет, как следует встряхнув пассажиров, приземлился.

— Элис! — позвала я. — Элис, нам пора!

Пришлось все-таки коснуться ее руки.

Черные глаза медленно открылись, и несколько секунд девушка сонно качала головой.

— Что нового? — тихо спросила я, понимая, что любопытный сосед прислушивается.

— Трудно сказать, — чуть слышно отозвалась Элис. — Эдвард приближается к городу и сейчас решает, как обратиться к Вольтури.

На пересадку пришлось бежать; пожалуй, так было даже лучше — хоть ждать не пришлось. Едва самолет оторвался от земли, моя подруга снова погрузилась в транс. Когда стемнело, я подняла шторку и стала смотреть в бесконечную черноту, которая была ненамного интереснее козырька иллюминатора.

Хорошо, что за последние несколько месяцев я научилась контролировать мысли. Вместо того чтобы рассуждать о мрачных перспективах скорого ухода из жизни (мало ли что пообещала Элис и Джейкобу!), я сосредоточилась на менее важных проблемах. Например, что при возвращении сказать Чарли? Вопрос оказался непростым и занял несколько часов полета. А что делать с юным Блэком? Он дал слово ждать, но кто знает, в силе ли его обещание? А если... если выяснится, что в Форксе я никому не нужна? Может, при любом исходе не стоит цепляться за жизнь?

По моим подсчетам прошло всего несколько секунд, а подруга уже начала меня тормошить. Ну вот, заснула!

— Белла! — прошипела она слишком громко для погруженного в сон салона.

— Что случилось?

В соседнем ряду горела лампа для чтения, и глаза Элис сверкнули в ее неярком свете.

Спала я совсем недолго, поэтому мысли просто не успели запутаться.

— Новости неплохие, — улыбнулась девушка. — Пожалуй, даже хорошие. Хотя окончательный вердикт еще не вынесен, они уже решили ему отказать.

— Вольтури? — тупо переспросила я.

— Белла, включи мозги! Я вижу, каким предлогом они собираются воспользоваться.

— Каким же?

Осторожно пробираясь между спящими, к нам на цыпочках подошел стюард.

— Девушки, подушки нужны? — Его чуть слышный шепот звучал как упрек за наш чрезмерно оживленный разговор.

— Нет, спасибо! — просияла в ответ Элис. Улыбка получилась такой обворожительной, что стюард будто во сне обернулся и побрел обратно.

— Ну, говори! — чуть слышно попросила я.

— Вольтури им заинтересовались! — зашептала подруга. — Считают, что талант моего брата может оказаться полезным. Они хотят предложить ему остаться в Вольтерре.

— И что он ответит?

— Пока не знаю; так или иначе, его ответ равнодушным никого не оставит. — Элис снова усмехнулась. — Это — первая хорошая новость, первая удача. Вольтури заинтригованы, уничтожать Эдварда, по их мнению, — расточительно; именно так выразится Аро. Вероятно, это заставит брата задействовать весь свой творческий потенциал. Чем дольше он готовится, тем лучше для нас.

Почему-то новость не показалась обнадеживающей настолько, чтобы заразить меня оптимизмом. Мы ведь запросто можем опоздать, а если не проберемся за стены священного города, сестра Эдварда точно утащит меня обратно домой.

— Элис!

— Что?

— Не понимаю, почему это видение такое четкое? Порой ведь тебе открывается нечто туманное, что потом не сбывается...

Темные глаза сузились: интересно, она думает о том же, о чем и я?

— Видение четкое потому, что событие буквально на носу и я как следует сосредоточилась. А размытые образы, что возникают сами собой, — всего лишь слабые отблески будущего, вероятные возможности. К тому же себе подобных, особенно брата, я чувствую лучше, чем людей, — я же на него настроена!

— Меня ты тоже иногда видишь! — напомнила я.

— Увы, не так четко, — покачала головой Элис.

— Было бы здорово, окажись ты права насчет меня... Я ведь тебе и до нашего знакомства являлась!

— О чем ты...

— Ты видела, как я присоединяюсь к вашей семье, — чуть слышно прошелестели мои губы.

— В то время это было возможно, — вздохнула девушка.

— В то время, — повторила я.

— Вообще-то, знаешь... — неуверенно начала она, а потом решилась: — Если честно, все это дошло до абсурда. Сейчас вот думаю, не изменить ли тебя самой...

Я смотрела на подругу круглыми от удивления глазами, и на секунду холодный рассудок воспротивился ее предложению. Верить и надеяться нельзя: что со мной будет, если у Элис изменятся планы?

— Неужели испугалась? А я думала, ты только этого и хочешь.

— Еще как! — выдохнула я. — Давай, Элис, скорее! Я бы помогала тебе вместо того, чтобы мешать... Укуси меня...

— Тш-ш-ш! — прошипела она. Стюарт снова смотрел в нашу сторону. — У нас нет времени, завтра нужно быть в Вольтерре. А ты будешь несколько дней мучиться от боли... — Элис скорчила выразительную гримасу: — И вряд ли остальные пассажиры спокойно на это отреагируют.

Я закусила губу:

— А потом ты не передумаешь?

— Нет, — с несчастным видом покачала головой она, — боюсь, что нет. Конечно, он взбесится, но, по большому счету, что сможет сделать?

Сердце пустилось бешеным галопом.

— Абсолютно ничего!

Девушка негромко засмеялась:

— Белла, ты слишком надеешься на мои способности! Не уверена, что у меня вообще получится... А если не выживешь?

— Ну, это мой любимый расклад.

— Ты очень стоанная, даже для смертной.

— Спасибо...

— Пока все это только фантазии, для начала нужно завтрашний день пережить.

— Тоже верно! — Что ж, по крайней мере, есть на что надеяться. Если Элис сдержит слово и ухитрится меня не убить, тогда пусть Эдвард сколько хочет носится за своими развлечениями — я смогу за ним следить и особо развлекаться не позволю. А может, если я стану красивой и сильной, никакие развлечения не понадобятся?

— Попробуй заснуть, — посоветовала подруга. — Появятся новости — разбужу.

— Хорошо, — буркнула я, хотя сон давно пропал.

Сбросив обувь, Элис забралась с ногами в кресло и притянула колени к груди. Пытаясь сосредоточиться, она опустила голову и стала раскачиваться взад-вперед.

Откинувшись на спинку сиденья, я во все глаза следила за подругой. Р-раз — и она опустила козырек иллюминатора, за которым медленно светлело восточное небо.

— Что случилось?

— Они сказали Эдварду «нет», — тихо ответила Элис. Как ни странно, облегчения в ее голосе не послышалось.

— Что он намерен делать? — прохрипела я: страх ледяными щупальцами вцепился в горло.

— Сначала четкого плана не было, я видела лишь вспышки его беспорядочных идей.

— Каких еще идей?

— Отчаявшись, брат решил поохотиться, — прошептала девушка и, видя, что я не понимаю, добавила: — Поохотиться в черте города. Чуть было не сорвался, передумал в последний момент.

— Наверное, не захотел разочаровывать Карлайла, — буркнула я. Все-таки не захотел...

— Да, пожалуй, — согласилась Элис.

— Мы успеем? — спросила я, и в эту секунду давление в салоне начало меняться: самолет пошел на снижение.

— Надеюсь, особенно если Эдвард не изменит свой последний план.

— Что за план?

— Все гениальное просто: он всего лишь выйдет на солнцепек.

Выйдет на солнцепек, и только...

Этого вполне достаточно. Услужливая память тотчас воскресила образ: Эдвард на лесной поляне, бледная кожа сверкает, словно обсыпанная алмазной крошкой. Смертному такое зрелище не забыть, так что Вольтури подобных поступков разрешать не должны ни в коем случае, если не хотят привлекать внимание к своему городу.

Сквозь не закрытые козырьками иллюминаторы в салон сочилось светло-серое сияние.

— Мы опоздаем! — борясь со стиснувшим горло ужасом, прохрипела я.

Элис покачала головой:

— В эту самую минуту брат склоняется к более мелодраматичному варианту. Хочет собрать побольше зрителей, поэтому выбрал центральную площадь под башней с часами. Дома там высокие; придется ждать, пока солнце не окажется в зените.

— Значит, у нас есть время до полудня?

— Если повезет и он ничего не переиграет, то да.

В салоне послышался голос пилота, объявившего сначала по-французски, потом по-английски, что самолет идет на посадку. На световом табло появилось указание пристегнуть ремни безопасности.

— Вольтерра далеко от Флоренции?

— Как поедешь... Белла!

— Что?

В темных глазах горел вопрос.

— М-м... Ты очень возражаешь против угона автомобиля?

* * *

Ярко-желтый «порше» с крикливым шильдиком «турбо», серебристым курсивом красующимся на багажнике, затормозил буквально в двух шагах от меня. Все, кто стоял у здания аэропорта, восхищенно разинули рты.

— Скорее, Белла! — опустив окно со стороны пассажирского сиденья, прокричала Элис.

Распахнув дверцу, я прыгнула в салон, искренне жалея, что не могу натянуть на голову черный чулок с прорезями.

— Боже, Элис, — прошипела я, — неужели нельзя было угнать машину поскромнее?

Обивка из мягчайшей черной кожи, затемненные окна создавали ощущение спокойствия и комфорта, как теплой южной ночью.

Подруга уже пробиралась сквозь плотный поток транспорта у выезда из аэропорта, ловко и быстро, слишком быстро лавируя между автобусами и легковушками, а я нервно теребила ремень безопасности.

— Лучше бы спросила, не могла ли я угнать машину побыстрее и помощнее, — поправила она. — По-моему, нам очень повезло.

— Вот будет здорово, если нарвемся на патруль!

В салоне серебристым колокольчиком зазвенел смех Элис.

— Уверяю тебя, милая, этого красавца ни один патруль не догонит! — Будто решив подтвердить свою правоту, лихая гонщица нажала на педаль газа.

Наверное, следовало смотреть в окно сначала на Флоренцию, затем на тосканский пейзаж, проносящийся мимо с головокружительной скоростью. Это мое первое путешествие за рубеж и, вполне возможно, последнее. Но пугала бешеная езда, хотя я знала: Элис как водителю вполне можно доверять, да и тревога была слишком сильной, чтобы наслаждаться бескрайними холмами и обнесенными стеной городами, которые издалека напоминали замки.

— Что-нибудь еще видишь?

— В Вольтерре что-то происходит, — пробормотала девушка, — похоже праздник. На улицах полно людей, дома украшены флагами. Какое сегодня число?

— По-моему, девятнадцатое мая, — неуверенно ответила я.

— Вот так ирония судьбы! Сегодня день святого Марка

— И что это значит?

Сестра Эдварда мрачно усмехнулась:

— В Вольтерре этот праздник отмечают ежегодно. По легенде, полторы тысячи лет назад девятнадцатого мая христианский проповедник, отец Марк — а именно Марк Вольтури, — очистил город от вампиров. Потом он якобы умер мученической смертью в Румынии, спасая страну от гнета кровопийц. Естественно легенды — полная чепуха, Марк никогда не выезжал из Вольтерры. Зато они порождают многочисленные суеверия. Например, сказки о крестных знамениях и силе чеснока пошли именно отсюда. *Отец* Марк пользовался ими, как настоящий виртуоз. Да и вампиры город не трогают, так что по всей видимости, чудодейственные средства рабатывают — Улыбка Элис стала саркастичес кой. — Со временем праздник превратился в день города и чествование полиции: в конце концов, Вольтерра — на редкость безопасный городок, так что все лавры достаются блюстителям порядка.

Теперь понятно, почему подруга говорила об иронии судьбы.

— Настоящим блюстителям не понравится, если Эдвард испортит день святого Марка, правда?

Элис мрачно покачала головой:

— Конечно, нет. Они будут действовать молниеносно и беспощадно.

Я резко отвернулась. надо же, чуть губу не прокусила! Сейчас только кровотечения не хватает..

Небо бледно-голубое, а солнце уже так высоко!

— Шоу по-прежнему запланировано на полдень? — уточнила я.

— Да, брат решил подождать, а стражники уже его караулят...

— Скажи, что мне делать?

Подруга не спускала глаз с извилистой дороги. стрелка спидометра касалась правого края шкалы.

— Ничего. Эдвард просто должен увидеть тебя прежде, чем выйдет на солнцепек, и прежде, чем заметит меня.

— И как это устроить?

Мы так стремительно обогнали маленькую красную машину, будто она двигалась назад.

— Подойдем как можно ближе к месту событий, а потом ты что есть силы побежишь, куда я скажу

Я кивнула.

— Постарайся не споткнуться, добавила Элис. — На раны и телесные повреждения сегодня лементарно нет времени.

Что ж, это очень в моем духе: в критический момент проявить чудеса неуклюжести.

Казалось, Элис гонит «порше» прочь от поднимающегося над горизонтом солнца. Оно было таким ярким, что у меня засосало под ложечкой: вдруг Эдвард не дождется полудня?

— Нам туда. — Подруга показала на древний, притаившийся на вершине холма город.

Вглядевшись в него, я поежилась от страха. С прошлого утра, когда Элис впервые упомянула Вольтерру, я ежеминутно чувствовала леденящий холодок, но то чувство было совершенно иным. Сейчас, рассматривая светло-коричневые стены и венчающие крутой холм башни, я содрогнулась от другого, воплотившегося в конкретный образ ужаса.

Вероятно, туристы считали город прекрасным, у меня же он вызывал трепет.

— Вольтерра! — мрачно объявила Элис.

Глава двадцатая

ВОЛЬТЕРРА

На узкой дороге у подножия холма образовалась пробка. Чем выше, тем плотнее стояли машины и тем сложнее было Элис между ними лавировать. В конце концов влившись в общий поток, мы поползли вслед за желтовато-коричневым «пежо»

— Элис! — взмолилась я.

— Другой дороги нет — попыталась успокоить меня подруга

Автомобильный поток едва двигался, а солнце с каждой секундой приближалось к зениту

Один за другим водители пробирались к городу а когда подъехали мы, я увидела: люди ставят машины у обочины и идут пешком. Сначала я решила у них просто кончилось терпение, что было бы совершенно неудивительно Однако после очередного поворота у городской стены показались практически заполненная автостоянка и толпы входящих в ворота людей В Вольтерру на машинах не пускали!

— Элис! — взволнованно прошептала я.

— Знаю! — Лицо подруги будто изо льда высекли.

Ехали мы очень медленно, и, оглядевшись по сторонам, я поняла что на улице очень ветрено Толпящиеся у ворот придерживали шляпы и убирали с лиц волосы Еще в глаза бросалось обилие красного цвета. Красные шляпы красные юбки, красные флаги длинными лентами полощущиеся на ветру. Сильный порыв сорвал алый шарф, который молодая женщина повязала на голову Извиваясь, словно змея, легкая ткань стала подниматься к небу. Хозяйка подпрыгивала, пытаясь поймать беглеца, но он кровавой струйкой ускользал к древним, блекло-коричневым стенам

— Белла — взволнованно зашептала Элис, — не знаю, как поведут себя стражники но если мой план не сработает тебе придется идти в город одной Вернее, не идти а бежать. Нужно спросить Палаццо дей Приори и на всех парах лететь, куда скажут, Постарайся не потеряться!

— Палаццо дей Приори, Палаццо дей Приори, Палаццо дей Приори, — снова и снова повторяла я, пытаясь запомнить название.

— Или башню с часами, если местные говорят по-английски. Я обойду вокруг стены и отыщу место, где можно пробраться в город.

— Палаццо дей Приори, — продолжая шептать, кивнула я.

— Эдвард будет к северу от башни. Обрати на себя внимание прежде, чем он выйдет на солнце.

Я возбужденно закивала.

Желтый «порше» приближался к воротам. Там одетый в темно-синюю униформу мужчина регулировал поток транспорта, направляя машины от переполненной автостоянки. Водителям приходилось разворачиваться и искать место на обочине. Наконец пришла очередь Элис.

Даже не подняв глаз, мужчина махнул рукой: мол, мест нет, давайте обратно. Прибавив скорость, моя подруга проехала мимо него к воротам. Лентяй в форме что-то крикнул вслед, однако с места не сдвинулся, лишь отчаянно жестикулировал, чтобы остальные водители не последовали дурному примеру.

У самых ворот стоял еще один тип в точно такой же форме. По мере нашего приближения заполонившие тротуар туристы расступались, с любопытством глядя на нахальный ярко-желтый «порше».

Охранник в синем выступил на середину улицы. Элис развернулась и подъехала к нему с другой стороны Теперь солнце било в мое окно, а она осталась в тени. Р-раз! — молниеносным движением подруга выхватила что-то из лежащей на заднем сиденье сумочки.

С грозным видом мужчина в синем подошел к машине и возмущенно забарабанил в окошко.

Элис приоткрыла окошко, и лицо охранника вытянулось: моя подруга — настоящая красавица.

— Простите, мисс, в город сегодня пропускаются только экскурсионные автобусы, — объяснил он по-английски, но с сильным акцентом. Из раздраженного тон стал извиняющимся: охраннику было жаль огорчать такую очаровательную особу.

— У нас частный экскурсионный тур, — ослепительно улыбнулась Элис и, открыв окно, протянула итальянцу руку. Прямо под палящее солнце! Я онемела от ужаса, но тут же поняла: на ней длинные, до локтей перчатки телесного цвета. Ловко схватив ладонь охранника, которую он, постучав в окно, так и не опустил, подруга затянула ее в салон, что-то вложила и заставила сжать пальцы.

Лицо мужчины вытянулось: он смотрел на плотный рулончик купюр. Снаружи лежала тысячная.

— Это что, шутка?

Улыбка Элис стала еще ослепительнее.

— Ну, только если вам смешно.

Охранник смотрел на нее во все глаза, а я нервно глянула на часы. Если планы Эдварда не изменились, у меня осталось пять минут.

— Видите ли, я немного тороплюсь, — продолжала улыбаться подруга.

Часто-часто замигав, итальянец спрятал деньги в карман куртки, сделал шаг назад и махнул рукой: проезжайте! Махинацию никто из прохожих не заметил. Элис покатила в город, и мы обе вздохнули с облегчением.

Центральная улица была очень узкая, мощенная камнями в тон высоким светло-коричневым домам, которые отбрасывали густую тень, и вообще больше смахивала на переулок. На стенах красные флаги, полощущиеся на сильном ветру буквально в нескольких метрах друг от друга.

Огромное количество пешеходов не позволяло набрать приличную скорость.

— Уже близко, — успокоила Элис.

Готовая выпрыгнуть по первому сигналу, я сжимала ручку дверцы.

Передвигались мы рывками: то вырывались вперед, то останавливались, а прохожие грозили нам вслед кулаками и сыпали проклятиями, которые я, к счастью, не понимала. Подруга свернула на улочку, для машин явно не предназначенную, и, увидев ярко-желтый «порше», перепуганные горожане жались к дверям. Пришлось найти другую улочку: на ней дома были еще выше и, смыкаясь, загораживали свет, та что солнечные лучи на мостовую не падали, а развевающиеся на ветру флаги практически соприкасались. Здесь гуляющих было даже больше. Элис затормозила, а я распахнула дверцу раньше, чем машина окончательно остановилась

Подруга махнула рукой туда, где, расширяясь, улица выходила на открытый участок.

— Сейчас мы на южной оконечности площади, а тебе нужно ее пересечь. Беги к башне с часами, потом направо! Я попробую обойти... — Она осеклась, а когда вновь обрела дар речи, голос превратился в шипение:

— Они повсюду!

Я будто приросла к месту, но Элис вытолкнула меня из машины.

— Забудь о них! У тебя всего две минуты. Скорее, Белла, скорее! — выбираясь из салона, кричала она.

Я побежала, даже дверцу не захлопнула. Пришлось оттолкнуть с дороги крупную женщину и бежать что есть мочи, не видя ничего, кроме мелких камешков под ногами.

Вылетев из темного проулка на площадь, я чуть не ослепла от яркого, безжалостно жгущего солнца. Налетевший ветер растрепал волосы и залепил глаза.

Неудивительно, что толпу я заметила, только когда в нее врезалась.

Между телами ни щелки, ни просвета. Расталкивая людей, я яростно отбивалась от тех, кто мешал, и слышала, как на непонятном языке кричат от раздражения и боли. Лица слились в гневно-удивленное пятно, окруженное каймой вездесущего красного. На меня рассерженно смотрела платиновая блондинка, а алый шарф вокруг ее шеи напоминал ужасную рану. Сидящий на отцовских плечах ребенок улыбнулся, обнажив пластиковые вампирские клыки, от которых неестественно растягивались губы.

Толпа мощной рекой кружила меня, унося совершенно не в том направлении. Как хорошо, что видно часы, иначе бы точно с намеченной траектории сбилась! Увы, обе стрелки показывали на палящее солнце, и я, как отчаянно ни билась, понимала, что опоздаю. Мне ни за что не успеть. Из-за присущей смертным глупости и нерасторопности мы все погибнем.

Может, хоть Элис уцелеет? Может, наблюдая из густой тени, она поймет, что ничего не вышло, и вернется домой к Джасперу?

Отчаянно вслушиваясь в возмущенный ропот, я пыталась уловить какой-нибудь звук, означающий, что Эдвард обнаружен: вопль или удивленный крик.

Среди гуляющих неожиданно образовалась брешь — я увидела свободное пространство, бросилась вперед и, лишь больно ударившись голенью о плитку, поняла, что в центре площади находится большой фонтан.

Чуть не рыдая от облегчения, я перелезла через бортик и вошла в воду. Глубина — примерно по колено, и мощные струи тотчас промочили меня насквозь. Даже на солнце ветер казался ледяным, а влажная одежда делала холод пренеприятным. Фонтан очень широкий, и центр площади удалось пересечь за считанные секунды: вот я у противоположного бортика и, как с трамплина, ныряю с него в толпу.

Теперь прохожие сами расступались, сторонясь ледяных брызг, слетающих с промокшей одежды.

Я снова взглянула на башню.

Гулкий удар часов эхом раскатился по площади. Мостовая заходила ходуном. Затыкая уши, перепуганные дети начали плакать, а я прямо на бегу — закричала.

— Эдвард! — звала я, понимая: с толпой состязаться бесполезно, тем более от напряжения голос сел. Однако молчать просто не могла.

Часы пробили снова. Я пронеслась мимо матери с ребенком на руках; на ослепительном солнце волосы у малыша казались почти белыми. Высокие итальянцы в красных блейзерах возмущенно закричали: я чуть с ног их не посшибала.

За группой в красных блейзерах — очередная брешь между бесцельно бродящими по площади туристами. Я старательно пыталась высмотреть узкий проулок с правой стороны от широкого квадратного здания под башней. Мостовую не разглядеть: на пути слишком много людей.

Еще один удар часов.

На открытом месте ветер хлестал по лицу, обжигая глаза. Не знаю, этим объяснялись неожиданно нахлынувшие слезы или поражением, которое с каждым ударом часов казалось все неотвратимее.

В начале проулка семья из четырех человек. Две девочки в малиновых платьях с малиновыми ленточками в темных волосах, к счастью, их отец совсем невысок... За его спиной в тени что-то яркое. Отчаянно борясь со жгучими слезами, я бросилась к ним. Часы снова пробили, и младшая из девочек зажала уши ладонями.

Старшая, ростом по пояс взрослому, укрывшись за материнскими ногами, рассматривала темный проулок. Вот крошка дернула мать за локоть и показала на клубящиеся тени. Послышался еще один удар часов, но я была уже совсем близко.

Достаточно близко, чтобы услышать ее тонкий голосок. Отец удивленно смотрел, как я надвигаюсь на них, хрипло бормоча: «Эдвард! Эдвард!»

Старшая девочка захихикала и, нетерпеливо тыча пальчиком в темный проулок, что-то сказала.

Я неловко увернулась от отца — боясь, что собью, он прижал ребенка к себе — и протиснулась в мрачную, открывающуюся за их спинами брешь. Неумолимые часы пробили еще раз.

— Нет, нет! — но разве гулкий звон колокола перекричишь?

Наконец я увидела Эдварда; меня он, похоже, не замечал.

Это действительно Эдвард, а не игра воображения! Оказывается, галлюцинации были не так уж безупречны и не раскрывали его подлинного совершенства.

Неподвижный, словно статуя, он стоял буквально в метре от площади. Глаза закрыты, ладони разжаты, тонкие пальцы расслаблены. Лицо безмятежное, будто он спит и видит хороший сон. Грудь обнажена: белая футболка брошена на мостовую, и проникающий с площади свет дарит бледной коже неяркое сияние. Никогда не видела ничего красивее! Я задыхалась от безостановочного крика и отчаяния. Семь месяцев ничего не значили, равно как и ужасные слова, что он сказал мне в лесу. Равно как и то, что я, скорее всего, ему не нужна. А вот мне до конца жизни будет нужен только он.

Часы пробили снова, и Эдвард шагнул к залитой солнцем площади.

— Нет! — из последних сил молила я. — Посмотри на меня!

Не слышит! На губах улыбка, нога уже поднялась, чтобы сделать шаг, который вынесет его на солнцепек.

Я врезалась в Эдварда с такой силой, что упала бы на мостовую, не поймай он меня. От удара из легких вышибло весь воздух.

Темные глаза медленно открылись.

— Ну надо же! — В серебряном баритоне сквозило замешательство. — Карлайл не ошибся.

— Эдвард!.. — Я жадно глотала воздух, звуки не давались. — Скорее, нужно вернуться в тень!

Он был потрясен до глубины души и не замечал, что я толкаю его назад. Впрочем, с таким же успехом можно толкать каменные стены домов. Часы пробили снова, однако Эдвард никак не отреагировал.

Я понимала, что мы оба в смертельной опасности, но, как ни странно, чувствовала себя отлично. Полноценным живым человеком. Сердце бодро стучало, горячая кровь неслась по венам, а легкие наполнял сладковатый, лучший в мире запах его кожи. В общем, я ожила: не то чтобы выздоровела, а будто никогда от боли и не страдала.

— Удивительно, как быстро все прошло... Я совершенно ничего не почувствовал, они молодцы, — задумчиво похвалил Каллен и, снова закрыв глаза, коснулся губами моих волос. — «Конец хоть высосал, как мед, твое дыханье, не справился с твоею красотой»*, — чуть слышно сказал он, и я узнала слова Ромео, произнесенные им в склепе семьи Капулетти. Площадь сотряс последний удар часов. — Ты пахнешь так же, как всегда. Если это ад, я принимаю его с удовольствием...

---

* «Ромео и Джульетта», акт 5, сцена 2, пер. Б. Пастернака.

— Я не умерла! И ты тоже... Пожалуйста, нам нужно спешить, они совсем близко.

Эдвард удивленно нахмурил лоб:

— Что ты сказала?

— Мы еще не умерли. Нужно поскорее отсюда выбираться, пока Вольтури...

На прекрасном лице мелькнуло понимание, и, не дав закончить, Эдвард оттащил меня прочь от клубящихся теней, без видимых усилий перекинул за спину — я оказалась плотно прижатой к стене — и широко расставил руки.

От кого он меня прячет? Выглянув из-за его плеча, я заметила две темные, выдвинувшиеся из мрака фигуры.

— Приветствую вас, господа! — вкрадчиво начал Эдвард. — Сегодня вряд ли понадобятся ваши услуги, однако буду очень признателен, если вы передадите хозяевам мою искреннюю благодарность.

— Может, продолжим разговор в более подходящем месте? — угрожающе зашипели из темноты.

— Не вижу необходимости. — В голосе Каллена зазвенел металл. — Феликс, мне известен круг ваших обязанностей, а еще то, что никаких правил я не нарушал.

— Феликс просто намекает на опасную близость солнца, — примирительно заметила вторая тень. Длинные пепельно-серые накидки незнакомцев колыхались на ветру и полностью скрывали их тела. — Давайте перейдем туда, где спокойнее!

— Готов следовать за вами, — сухо отозвался Эдвард. — Белла, возвращайся на площадь, праздник в самом разгаре!

— Нет, девушка с нами! — заявила первая тень, в шепоте которой невероятным образом слышалась похоть.

— Как бы не так! — Натужная любезность исчезла, Каллен говорил с неприкрытым вызовом. Он чуть заметно подался вперед, и я поняла: готовится дать бой.

— Нет! — чуть слышно пролепетала я.

— Тш-ш! — зашипел Эдвард.

— Феликс, только не здесь! — предостерегла вторая, более рассудительная тень и повернулась к Эдварду: — Аро просто хочет еще раз с тобой поговорить, на случай, если ты все-таки решил не провоцировать нас на крайности.

— Согласен, — кивнул Каллен, — но девушку отпустим.

— Боюсь, это невозможно, — с сожалением вздохнула вежливая тень. — Мы должны соблюдать правила.

— Деметрий, тогда, к сожалению, я не смогу принять приглашение Аро.

— Никаких проблем. — Привыкнув к густому сумраку, я рассмотрела, что этот Феликс — высокий, широкоплечий и плотный. Сложением он очень напоминал Эмметта.

— Аро расстроится, — вздохнул Деметрий.

— Ничего, как-нибудь переживет, — буркнул Эдвард.

Феликс с Деметрием незаметно пробирались к площади, рассредоточиваясь, чтобы при необходимости броситься на несговорчивого гостя с разных сторон. Понятно, им хотелось оттеснить его как можно глубже в сумрак, чтобы избежать шума и драки. Стражникам Вольтури солнечный свет не страшен: их кожа надежно скрыта под накидками.

Эдвард даже не пошевелился: похоже, решил защищать меня любой ценой. Вдруг он развернулся, будто вглядываясь в тень проулка, и Феликс с Деметрием сделали то же самое, вероятно реагируя на неуловимые для меня звук и движение.

— Может, попробуете обойтись без сцен? — предложил мелодичный, как звон серебряных колокольчиков, голос. — Вы же все-таки при дамах!

Пританцовывая, Элис подошла к брату. В каждом движении легкость, пластичность, ни малейшего напряжения. Рядом с мужчинами она выглядела маленькой и хрупкой, ручки тонкие, как у ребенка...

Феликс с Деметрием напряглись; серые накидки затрепетали в порыве влетевшего в узкий проулок ветерка. Феликс заметно поскучнел: равный расклад сил ему не по нраву.

— Мы не одни, — напомнила Элис.

Деметрий оглянулся. Неподалеку, у самого выхода на площадь, за нами, не отрываясь, следила, семья с девочками в красных платьях. Женщина что-то шептала на ухо мужу, но, перехватив взгляд Деметрия, тут же опустила глаза. Мужчина вышел на солнцепек и дернул за рукав охранника в красном блейзере.

Деметрий покачал головой:

— Пожалуйста, Эдвард, давай вести себя разумно.

— Давай, — согласился Каллен. — Разойдемся миром и не будем играть мускулами.

— Может, хоть поговорим в более подходящей обстановке? — разочарованно вздохнул Деметрий.

В проулок вошли шестеро мужчин в красном и настороженно следили за происходящим. Понятно: их встревожило, что Эдвард фактически заслонил меня собой. Меня так и подмывало закричать: «Бегите, глупцы, бегите!»

— Нет! — клацнул зубами Каллен, а Феликс криво улыбнулся.

— Довольно! — из густого сумрака послышался высокий хрипловатый голос.

Выглянув из-под руки Эдварда, я увидела: к нам приближается маленькая темная фигурка. Судя по колышущемуся наряду, это кто-то из хозяев города. Конечно, как же иначе?

Сначала показалось, что это паренек: подошедший был миниатюрным, как Элис, с коротко стриженными каштановыми волосами. Накидка почти черная — куда темнее, чем у Деметрия с Феликсом, а скрытое под ней тело — тонкое и как будто бесполое. Но лицо для парня слишком миловидное. Широко расставленные глаза, пухлые губы — по сравнению с ним лица ангелов Боттичелли покажутся уродливыми, пусть даже у ангела в темной накидке малиновая радужка.

Незнакомка была необыкновенно хрупкой, и реакция на ее появление поразила. Деметрий с Феликсом тотчас успокоились и, перестав теснить Эдварда с Элис, слились с тенью высоких стен.

Каллен опустил руки и тоже успокоился, признавая поражение.

— Джейн... — вздохнул он, будто смирившись с безнадежностью ситуации.

Элис с совершенно невозмутимым видом сложила руки на груди.

— Следуйте за мной! — В детском голосе Джейн не было ни торжества, ни угроз. Отвернувшись, она беззвучно погрузилась во мрак.

«После вас!» — жестом показал Феликс и ухмыльнулся.

Не дожидаясь особого приглашения, Элис пошла за миниатюрной Джейн; Эдвард, обняв за плечи, потащил меня следом. Постепенно сужаясь, улица чуть заметно шла под горку. Конвоиров наших слышно не было, но я не сомневалась: они идут следом.

— Ну, Элис, — как ни в чем не бывало начал Каллен, — наверное, не стоит удивляться нашей встрече.

— Я совершила ошибку, — столь же непринужденно отозвалась его сестра, — а потом решила ее исправить.

— Что случилось? — подчеркнуто вежливо поинтересовался Эдвард, будто ему было совершенно неинтересно. Наверное, опасался внимательных, ловящих каждое слово ушей.

— Долго рассказывать. — Темные глаза Элис метнулись в мою сторону. — Если коротко, Белла прыгнула со скалы, однако сводить счеты с жизнью не собиралась, просто экстремальными видами спорта увлеклась.

Зардевшись, я уставилась прямо перед собой: в сумраке даже собственной тени не видно. Нетрудно представить, что сейчас читает Каллен в мыслях сестры: чуть не утонула, якшалась с оборотнями, пыталась преследовать вампиров...

— Хм, — недовольно хмыкнул Эдвард, тотчас отбросив напускное безразличие.

Плавно спускаясь под горку, проулок чуть изгибался, и по-военному укрепленный тупик я увидела, лишь наткнувшись на глухую кирпичную стену. Малышки Джейн уже и след простыл.

Без малейших промедлений Элис шагнула к стене, а затем с той же непринужденной грацией скользнула в зияющую на мостовой яму.

Канализационный люк? Пока Элис не исчезла, я его даже не видела, хотя решетку наполовину вытащили на мостовую. Отверстие такое маленькое и темное...

Я замерла в нерешительности.

— Не бойся, Белла! — тихо сказал Каллен. — Элис тебя поймает.

Я с сомнением посмотрела на канаву. Думаю, Эдвард залез бы первым, если бы в спину не дышали Деметрий с Феликсом, молчаливые и страшно довольные.

Присев, я свесила ноги в узкое отверстие и дрожащим шепотом позвала:

— Элис!

— Белла, я здесь! — ободряюще ответила подруга.

Ее голос прозвучал издалека, и я не успокоилась, а, наоборот, испугалась еще сильнее.

Взяв за руки — тонкие сильные пальцы были холоднее обледеневшего камня, — Каллен стал опускать меня во мрак.

— Готова? — спросил он.

— Да, — отозвалась его сестра, — отпускай!

Глаза нужно закрыть да покрепче зажмуриться, чтобы не видеть жуткую тьму, а рот зажать — не дай бог, закричу!

Все прошло быстро и бесшумно. Буквально полсекунды кожу обдувал прохладный ветерок, и, не успев выдохнуть, я упала в объятия подруги.

Синяки гарантированы: руки-то у Элис тверже мрамора! Девушка поставила меня на ноги.

Под землей вовсе не сосущая чернота, а полумрак. Падающие в отверстие лучи солнце отражались от влажных камней, на которых мы стояли. На секунду стало совсем темно, потом рядом со мной появилось бледно мерцающее лицо Эдварда. Держась за холодную как лед руку, я то и дело спотыкалась на скользких камнях. Будто подчеркивая безысходность положения, над головой заскрежетала металлическая решетка.

Последние солнечные лучи утонули во мраке. Во влажной тьме разносилось эхо моих нетвердых шагов, удивительно широких, хотя, возможно, мне так только казалось. Других звуков не было — лишь бешеный стук сердца и нетерпеливый вздох, который однажды послышался за спиной.

Эдвард крепко сжал мою ладонь. То и дело волосы раздувало его прохладное дыхание. Понимая, что в такой ситуации о большем и мечтать не приходится, я так и льнула к нему.

Я ему нужна! От этой мысли отступал даже страх перед подземным туннелем и крадущимися по пятам вампирами. Едва лба касались прохладные губы, я забывала обо всем: какая разница, зачем и почему Эдвард меня целует. Умирая, буду рядом с ним, это куда лучше, чем долгая жизнь!

Вот бы спросить, что сейчас случится! Страшно хотелось выяснить, как мы умрем, словно, если узнать заранее, будет легче! Однако спрашивать нельзя, даже шепотом: вокруг чуткие уши, которым слышен каждый вздох, каждый удар моего сердца.

Каменная тропка спускалась все ниже и ниже под землю, и у меня появилась клаустрофобия. Если бы не прохладная ладонь Эдварда на моей щеке, точно бы закричала!

Непонятно, откуда взялся свет, но чернота постепенно стала темно-графитовой. Мы шли по низкому, причудливо извивающемуся туннелю. На серых стенах выступали траурные следы влаги, будто они кровоточат тушью или чернилами.

Меня колотило, и я сначала решила, что от страха, и, лишь когда застучали зубы, поняла: от холода. Одежда еще не просохла, а под землей температура была по-настоящему зимней. Равно как и у рук Эдварда.

Похоже, Каллен тоже это понял и быстро убрал ладонь от моего лица.

— Н-нет! — пролепетала я, прижимая его к себе. Замерзну? Ну и пусть! Кто знает, сколько нам осталось?

Холодная рука принялась растирать мое предплечье, пытаясь таким образом согреть.

Мы быстро — во всяком случае, так казалось мне — шли по туннелю. Наша с Эдвардом скорость кого-то — похоже, Феликса — раздражала: за спиной то и дело слышались тяжелые вздохи.

В конце туннеля решетка: прутья ржавые, зато толщиной с мою руку. Маленькую, из металла потоньше дверцу предусмотрительно оставили открытой. Ловко протащив меня, Эдвард поспешил в следующий, чуть ярче освещенный зал. С громким «Бам!» дверца захлопнулась, и сухо щелкнул замок.

Оглянуться я не решилась.

По другую сторону длинного зала — массивная деревянная дверь. Массивная и толстая, я увидела это потому, что она тоже оказалась открытой.

Мы вместе перешагнули через каменный порог, и, изумленно оглядевшись по сторонам, я непроизвольно расслабилась, а вот Эдвард, наоборот, судорожно стиснул зубы.

Глава двадцать первая

ВЕРДИКТ

Мы стояли в прихожей, ярко освещенной, но довольно непримечательной. Светло-кремовые стены, на полу скучный серый ковер. На потолке через равные промежутки самые обычные люминесцентные лампы. Зато, к моей великой радости, здесь намного теплее. После жуткого лабиринта канализационного коллектора прихожая казалась чуть ли не раем.

Эдвард мое мнение не разделял: он мрачно смотрел в противоположный конец помещения на закутанную в черное фигуру у лифта.

За спиной скрипнула тяжелая дверь, и послышался лязг задвигаемого засова.

Джейн ждала нас у лифта. На прекрасном лице полное безразличие.

Войдя в кабину, три вампира, принадлежащие к семье Вольтури, совсем успокоились. Мужчины скинули накидки, серые капюшоны сползли на плечи. Кожа у обоих с оливковым оттенком, что в сочетании с мертвенной бледностью смотрелось престранно, волосы — иссиня-черные, только у Феликса короткая стрижка, а у Деметрия — кудри до плеч. Радужка по окружности малиновая, а ближе к зрачку — черная. Под накидками самая обычная, вполне современная, ничем не примечательная одежда. Съежившись от страха, я ни на шаг не отходила от Эдварда, который машинально растирал мое предплечье и буквально поедал глазами Джейн.

На лифте долго ехать не пришлось: очень скоро мы вышли на этаже, напоминавшем шикарную приемную. Стены обшиты деревом, на полу — толстые зеленые ковры. Окон не было, вместо них повсюду висели большие и очень яркие тосканские пейзажи. Диванчики расставлены уютными группами, в центре каждой — по блестящему столику с хрустальной, полной пестрых цветов вазой.

В середине приемной высокая конторка из красного дерева. За ней работала молодая женщина, на которую я смотрела в немом изумлении.

Высокий рост, смуглая кожа, зеленые глаза — незнакомка украсила бы любую компанию, кроме этой. Она смертная, как и я! Неужели здесь, в окружении вампиров, смертная женщина чувствует себя легко и непринужденно?

— Добрый день, Джейн! — приветливо улыбнулась она и, взглянув, кто пришел вместе с ее хозяйкой, нисколько не удивилась — ни Эдварду, обнаженная грудь которого тускло мерцала в сиянии белых ламп, ни мне, растрепанной и уродливой по сравнению с остальными.

— Привет, Джина! — кивнула вампирша и сквозь двойные двери провела нас в кабинет.

Проходя мимо конторки, Феликс подмигнул девушке, и та захихикала.

По другую сторону оказалась еще одна приемная. Там сидел молодой парень в жемчужно-сером костюме. Он мог запросто сойти за двойника Джейн. Волосы темнее, губы не такие пухлые, и все-таки он был не менее привлекательным.

— Джейн!

— Алек... — прижимая парня к себе, отозвалась вампирша.

«Брат с сестрой» расцеловали друг друга в щеки, и лишь потом Алек удостоил вниманием нас.

— Уходишь за одним, а возвращаешься с двумя, даже двумя с половиной, — скользнув по мне взглядом, добавил он.

Джейн рассмеялась: радости в ее смеха было не меньше, чем в первом лепете младенца.

— Эдвард, добро пожаловать! — приветствовал Алек. — Похоже, настроение у тебя исправилось.

— В самой малой степени, — бесстрастно ответил Каллен, а я, заглянув в его лицо, удивилась: неужели он был еще мрачнее?

Не успев спрятаться за спиной Эдварда, я наткнулась на насмешливый взгляд молодого вампира.

— Так вот из-за кого столько проблем?! — скептически поинтересовался он.

Ничего не ответив, Каллен презрительно ухмыльнулся, а потом словно окаменел.

— Любовь зла... — будто случайно вырвалось у стоящего сзади Феликса.

Эдвард обернулся с глухим рычанием, а Феликс, широко улыбаясь, поднял руку и сжал ладонь в кулак. Да он же на драку провоцирует!

Элис легонько коснулась пальцев брата.

— Успокойся! — негромко проговорила она.

Каллены обменялись долгим взглядом, и мне очень захотелось узнать, что говорит подруга.

Наверное, убеждала брата не нападать на Феликса, потому что Эдвард тяжело вздохнул и будто нехо тя посмотрел на Алека.

— Аро будет очень рад снова тебя увидеть! — как ни в чем не бывало сказал молодой вампир.

— Лучше не заставлять его ждать, — посоветовала Джейн.

Эдвард коротко кивнул.

Держась за руки, Алек и Джейн провели нас в следующий просторный, богато украшенный зал. Интересно, сколько их еще впереди?

Не обратив внимания на высокие, облицованные золотом двери в глубине зала, они остановились у стены и сдвинули обшивку, обнажив еще одну, самую простую, деревянную. Галантный Алек придержал ее, пропуская вперед Джейн.

Я беззвучно застонала, когда Эдвард толкнул меня в узкий проем: с другой стороны те же камни, что и на площади, в проулке и канализационном коллекторе. Камни, темнота и холод...

К счастью, каменный вестибюль оказался недлинным и скоро привел в зал посветлее, похожий на пещеру или башню древнего замка. Наверное, это и правда башня. Двухэтажная, с длинными узкими окнами, сквозь которые на каменный пол падали яркие прямоугольники света. Из мебели только несколько массивных, высоких, как троны, стульев, расставленных вдоль плавно изгибающихся стен. В самом центре круга небольшое углубление, а в нем еще один водосток. Интересно, он, подобно канаве на улице, тоже используется в качестве выхода?

У водостока стояли несколько человек и о чем-то оживленно беседовали. Спокойные голоса сливались в негромкий, разносящийся под сводами башни гул. Вот две бледные женщины в летних платьях остановились в островке солнечного света, и от их кожи, словно посыпанной хрустальной пылью, по светло-коричневым стенам заплясали радужные блики.

Не успели мы войти, как все прекрасные лица повернулись в нашу сторону. Большинство бессмертных были одеты совершенно непримечательно: брюки, юбки, рубашки, на улице они бы не выделялись из общей массы. Но мужчина, заговоривший первым, был в длинной накидке. Черная как смоль, она волочилась по полу, и на секунду я приняла его длинные, цвета воронова крыла волосы за капюшон.

— Джейн, милая, ты вернулась!

Голос мягкий, бархатный. Мужчина двинулся... нет, поплыл вперед с такой невероятной грацией, что я раскрыла рот в немом восторге. С ним не сравнится даже Элис, каждый шаг которой напоминает балетное па.

Когда он приблизился и я увидела его лицо, то удивилась еще сильнее. Оно не было неестественно красивым, как у членов его свиты (грациозный брюнет подошел не один: вокруг него суетились все присутствующие в зале — кто-то шагал позади, кто-то, подобно бдительным телохранителям, впереди). Я не могла решить, нахожу его привлекательным или нет. Вероятно, черты были идеально правильными, но от сопровождавших его вампиров брюнет отличался не меньше, чем я. Кожа, прозрачно-белая, как луковая чешуйка, и такая же нежная, в обрамлении смоляных волос казалась еще бледнее. У меня возникло странное непреодолимо сильное желание коснуться его щеки: интересно, она мягче, чем у Эдварда и Элис?

Или может, рыхлая, словно толченый мел? Радужка, как у других, малиновая, но не яркая, а матовая, будто подернутая пеленой. Интересно, он видит хорошо или как сквозь дымку?

Подплыв к Джейн, брюнет коснулся ее щеки полупрозрачной ладонью, легонько чмокнул в пухлые губы и отступил на шаг.

— Да, господин. — Улыбка осветила лицо девушки, сделав его ангельски прекрасным. — Я привела его обратно, как вы пожелали.

— Ах, Джейн, — расплылся в улыбке брюнет, — у тебя всегда только хорошие новости!

Затуманенные глаза повернулись к нам, и улыбка стала еще шире — почти восторженной.

— Как, Элис с Беллой тоже тут? — Ликуя, мужчина даже в ладоши захлопал. — Вот так сюрприз! Чудесно!

Надо же, он говорит о нас, как о старых друзьях, которые неожиданно нагрянули в гости.

Брюнет повернулся к конвоирам:

— Феликс, будь добр, скажи моим братьям, что у нас гости.

— Да, господин, — кивнул Феликс и исчез.

— Вот видишь, Эдвард! — тоном любящего, но строгого дедушки воскликнул необычный вампир. — Кто из нас прав? Разве ты не рад, что я вчера не выполнил твою просьбу?

— Да, Аро, рад, — признал Каллен, еще крепче обнимая меня за плечи.

— Обожаю счастливые развязки! — вздохнул Аро. — Вот только случаются они редко... Расскажите мне все с самого начала! Элис, — затуманенные глаза впились в гостью, — твой брат считал тебя непогрешимой, но, видимо, ошибался.

— Я-то никогда не считала себя непогрешимой, — ослепительно улыбнулась Элис. Если бы не сжатые в кулаки руки, я бы сказала, что она нисколько не волнуется. — Как вы могли сегодня убедиться, я создаю проблемы почти так же часто, как решаю.

— Ты себя недооцениваешь, — пожурил Аро. — Я наблюдал за некоторыми из твоих... хм, более удачных деяний и должен признать, что никогда не встречал подобного таланта. Превосходно!

Элис украдкой взглянула на брата, но Вольтури был начеку.

— Извини, нас ведь даже толком не представили друг другу! Просто такое впечатление, что мы давно знакомы, поэтому, по своему обыкновению, я немного опережаю события. Можно сказать, вчера твой брат тебя представил, правда, не совсем обычным образом. Видишь ли, я обладаю некоторыми его талантами, только свободы действий гораздо меньше, — покачал головой Аро, в голосе которого слышалась зависть.

— Зато куда больше власти, — сухо добавил Каллен и, посмотрев на сестру, быстро пояснил: — Чтобы читать мысли, Аро требуется физический контакт, зато ему открыто гораздо больше, чем мне. Я слышу только сиюминутные мысли, а он — все, с самого начала.

Элис вскинула изящные брови, а Эдвард чуть заметно кивнул.

Вольтури заметил и это.

— Читать мысли на расстоянии... — вздохнул брюнет, показывая рукой на Калленов, между которыми только что произошел безмолвный диалог. — Это было бы так удобно!

Аро оглянулся, а за ним и все присутствующие, включая Джейн, Алека и Деметрия, молча стоящего в полушаге от нас.

Я отреагировала последней. Оказывается, вернулся Феликс, а с ним еще двое облаченных в черные накидки мужчин. Оба очень похожи на Аро, у одного даже волосы точно такого же цвета и длины, у второго — благородная седина. Лица одинаковые, а кожа тонкая, как пергамент.

Троица с картины Карлайла присутствовала в полном составе, нисколько не изменившись за триста лет, что прошли с момента ее создания.

— Марк, Кай, только взгляните! — воскликнул Аро. — Оказывается, Белла жива, и с ней пришла Элис! Разве не чудесно?

Судя по виду, братья Вольтури «чудесным» происходящее не считали. На лице брюнета застыла бесконечная скука, будто за три тысячелетия неиссякаемый энтузиазм Аро успел ему надоесть. Седой равнодушно поджал губы.

Однако их безразличие нисколько не испортило настроение Аро.

— Давайте узнаем, как все случилось! — хрипловато пропел он.

Седовласый вампир неспешно поплыл к одному из деревянных тронов, а второй на секунду остановился возле Аро и протянул руку, как сначала мне показалось, для рукопожатия. Нет, цель другая: он лишь коснулся ладони брата и тут же отпрянул. Аро изогнул смоляную бровь. Как ни странно, пергаментная кожа даже не сморщилась!

Эдвард чуть слышно фыркнул, и Элис с любопытством на него посмотрела.

— Спасибо, Марк, очень интересно, — сказал Аро, и лишь тогда я догадалась: братья поделились мыслями.

А вот со стороны выглядело, будто Марку совершенно неинтересно. Скользнув мимо брата, он сел рядом с седым, которого, по всей видимости, звали Кай. Два стражника тотчас встали за троном Марка, так я и думала — телохранители! — а женщины в летних платьях — за Каем. Вампиру нужен телохранитель? Немного нелепо, но, может, самые старшие слабы и уязвимы?

— Поразительно, — покачал головой Аро, — совершенно поразительно.

На лице Элис мелькнуло разочарование, и брат, повернувшись к ней, объяснил:

— Марк способен видеть духовное родство, и сила нашего его очень удивила.

На бледных губах Аро снова заиграла улыбка.

— Как удобно, — пробормотал он, а потом обратился к Калленам: — Марка так просто не удивить, можете мне поверить!

Если верить апатичному лицу второго Вольтури, это правда.

— Даже сейчас не понимаю, — задумчиво начал Аро, глядя на руку Эдварда, обнявшего меня за плечи. Уследить за бешеным потоком его мыслей было непросто, но я очень старалась, — как ты можешь стоять так близко от нее?

— На самом деле это довольно сложно, — спокойно ответил парень.

Вольтури засмеялся:

— Не учуй я в твоих воспоминаниях ее запах, не поверил бы, что зов чужой крови может быть так силен. Никогда ничего подобного не испытывал! Многие из нас дорого бы отдали за такой талант, а ты...

— Транжирю его, — с сарказмом подсказал Эдвард.

Аро снова захохотал:

— Как я скучаю по моему другу Карлайлу! Ты очень на него похож, только слишком сердитый.

— Отец и в других отношениях меня превосходит.

— Никогда не думал, что кому-нибудь удастся затмить его в плане самоконтроля, но у тебя это блестяще получилось.

— Вряд ли! — нетерпеливо сказал Эдвард, будто устав от затянувшейся прелюдии. Я даже испугалась: какого продолжения он ожидает?

— Я рад успехам Карлайла, — продолжал Аро. — Твои воспоминания о нем — настоящий подарок. Я счастлив его благополучному продвижению по непроторенному пути, который он избрал. Раньше я был уверен, что со временем решимость Карлайла ослабнет; помню, я насмехался над планом найти единомышленников — с такими-то взглядами! — но сейчас даже рад, что оказался не прав.

Каллен не ответил.

— Но твое самообладание... — вздохнул властитель Вольтерры. — Я и не знал, что в природе существует такая сила! Бороться с огромным соблазном, причем не единожды, а постоянно... Не получи я доступ к твоим мыслям, ни за что бы не поверил!

Восторги Аро оставили Эдварда совершенно равнодушным. Однако я слишком хорошо знала любимое лицо — и за месяцы разлуки ничего не изменилось, — чтобы не заметить: под маской безразличия все бурлит и кипит. От ужаса у меня даже дыхание сбилось.

— Стоит вспомнить, как тебя к ней тянет... — усмехнулся Вольтури. — М-м-м, даже слюнки текут!

Эдвард сжался, словно тугая пружина.

— Не волнуйся, — успокоил Аро, — ничего плохого я ей не сделаю. Просто любопытно, а одна идея прямо-таки покоя не дает... — Вампир оглядывал меня с живейшим интересом. — Можно? — протягивая руку, спросил он.

— У нее спросите, — бесцветным голосом предложил Каллен.

— Ну, конечно, какой я грубиян! — воскликнул Вольтури. — Белла, — теперь он обращался непосредственно ко мне, — меня завораживает и изумляет, что над тобой не властен талант Эдварда. Невероятно, что подобное исключение существует! Вот я и подумал: раз наши способности во многом совпадают, может, позволишь попробовать... ну, в смысле, выяснить, не являешься ли ты исключением и для меня тоже?

Я в панике посмотрела на Эдварда: несмотря на учтивость Аро, не похоже, что у меня есть выбор. При мысли, что ко мне прикоснется этот древний вампир, становилось жутко, но вместе со страхом просыпалось извращенное любопытство: смогу узнать, какова на ощупь его странная кожа.

Каллен ободряюще кивнул: то ли потому, что верил Вольтури, то ли зная: выбора в самом деле нет.

Повернувшись к Аро, я медленно подняла руку Кисть мелко дрожала.

Потянувшись, словно для рукопожатия, Вольтури дотронулся до меня полупрозрачной, как у призрака, ладонью. Она оказалась жесткой, но какой-то хрупкой и напоминала скорее не гранит, а застывшую глину.

Подернутые дымкой глаза улыбались, и отвернуться я просто не смогла. Они гипнотизировали, хотя ощущение было довольно неприятным.

Лицо Аро менялось: уверенность сменилась сначала сомнением, затем недоверием, и наконец на нем застыла дружелюбная маска.

— Очень интересно. — Он выпустил мою ладонь и с потрясающей грацией отошел в сторону.

Я взглянула на Каллена: мне показалось или за внешней невозмутимостью любимого правда мелькнуло самодовольство?

В задумчивости властитель Вольтерры продолжал скользить по круглому залу. Вот он замер, и мутно-малиновый взгляд метнулся от Элис сначала к Эдварду, а потом ко мне. Неожиданно вампир покачал головой.

— Первый случай, — скорее для себя пробормотал он. — Интересно, а для других наших способностей она тоже неуязвима? Джейн, милая!

— Нет! — прорычал Эдвард. Элис схватила брата за руку, но тот легко вырвался.

Малютка Джейн радостно улыбнулась Аро:

— Да, господин!

Эдвард зарычал еще громче: раскатистый звук будто вспарывал его горло. Замерев от изумления, все наблюдали за Калленом, будто тот совершал непростительную ошибку. От меня не укрылось, с какой надеждой ухмыльнулся Феликс и выступил вперед. Но одного взгляда Аро было достаточно, чтобы он примерз к месту, а усмешка превратилась в унылую гримасу.

Вольтури снова обратился к Джейн:

— Милая, а для тебя Белла уязвима?

Гневное рычание Эдварда почти заглушило голос Вольтури. Разомкнув объятия, Каллен заслонил меня собой. На глазах у свиты к нам беззвучно двинулся Кай, а Джейн, сладко улыбаясь, повернулась в мою сторону

— Нет! — вскрикнула Элис: ее брат кинулся на миниатюрную девушку.

Не успела я разобрать, что к чему, стражники — оттеснить Эдварда, а телохранители Аро — даже встрепенуться, как Каллен уже лежал на полу.

Вроде бы никто к нему не прикасался, но, распростертый на каменных плитах, он корчился от боли. Я онемела от ужаса.

Теперь Джейн улыбалась одному Каллену, и кусочки мозаики наконец соединились в целую картинку: что Элис говорила о «потрясающих талантах» почему все относились к Джейн с благоговейным страхом и зачем Эдвард прикрыл меня собой.

— Прекрати! — Вспоров гулкую тишину истерическим воплем, я рванулась вперед, чтобы все досталось мне, а не Каллену. Увы, тонкие руки Элис вцепились в плечо мертвой хваткой. Эдвард корчился на каменных плитах, не издавая ни единого звука. Не могу смотреть на это, сейчас голова расколется!

— Джейн! — спокойно позвал Аро.

Девушка подняла голову — на губах все та же приятная улыбка, в глазах вопрос. Едва она отвела взгляд, Эдвард перестал корчиться.

Вольтури кивнул в мою сторону, и послушная Джейн выполнила безмолвное указание.

Я даже голову не подняла, продолжая вырываться из железных объятий подруги и следить за Эдвардом.

— С ним все в порядке, — шепнула Элис, и, будто услышав сестру, Каллен сначала сел, а потом легко поднялся на ноги. Он был очень напуган, и сначала я решила, что это из-за испытанных мучений. Но вот Эдвард посмотрел на нас с Джейн, и на лице любимого мелькнуло заметное облегчение.

Когда на Джейн решилась глянуть я, она уже не улыбалась, а буравила меня немигающим взглядом, стиснув зубы. Я сжалась в комочек, приготовившись к боли.

Ничего не произошло.

Эдвард подошел к нам, коснулся руки Элис, и та передала меня ему.

— Ха-ха-ха! — загрохотал Аро. — Здорово!

Джейн зашипела от разочарования и подалась вперед, будто собираясь прыгнуть.

— Дорогая, не расстраивайся! — успокоил Вольтури, положив девушке на плечо невесомую, как паутинка, ладонь. — Она нас всех в тупик поставила.

Не сводя с меня немигающих глаз, Джейн изогнула верхнюю губу и оскалилась.

— Ха-ха-ха! — продолжал веселиться Вольтури. — Эдвард, с твоей стороны очень мужественно вытерпеть такое молча. Однажды из чистого любопытства я попросил Джейн проделать этот фокус со мной... — Аро восхищенно покачал головой.

Каллен смотрел на него с неприкрытым отвращением.

— Как же теперь с вами быть? — вздохнул Аро.

Элис с Эдвардом заметно напряглись: именно этого момента они ждали.

— На то, что ты передумаешь, надеяться, очевидно, не стоит? — поинтересовался Вольтури у Эдварда. — Твой талант украсил бы нашу маленькую компанию.

Каллен колебался. Феликс и Джейн скривились.

Похоже, прежде чем ответить, Эдвард взвесил каждое слово.

— Скорее всего... нет.

— А ты, Элис? — не унимался вампир. – Не желаешь к нам присоединиться?

— Нет, спасибо, — отозвалась моя подруга.

— Ну, а ты, Белла? — вопросительно поднял брови Аро.

Эдвард чуть слышно зашипел, а я непонимающе уставилась на Вольтури. Он что, шутит? Или и правда приглашает остаться на ужин?

Молчание нарушил седовласый Кай.

— Что? — обратился он к брату. Голос у второго Вольтури не громче шепота и какой-то безжизненный.

— Кай, неужели ты не видишь потенциал? — мягко пожурил Аро. — С тех пор как нашли Джейн и Алека, перспективных талантов я не встречал. Представляешь, как возрастут наши возможности, если она станет бессмертной?

Язвительно ухмыльнувшись, Кай отвернулся, а Джейн, видимо считавшая сравнение нелестным, гневно сверкнула глазами.

Рядом со мной буквально кипел от злости Эдвард. Из его груди слышался рокот, который в любую секунду мог превратиться в звериное рычание. Нельзя, чтобы его погубила вспыльчивость!

— Нет, спасибо, — чуть слышно шепнула я, преодолевая сильный испуг

— Очень жаль, — вздохнул Аро. — Какая досада!

— Кто не с нами, тот умрет, верно? Я догадался сразу, как только нас провели в этот зал... Вот и доверяй теперь вашим законам!

Тон Эдварда меня очень удивил. Он говорил раздраженно, однако в его фразе сквозили намеренность и расчет, будто он тщательно готовился, подбирая каждое слово.

— Конечно, нет! — изумленно захлопал глазами Аро. — Эдвард, мы собрались здесь, потому что ждем возвращения Хайди, а вовсе не из-за тебя.

— Аро, — прошипел Кай, — по закону они должны умереть!

Эдвард смерил седого Вольтури гневным взглядом.

— Как это? — спросил он.

Каллен наверняка знал, что на уме у Кая, но, похоже, решил заставить его сказать это вслух.

— Ей, — седой ткнул в меня костлявым пальцем, — слишком много известно. Ты выдал наши тайны! — Голос Кая был пергаментно тонким, совсем как кожа.

— В вашем фарсе смертные тоже задействованы! — заметил Эдвард, и я вспомнила хорошенькую администраторшу.

Словно цветные стекла калейдоскопа, черты Кая сложились в новое выражение. Или он так улыбается?

— Да, — признал Вольтури, — но, когда мы потеряем интерес, они будут использованы для поддержки жизненной силы. Относительно этой смертной таких планов у тебя нет. Предай она нас, готов ты ее уничтожить? Вряд ли!

— У меня даже в мыслях... — по-прежнему шепотом начала я, но, встретив ледяной взгляд Кая, осеклась.

— Приобщать ее к нашему кругу ты тоже не собираешься, — продолжал седовласый Вольтури. — Значит, она уязвимое звено. Факты неоспоримы. однако пожертвовать придется только ее жизнью Ты можешь быть свободен.

Эдвард оскалился.

— Так я и думал, — удовлетворенно проговорил Кай, а воспрявший духом Феликс подался вперед.

— Разве что... — перебил Аро, — разве что ты ее изменишь.

Каллен задумчиво поджал губы.

— А если я решусь на это? — осторожно спросил он.

— Тогда вы вернетесь домой и передадите привет моему дорогому Карлайлу. Увы, боюсь, — пергаментное лицо вампира посерьезнело, — боюсь, мне придется удостовериться в искренности твоих планов. — Аро протянул руку.

Нахмурившийся Кай моментально успокоился.

Губы Эдварда сжались в тонкую бескровную полоску, карие глаза впились в мои.

— Ну, давай, — прошептала я, — пожалуйста!

Почему эта мысль внушает ему такое отвращение? Почему он согласен умереть, только бы не вводить меня в свой круг? Я расценивала это как предательство...

На бледном лице Каллена отразилась настоящая мука.

Вдруг из-за спины брата вышла Элис и с необыкновенной грацией двинулась к Аро. Мы удивленно наблюдали, как она протягивает ему свою бескровную ладонь.

Моя подруга молчала, а Вольтури отмахнулся от стражников, намеревавшихся встать между ним и Элис, шагнул ей навстречу и взял за руку. В затуманенных глазах горел жадный, чуть ли не хищный огонь.

Аро наклонился к соприкасающимся пальцам и, стараясь сосредоточиться, зажмурился. Элис, не шевелясь, апатично смотрела перед собой. В полной тишине я услышала, как клацнули зубы Эдварда.

Никто не решался сдвинуться с места, а ладонь Элис будто примерзла к руке Вольтури. С каждой секундой становилось все страшнее: сколько времени должно пройти, прежде чем станет «слишком»? Слишком поздно, слишком опасно, слишком страшно... то есть даже страшнее, чем сейчас?

Еще одна мучительно долгая минута, и зловещую тишину прервал смех Аро.

— Ха-ха-ха! — загремел он, а когда поднял голову, глаза его горели от волнения. — Восхитительно!

— Рада, что вам понравилось, — сухо улыбнулась девушка.

— Конечно! Видеть то, что открыто тебе, особенно будущее! — восторгался вампир.

— Это обязательно произойдет, — спокойно заверила его Элис.

— Да, да, так предопределено! Иначе и быть не может!

Седовласый Вольтури казался сильно разочарованным, и, судя по всему, Джейн с Феликсом разделяли его чувства.

— Аро! — недовольно вздохнул Кай.

— Дорогой брат, — улыбнулся Вольтури, — не стоит раздражаться. Подумай о перспективах. Пусть сегодня они к нам не присоединятся, зато есть надежда на завтра. Представь, сколько радости принесет в нашу маленькую семью одна только Элис! А еще очень любопытно узнать, что получится из Беллы...

Он что, не понимает, насколько субъективны видения моей подруги? Что сегодня она может решить изменить меня, а завтра передумать? Что тысячи малозначимых решений как самой Элис, так и посторонних людей, в том числе и Эдварда, могут повлиять на ее судьбу, а вместе с тем и на будущее?

И что изменит желание Элис, что хорошего в том, что я стану вампиром, если эта мысль так претит Эдварду? Если смерть для него лучше, чем вечно быть рядом со мной и веками терпеть мое занудство?

Теперь помимо страха я чувствовала, как на меня накатывают штормовые волны депрессии.

— Так нам можно идти? — спокойно спросил Эдвард.

— Да, да, да, — закивал головой Аро, довольный тем, как развиваются события. — Но обязательно приезжайте в гости. Я получил огромное удовольствие!

— Мы тоже к вам заглянем, — пообещал Кай, следя за нами из-под тяжелых полуопущенных век. Надо же, вылитая ящерица! — Проверим, выполняется ли соглашение. Парень, на твоем месте я бы не тянул резину. Второго шанса не будет!

Эдвард стиснул зубы, но заставил себя кивнуть, а Кай, самодовольно ухмыльнувшись, поплыл к трону, на котором с безучастным видом сидел Марк.

Феликс тяжело вздохнул.

— Феликс, потерпи, милый, — радостно улыбнулся Аро. — Хайди будет здесь с минуты на минуту.

— В таком случае нам лучше поскорее уйти. — В голосе Эдварда снова мелькнуло волнение.

— Да, — кивнул Аро, — отличная мысль, а то мало ли что может случиться. И все же, полагаю, вам следует дождаться темноты.

— Конечно, — кивнул Каллен, а я сморщилась: придется целый день сидеть в малоприятном месте.

— И вот еще что... — Вольтури поманил к себе Феликса, развязал накидку, снял ее с плеч крепыша и швырнул Эдварду. — Возьми, не будешь так в глаза бросаться!

Каллен примерил длинную накидку, только капюшон не надел.

— Тебе идет, — вздохнул Аро.

Эдвард усмехнулся, однако, взглянув через плечо, осекся.

— Спасибо, мы посидим внизу...

— До свидания, мои юные друзья! — Блестящие глаза Вольтури смотрели в ту же сторону.

— Пойдемте! — поторопил нас Эдвард.

Деметрий знаком велел следовать за ним и двинулся к каменному вестибюлю, который, судя по всему, был единственным выходом.

Эдвард подталкивал меня вперед, с другой стороны шла хмурая Элис.

— Не успели, — пробормотала она.

Я испуганно глянула на подругу — в ее темных глазах светились досада и огорчение. Тут из приемной послышались голоса, очень громкие и резкие.

— Как необычно! — прогудел мужской.

— Будто в средневековье попали! — ответил женский, неприятно визгливый.

В маленькую дверь, заполняя каменный вестибюль, протискивалась целая толпа. Знаком Деметрий велел освободить для них место, и мы прижались к холодным стенам.

Шедшая впереди пара, судя по произношению, американцы, в прямом и косвенном смысле оценивала обстановку.

— Добро пожаловать, друзья! Добро пожаловать в Вольтерру! — пропел из круглого зала Аро.

За парой вошли остальные, в общей сложности человек сорок. Некоторые глазели по сторонам словно туристы, даже фотографии делали. Другие казались смущенными, будто не понимали, как угодили в странную башню. Одна темнокожая женщина выглядела совершенно потерянной. На шее четки, в правой руке зажат крест; она шла медленнее остальных, то и дело теребила спутников, задавая вопросы на незнакомом гортанном языке.

Эдвард прижал меня к себе, но слишком поздно: я догадалась.

Едва в толпе образовалась брешь, Каллен толкнул меня к двери. Я чувствовала, как лицо перекосилось от ужаса, а из глаз вот-вот хлынут слезы.

Золоченый, богато обставленный зал наслаждался тишиной. В нем не осталось никого, кроме ослепительно красивой, статной женщины, которая разглядывала с любопытством всех нас, особенно меня.

— Добро пожаловать домой, Хайди! — приветствовал стоящий за нашими спинами Деметрий.

Хайди рассеянно улыбнулась. Она очень напоминала Розали, хотя, помимо ослепительной красоты, никакого сходства не было. Я глаз не могла отвести.

Наряд только подчеркивал великолепие внешних данных. Суперкороткое мини выставляло напоказ поразительной длины ноги, затянутые в черные колготки. Блузка обманчиво строгая, с длинными рукавами и высоким воротничком, но красный винил повторял малейшие изгибы тела. Каштановые волосы ниспадали блестящей волной, а глаза поражали необычным сиреневым оттенком, — наверное, такой получается от сочетания синих линз и малиновой радужки.

— Деметрий! — сладко пропела она, хотя сиреневые глаза метались между моим лицом и серой мантией Эдварда.

— Отличный улов, — похвалил вампир, и я тотчас поняла, зачем нужен столь вызывающий наряд. Она не только рыбак, но и наживка по совместительству.

— Спасибо! — ослепительно улыбнулась красавица. — Ты идешь?

— Буквально через минуту. Оставь мне парочку.

Хайди кивнула и, еще раз смерив меня любопытным взглядом, исчезла за дверями.

Мне пришлось бежать — так быстро шагал Эдвард. Однако зал был слишком длинным, и крики послышались раньше, чем мы успели добраться до двойных дверей.

Глава двадцать вторая

ПОЛЕТ

Деметрий оставил нас в пышущей благополучием приемной, где за конторкой из красного дерева по-прежнему сидела молодая Джина, а из встроенных колонок лилась совершенно безобидная бодрая музыка.

— До наступления темноты не уходите, — напомнил стражник Вольтури. Каллен кивнул, и Деметрий поспешил прочь.

Судя по всему, подобный обмен фразами нисколько не удивил Джину, хотя она и смерила проницательным взглядом накидку, которую пришлось позаимствовать Эдварду.

— Ты в порядке? — спросил Каллен слишком тихим для ушей смертных голосом. Беспокойство сделало баритон грубоватым, насколько может быть грубым шелковистый бархат. «Похоже, сам еще в себя не пришел», — подумала я.

— Лучше усади ее, — посоветовала Элис. — Белла чуть на ногах стоит!

Только сейчас я поняла, что трясусь, сильно трясусь. Дрожь колотила все тело, даже зубы стучали, а приемная покачнулась и поплыла перед глазами. Интересно, Джейкоб чувствует нечто подобное, когда превращается в волка?

Я услышала что-то непонятное, хриплый надрывный звук, совершенно не в такт бравурной мелодии, льющейся из динамиков. Увы, сильная дрожь мешала разобрать, что это за звук и откуда.

— Тише, Белла, тише! — Каллен подталкивал меня к диванчику, стоящему дальше других от любопытной администраторши.

— У нее истерика. Может, шлепнешь по щекам? — посоветовала Элис.

Эдвард обжег сестру яростным взглядом.

Теперь все понятно... Господи, это же я хриплю! Надрывный звук — рыдания, сотрясающие мою грудь.

— Все в порядке, ты в безопасности, все в порядке, — скороговоркой повторял Эдвард. Посадив на колени, он прикрыл меня толстой шерстяной накидкой, чтобы защитить от холода своей кожи.

Зачем так глупо себя вести? Кто знает, сколько осталось любоваться его прекрасным лицом? Я в безопасности, он тоже, значит, сможет уйти, как только мы поднимемся в город. Туманить глаза слезами, лишаясь шанса наслаждаться его красотой, — какая расточительность, полное безумие!

Но никакие слезы не могли смыть будоражащий сознание образ: перепуганное лицо женщины с четками.

— Боже, несчастные люди... — всхлипывала я.

— Да, знаю, — прошептал он.

— Так ужасно...

— Понимаю... Жаль, что тебе пришлось это увидеть!

Прижавшись щекой к холодной груди, я вытирала слезы толстой накидкой. Несколько глубоких вдохов: нужно скорее успокоиться.

— Могу я чем-то помочь? — спросил вежливый голос.

Склонившись над плечом Эдварда, Джина смотрела на нас со странной смесью тревоги и профессиональной отстраненности. Похоже, девушку нисколько не волнует, что ее лицо всего в нескольких сантиметрах от вампира из вражеского лагеря. Она либо находится в полном и блаженном неведении, либо отлично вышколена.

— Нет, — холодно ответил Эдвард.

Девушка кивнула и исчезла за конторкой.

Едва Джина вышла из зоны слышимости, я спросила:

— Она знает, что здесь творится? — Мой голос прозвучал очень низко и хрипло, и, делая глубокие вдохи, я попыталась привести в порядок дыхание.

— Да, Джина в курсе.

— Она отдает себе отчет, что однажды ее тоже могут убить?

— Ну, скорее, понимает, что это возможно.

Я удивилась.

— Надеется, что они ее не уничтожат.

Мои щеки зарделись.

— Хочет стать одной из них?

Коротко кивнув, Эдвард внимательно посмотрел на меня.

— Как можно этого хотеть? — содрогнувшись, прошептала я. — Как можно смотреть на людей, входящих в ужасный зал, и мечтать в этом участвовать?

Прекрасное лицо Каллена дрогнуло: его задели мои слова.

Пытаясь понять, какие именно, я вглядывалась в любимого и внезапно осознала: сейчас, хоть ненадолго, Эдвард держит меня в объятиях и в этот мимолетный миг нас не убьют.

— Ох, Эдвард!.. — Я начала всхлипывать. Какая глупость! Слезы снова заслоняют его лицо, и это непростительно. Времени-то у меня только до захода солнца. Совсем как в сказках, в которых у волшебства есть временные границы.

— Ты что? — с тревогой спросил Каллен, бережно растирая мне спину.

Я обвила руками его шею — в худшем случае он просто отстранится — и прижалась покрепче.

— Очень глупо в такой момент чувствовать себя счастливой? — срывающимся голосом спросила я.

Эдвард не отстранился, а притянул меня к себе и обнял так крепко, что стало больно дышать, хотя в груди не осталось ни одной раны.

— Прекрасно понимаю, о чем ты, — шепнул он. — Но повод для счастья есть, и не один. Во-первых, мы живы.

— Да, — кивнула я, — отличный повод!

— Еще — мы вместе, — прошептал Эдвард. Дыхание у него такое свежее, такое сладкое, что голова закружилась.

Я только кивнула, уверенная, что эти слова не несут для него такого смысла, как для меня.

— И, если повезет, доживем до завтра.

— Надеюсь, — с тревогой отозвалась я.

— Перспективы вполне радужные, — заверила меня Элис. Она сидела не шевелясь, и я почти забыла о ее присутствии. — Менее чем через двадцать четыре часа я увижу Джаспера!

Счастливица, уверена в будущем! Но я не могла отвести взгляд от Эдварда дольше, чем на минуту, и, глядя на него, искренне желала, чтобы никакого будущего вообще не было. Чтобы этот момент длился вечно, а если не получится, чтобы я умерла вместе с ним.

Каллен повернулся ко мне. Карие глаза светились лаской, и вообразить, что наши чувства взаимны, не составило никакого труда.

Тонкие пальцы коснулись моих отекших век.

— У тебя усталый вид...

— А у тебя — голодный, — прошептала я, вглядываясь в багровые синяки под почерневшими глазами.

— Пустяки, — пожал плечами Каллен.

— Точно? А то могу посидеть с Элис, — с неохотой предложила я. Пусть лучше убьет, чем отодвинется хотя бы на сантиметр.

— Не говори ерунду, — вздохнул он, лаская меня дыханием. — Никогда не контролировал эту сторону своего естества лучше, чем сейчас.

Вопросов накопилось целый миллион. Первый почти сорвался с губ, но я вовремя сдержалась. Не хотелось разрушать чарующую магию момента, пусть даже несовершенную, во вселяющей ужас приемной под взглядом будущего монстра.

В объятиях любимого так легко вообразить, что я ему нужна. О наиболее вероятных мотивах — опасность еще не миновала, поэтому Эдвард меня и успокаивает, или чувствует вину за то, что мы здесь оказались, вперемешку с облегчением: можно не корить себя в моей гибели — думать не хотелось. Вдруг после долгих месяцев разлуки ему со мной нескучно? Хотя это не важно, фантазировать гораздо приятнее.

Я нежилась в его объятиях, заново запоминала лицо, фантазировала, воображала...

Каллен смотрел на меня, будто занимаясь тем же, хотя на самом деле они с Элис решали, как вернуться домой. Говорили быстро и тихо, и Джина точно ничего не разобрала. Я и сама понимала лишь каждое второе слово. По-моему, речь шла об очередном угоне... Интересно, желтый «порше» уже вернулся к законным хозяевам?

— А что там было сказано о певицах? — неожиданно поинтересовалась Элис.

— La tua cantante, — повторил Каллен, в устах которого итальянский казался музыкой.

— Да, точно, — кивнула подруга, и мне пришлось сосредоточиться: интересно, что же имел в виду Аро?

Эдвард пожал плечами:

— Они так называют смертных, на запах которых реагируют так же, как я на Беллин. Для Вольтури Белла — моя певица, потому что меня зачаровывает песня ее крови.

От усталости клонило в сон, но я с ним боролась. Не хотелось терять ни секунды времени, которое осталось провести рядом с Эдвардом. Разговаривая с сестрой, он то и дело наклонялся, чтобы меня поцеловать, — гладкие, как стекло, губы касались волос, лба, кончика носа. Каждый раз привыкшее к долгой спячке сердце будто пронзал электрический разряд, и казалось, его бешеный стук слышен по всей приемной.

Настоящий рай посреди ада!

Я совсем потеряла счет времени и запаниковала, лишь когда Эдвард еще крепче сжал меня в объятиях, и они с Элис настороженно посмотрели в сторону холодного каменного вестибюля. Прижавшись к груди любимого, я увидела, как в двойные двери вошел Алек. Глаза молодого вампира стали ярко-рубиновыми, на светло-сером костюме ни пятнышка. Поразительно, особенно если вспомнить, каким был его ленч!

Однако парень принес хорошие новости.

— Можете идти, — заявил он с сердечностью лучшего друга. — Просим не задерживаться в городе!

Каллен притворяться не стал, его ответ прозвучал сухо и холодно:

— Никаких проблем.

Алек улыбнулся, кивнул и исчез за дверью.

— Идите по коридору направо до первых лифтов, — объясняла Джина, пока Эдвард помогал мне встать. — Фойе двумя этажами ниже и выходит на улицу. Счастливо добраться! — весело добавила она.

Интересно, опыт и профессионализм спасут эту девушку?

Элис окинула администраторшу хмурым взглядом.

Как хорошо, что обратно придется идти другим путем! Кто знает, вынесла бы я еще одно путешествие по подземному лабиринту?

Мы вышли через роскошно и со вкусом отделанное фойе. На средневековый замок, скрывавшийся за тщательно спроектированным современным фасадом, оглянулась только я. С этой стороны башню видно не было, что очень меня обрадовало.

На улицах полным ходом шло празднование. Мы быстро шагали по переулкам. Небо над головой было унылого блекло-серого цвета, но дома стояли так плотно друг к другу, что казалось темнее. Зажигались фонари.

Наряды гуляющих тоже изменились, и длинная мантия Эдварда не привлекала к себе внимания. Сегодня же по улицам Вольтерры бродило немало мужчин в черных шелковых накидках, а пластиковые клыки, которые я утром видела на ребенке, завоевали поклонников и среди взрослых.

— Ерунда какая! — пробормотал Каллен.

Я даже не заметила, когда и куда исчезла шедшая рядом Элис: повернулась, чтобы о чем-то спросить, а ее нет.

— Где Элис? — испуганно прошептала я.

— Пошла забирать сумки там, куда их спрятала сегодня утром.

А я и забыла, что взяла с собой зубную щетку! У меня даже настроение улучшилось.

— Наверное, и машину угоняет? — догадалась я.

— Нет, этим она займется чуть позже, за стенами Вольтерры, — усмехнулся Каллен.

До ворот мы шли целую вечность. Эдвард догадался, что я выбилась из сил, и, крепко обняв, фактически волок по улицам.

Проходя под мрачной каменной аркой, я невольно содрогнулась. Тяжелая древняя решетка совсем как в гигантской клетке: сейчас опустится и мы окажемся в плену.

Эдвард подтолкнул меня к темной машине с заведенным мотором, притаившейся в закоулке справа от ворот. Почему-то он не захотел сесть за руль, а вслед за мной скользнул на заднее сиденье.

— Простите, — извиняющимся тоном проговорила Элис, — выбирать было особенно не из чего.

— Все в порядке, милая, — усмехнулся брат, — не на каждой стоянке найдешь «Порше-911 Турбо»!

Девушка вздохнула:

— Наверное, придется обзавестись такой игрушкой законным путем. Сказка, а не машина!

— Договорились, подарю на Рождество, — пообещал Эдвард.

Элис повернулась к брату, а я перепугалась: разве петляющую вниз по холму дорогу можно выпускать из вида? Особенно раз скорость уже набрали...

— Желтую! — попросила она.

Эдвард сжимал меня в объятиях. В его накидке так тепло и уютно! Более чем уютно...

— Попробуй заснуть, Белла, — прошептал он. — Все кончено...

Понятно, он имел в виду опасность и кошмары старого города, но в горле образовался неприятный комок, и, прежде чем ответить, я нервно сглотнула.

— Спать не хочу и совсем не устала. — Я соврала лишь наполовину. Закрывать глаза не хотелось: салон освещали только неоновые указатели приборной панели, однако этого было достаточно, чтобы разглядеть любимое лицо.

— Постарайся! — шепнул Каллен, прильнув губами к моей мочке.

Я покачала головой.

— Упрямство никуда не делось, — вздохнул Эдвард.

Упрямства мне точно не занимать: с его помощью я боролась с тяжелыми веками и выиграла.

На темной автостраде было сложнее всего, зато очень помогли яркие огни аэропорта Флоренции, а также возможность переодеться и почистить зубы. Элис купила брату новую одежду, а серую накидку бросила в кучу мусора на одном из поворотов. Перелет в Рим оказался слишком коротким, и усталость не успела затянуть в сети, но я прекрасно понимала: путешествие в Атланту будет совершенно иным испытанием, и попросила у стюардессы колу.

— Белла! — зная мою чувствительность к кофеину, покачал головой Эдвард.

Элис сидела в соседнем ряду, и я слышала, как подруга шепчется по телефону с Джаспером.

— Не хочу спать, — напомнила я, а объяснение дала вполне реальное, потому что оно было правдой: — Если закрою глаза, увижу то, что видеть не хочется. Кошмары замучают.

Больше Каллен спорить не стал.

В полете можно было вдоволь наговориться и получить ответы на все вопросы, интересующие и одновременно страшащие — я заранее содрогалась от того, что скажет Эдвард. Впереди столько свободного времени, и в самолете Каллену от меня не скрыться — ну, по крайней мере, скрыться непросто. Кроме Элис, нас никто не услышит: уже поздно, большинство пассажиров отключают свет и приглушенными голосами просят подушки. Во время разговора и с усталостью проще бороться!

Однако вопреки здравому смыслу бесконечные вопросы тяжелыми цепями сковали язык. Наверное, на ход мыслей повлияло нервное и физическое истощение, но мне казалось, не задав вопросы сейчас, я смогу купить хоть несколько часов и, подобно Шахерезаде, растянуть общение с Эдвардом еще на одну ночь.

Поэтому и продолжала пить колу, боясь даже моргнуть. Каллену, похоже, нравилось молча сжимать меня в объятиях и, будто рисуя, водить пальцами по лицу. Я тоже осторожно касалась его щек, губ, глаз; понимала: потом, когда останусь одна, будет больно, но остановиться не могла. Он целовал мои волосы, лоб, запястья... губ старательно избегал. Пожалуй, так даже лучше. В конце концов, сколько боли может вынести человеческое сердце? За последнее время мне пришлось немало пережить, но сильнее я от этого не стала. Наоборот, чувствовала себя бесконечно слабой. Одно-единственное слово — и разобьюсь вдребезги.

Эдвард молчал: надеялся, что я засну, или просто ему было нечего сказать.

Я снова выиграла битву с тяжелыми веками и, когда приземлились в аэропорту Сиэттл-Такома, даже увидела встающее над плотными облаками солнце. Потом Эдвард опустил козырек, но я все равно гордилась собой: отлично, ни минуты не потеряла!

Нас ждали. Если Калленов это не удивило, то я ни на что подобное не надеялась. Первым на глаза попался Джаспер. Впрочем, ему было не до меня. В плотной толпе прибывших он не видел никого, кроме Элис. Встретившись, они не стали, подобно другим влюбленным, целоваться и обниматься, а просто смотрели друг другу в глаза. В этом было столько личного, даже интимного, что я поспешно отвернулась.

Карлайл с Эсми ждали в закутке, подальше от очереди, тянущейся к металлоискателям. Эсми прижала меня к себе крепко, но как-то неловко, потому что руки ее приемного сына до сих пор обвивали мои плечи.

— Спасибо огромное! — шепнула она, а потом обняла Эдварда. В глазах миссис Каллен светились такие переживания, что, наверное, умей она плакать, точно бы разрыдалась. — Никогда, никогда больше не заставляй меня так волноваться!

— Прости, мама... — с раскаянием пробормотал Эдвард.

— Спасибо, Белла! — поблагодарил Карлайл. — Мы так тебе обязаны!

— Ну, это вряд ли... — прошептала я. Усталость все-таки взяла надо мной верх; казалось, мои голова и тело существуют отдельно.

— Белла едва на ногах стоит! — набросилась на сына Эсми. — Нужно срочно отвезти ее домой.

Не уверенная, что хочу вернуться домой, ничего не видя от усталости, я брела по аэропорту. С одной стороны меня поддерживал Эдвард, с другой — Эсми. Элис с Джаспером, наверное, шли следом; обернуться и проверить не было сил.

Сознание отключилось почти полностью, но, когда мы подошли к машине, я каким-то чудом стояла на ногах. Разглядев в полумраке гаража Розали и Эмметта у черного седана, я удивилась так, что даже усталость отступила. Тело Эдварда сжалось в тугую пружину.

— Не надо! — шепнула Эсми. — Ей и так плохо.

— И поделом! — прорычал парень, изо всех сил стараясь не сорваться на крик.

— Розали не виновата, — с трудом ворочая распухшим от усталости языком, пролепетала я.

— Позволь ей хотя бы извиниться, — попросила Эсми. — Мы с отцом сядем в машину Джаспера.

Глядя на невероятно красивую блондинку, Эдвард зарычал.

— Пожалуйста, не надо! — взмолилась я. Ехать вместе с Розали мне хотелось не больше, чем ему, но сколько можно ссорить Калленов? Из-за меня и так столько проблем и раздоров!

Тяжело вздохнув, парень потащил меня к машине.

Не сказав ни слова, Эмметт с Розали устроились впереди, а меня Эдвард снова усадил на заднее сиденье. Понятно, бороться с тяжелыми веками мне больше не под силу. Окончательно капитулировав, я прижалась к груди любимого и закрыла глаза. Мотор седана ожил с негромким урчанием.

— Эдвард... — начала Розали.

— Я все знаю! — бесцеремонно оборвал брат.

— Белла! — нерешительно позвала блондинка.

От изумления у меня даже веки распахнулись. Непосредственно ко мне надменная красавица еще не обращалась.

— Да, Розали, — с опаской проговорила я.

— Белла, извини меня, пожалуйста. Я... чувствую себя ужасно из-за всей этой истории и страшно благодарна за то, что ты, несмотря на мои глупости, спасла Эдварда. Умоляю, скажи, что ты меня прощаешь!

От волнения слова звучали неловко, чуть напыщенно, однако вполне искренне.

— Ну, конечно, Розали, — прошептала я. Может, хоть теперь она не будет так сильно меня ненавидеть? — Разве ты виновата? Это меня угораздило спрыгнуть с той дурацкой скалы! Естественно, я тебя прощаю!

Язык меня почти не слушался.

— Роуз, Белла без сознания, так что извинение не считается! — усмехнулся Эмметт.

— Я в сознании! — захотелось возразить мне, но получилось что-то вроде невнятного мяуканья.

— Дай ей поспать! — осадил брата Эдвард уже без прежней злости.

Повисла тишина, нарушаемая лишь мерным урчанием мотора. Наверное, я уснула, потому что, казалось, буквально через секунду дверца распахнулась и Эдвард вынес меня из машины. Глаза не открывались, и я решила, что мы до сих пор в аэропорту.

А потом услышала голос Чарли.

— Белла! — где-то вдалеке кричал он.

— Чарли... — отозвалась я, пытаясь стряхнуть с себя сон.

— Ш-ш-ш! — зашипел Каллен. — Все в порядке. Ты дома, в полной безопасности.

— Как у тебя хватило наглости сюда вернуться! — орал на Эдварда Чарли.

— Папа, перестань! — простонала я.

Меня, естественно, не слышали.

— Что с ней? Что случилось?

— Она просто устала, очень устала, — спокойно заверил отца Каллен. — Дайте ей выспаться!

— Не смей мне указывать! — орал Чарли. — Отдай ее мне! Не смей прикасаться к Белле!

Эдвард попробовал сделать, как ему говорят, но я вцепилась в него мертвой хваткой. Отец безуспешно пытался разжать мои пальцы.

— Папа, перестань! — чуть громче прошептала я и, кое-как разлепив веки, уставилась на отца мутными глазами. — Меня ругай!

Мы около нашего дома. Входная дверь распахнута настежь. Толстая пелена облаков мешает определить, какое сейчас время суток.

— Буду, можешь не сомневаться! — пообещал Чарли. — Заходи!

— Ладно, — вздохнула я, — отпустите!

Эдвард поставил меня на ноги. Я устояла, хотя ног под собой не чувствовала. Что же, все равно нужно идти... Шаг, другой, и подъездная аллея бросилась на меня, словно хищная кобра. Поцеловать асфальт не дали сильные руки Каллена.

— Позвольте только занести ее наверх, — попросил Эдвард, — потом сразу уйду.

— Нет! — в панике закричала я. А как же мои вопросы? Он ведь должен остаться и все объяснить, разве не так?

— Я буду рядом, — прильнув к моему уху, прошептал Эдвард так тихо, что Чарли бы в жизни не услышал.

Эдварду позволили войти в дом. С открытыми глазами я продержалась только до лестницы, и последним, что я чувствовала, проваливаясь в беспамятство, были холодные руки Каллена, отдирающие мои пальцы от своей рубашки.

Глава двадцать третья

ПРАВДА

Такое ощущение, что я очень долго спала: тело затекло, будто за все это время ни разу не пошевелилась. Оцепеневший мозг еле работал; странные цветные сны и кошмары кружились в моем сознании. Они были такими яркими! Ужасное и восхитительное — все спуталось в один пестрый клубок. В нем были томительное ожидание и страх — неотъемлемые части неприятных снов, в которых твои ноги движутся не так быстро, как хотелось бы... В нем были целые орды монстров, красноглазых демонов, еще более жутких из-за своей жеманной любезности. Сон проник в сознание настолько, что я даже помнила их имена. Но самое сильное впечатление произвел вовсе не ужас, а ангел с прозрачными крыльями, оставивший в моей душе неизгладимый след.

Отпускать его очень не хотелось. Сон будто не желал отправляться в архив, где пылилось все то, о чем мне проще не вспоминать. Но я старалась, и сознание, взяв курс на реальность, понемногу просыпалось. Какой сегодня день, я не помнила, зато знала: меня ждут Джейкоб, работа, школа или еще что-нибудь. Глубоко вздохнув, я стала думать, как переживу еще один день.

Лба легонько коснулось что-то холодное.

Я покрепче зажмурилась. сон пугающе напоминает реальность. Еще немного, совсем чуть-чуть, и я проснусь, а Эдвард исчезнет...

Нет, творится что-то неладное, ощущения слишком реальны. Сильные руки, которые во сне сжимали меня в объятиях, слишком материальны. Если пустить все на самотек, потом об этом пожалею. Еще раз вздохнув, я разлепила глаза, полная решимости развеять иллюзию.

— Ой! — Из груди вырвался сдавленный вздох, а ладони судорожно метнулись, чтобы закрыть глаза.

Очевидно, я зашла слишком далеко, не следовало выпускать воображение из-под контроля. Ну, «не следовало выпускать» — не совсем честно. Я не выпустила, а вытолкнула его из-под контроля, фактически послав в погоню за иллюзиями, вот рассудок и не выдержал.

Доли секунды хватило, чтобы сообразить: возможно, я повредилась умом, зато могу наслаждаться галлюцинациями, благо пока они приятные.

Эдвард не исчез, его прекрасное лицо в каких-то сантиметрах от моего.

— Напугал? — В серебряном баритоне слышалась тревога.

Сладостный бред продолжался. Любимое лицо, голос, запах — все это куда лучше, чем тонуть в быстрине. Прекрасный плод больного воображения с тревогой наблюдал за чередой отражающихся на моем лице чувств. Радужка черная, как смоль, под глазами синюшные круги. Странно, раньше в галлюцинациях Эдвард мне таким голодным не являлся!

Я часто заморгала, пытаясь вспомнить последнее стопроцентно реальное событие. Мне снилась Элис; интересно, она правда приехала или то было всего лишь начало безумия? Итак, она якобы вернулась в день, когда я сама чуть не утонула...

— Черт!

— Что случилось, Белла?

Я расстроенно насупилась, и на красивом лице Каллена мелькнула тревога.

— Я ведь умерла, верно? Все-таки утонула! Черт, черт, черт! Представляю, что будет с Чарли...

Теперь нахмурился Эдвард:

— Ты не умерла.

— Тогда почему не просыпаюсь? — удивилась я.

— Белла, ты не спишь.

— Да, конечно! — покачала головой я. — Ты пытаешься мне это внушить, а потом проснусь, и будет еще больнее. Если вообще проснусь... а этого не случится, потому что я умерла. Как ужасно! Бедный Чарли! Рене, Джейк... — Я осеклась, содрогнувшись от чудовищности своего поступка.

— Похоже, ты путаешь меня с кошмаром! — Мимолетная улыбка Каллена получилась мрачной. — Не представляю, что такого ты могла натворить, чтобы попасть в ад. Признавайся, сколько убийств совершила за время моего отсутствия?

— Прекрасно знаешь, что ни одного, — поморщилась я. — Да и вместе мы бы в ад не попали!

Каллен вздохнул.

Сознание понемногу прояснялось. Неохотно оторвавшись от прекрасного лица, глаза метнулись к темному, распахнутому настежь окну, а потом обратно. Я начала вспоминать подробности... и почувствовала, что впервые за долгое время щеки заливает румянец — Эдвард здесь, со мной, а я по-идиотски теряю время.

— Неужели все это правда?

Мой невероятный сон — реальность? Уму непостижимо!

— Смотря что ты имеешь в виду. Если то, как в Италии нас чуть не растерзали, то да.

— Как странно! — вырвалось у меня. — Поездка в Италию... А ты знаешь, что раньше я нигде западнее Альбукерке не была?

Эдвард закатил глаза:

— По-моему, тебе лучше снова заснуть, а то болтаешь невесть что.

— Хватит, больше не хочу! — Постепенно мысли приходили в порядок. — Сколько времени? Долго я спала?

— Сейчас половина второго ночи, значит, получается около четырнадцати часов.

От долгого сна ныло тело, и я с наслаждением потянулась.

— А где Чарли?

— Спит, — нахмурился Каллен. — Думаю, тебе стоит знать, что в данный момент я нарушаю табу. Ну, с формальной точки зрения нет, потому что Чарли запретил переступать порог вашего дома, а я влез через окно... Тем не менее ясно, что он имел в виду.

— Папа не разрешает тебе у нас появляться? — Недоверие в моем голосе быстро сменилось гневом.

— А разве это удивительно? — Прекрасное лицо погрустнело.

От злости мои глаза сузились. Придется поговорить с отцом: возможно, стоит ему напомнить, что я уже совершеннолетняя. Конечно, дело не в этом, а в принципе.

Что ж, совсем скоро и запрещать будет нечего, а сейчас лучше подумать о чем-то менее болезненном.

— Так какова официальная версия? — спросила я с искренним любопытством и в то же время стараясь сделать разговор как можно непринужденнее, чтобы удержать себя в руках и не напугать страстным, неистовым желанием, бушевавшим внутри.

— О чем ты?

— Что сказать Чарли? Где я была целых... как долго меня не было? — Я мысленно пересчитала часы невероятного путешествия.

— Всего три дня. — Его взгляд стал напряженнее, а улыбка, наоборот, потеплела. — Я сам ничего не придумал, надеялся, у тебя есть правдоподобное объяснение.

— Чудесно! — простонала я.

— Может, Элис подскажет, — попытался успокоить меня Каллен.

Я на самом деле успокоилась. Какая разница, что случится потом! Каждая секунда рядом с Эдвардом — он так близко, прекрасное лицо сияет в слабом свете цифр моего будильника — драгоценность, которой нужно радоваться.

— Итак, — начала я, выбрав наименее важный вопрос. Вернув меня домой, Каллен может в любую минуту исчезнуть, так что нужно его разговорить. Тем более без переливчатого баритона этот недолговечный рай кажется несовершенным. — Чем ты занимался до приезда в Вольтерру?

Улыбка тут же исчезла.

— Так, ничем особенным...

— Конечно... — буркнула я.

— Зачем делать такое лицо?

— Ну... — я задумчиво поджала губы, — во сне ты сказал бы именно так. Наверное, у меня воображение выдохлось.

— Если расскажу, поверишь наконец, что это не кошмар?

— Кошмар! — с презрением повторила я, но Эдвард действительно ждал ответа. — Наверное... Если пойму, что к чему.

— Я... охотился.

— И это объяснение? Где доказательство того, что я не сплю?

Эдвард выдержал паузу, а потом заговорил медленно, тщательно подбирая слова:

— Я охотился... не ради еды. Скорее учился... выслеживать, это всегда у меня не очень получалось.

— Кого выслеживал? — полюбопытствовала я.

— Так, даже говорить не стоит.

— Ничего не понимаю...

Каллен снова замешкался; его лицо, зеленоватое в свете цифр электронного будильника, было какимто потерянным.

— Должен... — он набрал в грудь побольше воздуха, — должен перед тобой извиниться. Конечно, я должен... да нет, обязан тебе гораздо большим, просто пойми... — слова неслись бешеным потоком, как всегда, когда Эдвард нервничал, и, чтобы ничего не пропустить, мне пришлось сосредоточиться, — я ни о чем не подозревал. Не подозревал, какой хаос оставил после себя. Мне-то казалось, здесь ты будешь в безопасности. В полной безопасности. Я не допускал, что Виктория... — произнося это имя, Каллен оскалился, — решит вернуться. Признаюсь, единственный раз, когда ее видел, я гораздо больше интересовался мыслями Джеймса. Не думал, что Виктория способна на месть, и в голову не приходило, что она так к нему привязана. Теперь понимаю почему: она слишком верила в Джеймса и не представляла, что его планы могут сорваться. Излишняя уверенность и заслонила ее истинные чувства, помешав мне разглядеть крепкую связь между Джеймсом и Викторией.

Я не пытаюсь оправдаться: по моей милости ты столько пережила в одиночку! Когда я услышал от Элис твой рассказ — да она сама видела более чем достаточно! — когда понял, что тебе пришлось отдать свою жизнь в руки оборотней, незрелых, эмоционально неустойчивых, да они первое зло Форкса, если не считать Викторию... — Каллен содрогнулся и буквально на секунду замолчал. — Не знаю, поверишь ли ты, но ни о чем подобном я не подозревал! Ненавижу себя, простить себе не могу даже сейчас, когда сжимаю тебя в объятиях! Я самый ничтожный...

— Не надо! — В глазах Эдварда столько боли, что я постаралась подобрать нужные слова, слова, которые освободили бы его от воображаемого обязательства, причинявшего столько боли. Успокоить его будет непросто; кто знает, выдержит ли моя нервная система? Но попытаться нужно, не желаю нести в его жизнь страдания! Эдвард должен быть счастлив, чего бы мне это ни стоило!

Мне так хотелось отсрочить этот разговор! Он станет последним и разрушит наш недолговечный рай

Благодаря многомесячному притворству и лицедейству перед Чарли мне удалось сохранить внешнее спокойствие.

— Эдвард, — произнесла я, чувствуя, как пылает на губах любимое имя. Старая рана в груди запульсировала, готовая вскрыться, едва Эдвард исчезнет. Не знаю, как переживу это во второй раз... — Не надо! Пожалуйста, не надо так говорить. Нельзя, чтобы... чувство вины разрушило твою жизнь. Нельзя считать себя ответственным за то, что со мной случилось. Ты не виноват, просто так вышло. Поэтому в следующий раз, когда я поскользнусь перед отъезжающим автобусом или что-нибудь в этом духе, не проклинай себя. Не сбегай в Италию, стыдясь того, что не смог меня удержать. Пусть даже я прыгнула со скалы, это был мой выбор, а не твоя ошибка. Понимаю, ты... ты привык винить себя абсолютно во всем, но нельзя же доходить до крайностей! Подумай об Эсми, Карлайле...

Больше не могу, еще немного — и истерика начнется! Стараясь успокоиться, я глубоко вдохнула. Нужно освободить его и постараться, чтобы подобное никогда не повторилось.

— Изабелла Мари Свон! — Красивое лицо Каллена исказила престранная гримаса. Боже, да у него почти безумный вид! — Ты думаешь, я из чувства вины просил Вольтури о смерти?

В голове все перемешалось.

— Ты не чувствовал себя виноватым?

— Виноватым? Ты даже не представляешь как!

— Тогда... о чем вообще речь? Не понимаю...

— Белла, я отправился к Вольтури, потому что думал, что ты умерла, — тихо сказал парень, буравя меня глазами. — Даже не окажись я замешан в твоей гибели... — на страшном слове он содрогнулся, — даже не будь я виноват, все равно поехал бы в Италию. Конечно, следовало быть осмотрительнее и поговорить с самой Элис, вместо того чтобы слушать Розали. Но что я мог подумать, когда тот парень заявил: Чарли на похоронах? Какая мне была разница? Разница... — скорее для себя прошептал Эдвард, так тихо, что я решила, что ослышалась. — Разница всегда не в нашу пользу! Надо же, ошибка за ошибкой... Никогда больше не стану осуждать Ромео!

— И все-таки не понимаю, почему это так на тебя подействовало?

— Что?

— Почему на тебя так подействовала весть о моей гибели?

Прежде чем ответить, Эдвард целую минуту буравил меня недоверчивым взглядом.

— Неужели ты не помнишь, что я говорил тебе раньше?

— Нет, помню все...

Абсолютно все, включая ужасные слова, перечеркнувшие все остальное.

Холодный палец очертил контур моей нижней губы.

— Белла, ты сплошное недоразумение! — Закрыв глаза, Каллен покачал головой и невесело улыбнулся. — Вроде бы однажды я уже все объяснил. Видишь ли, я не могу существовать в мире, где нет тебя.

— Я... — хотелось поточнее выразиться, но мысли испуганно разбегались, — в замешательстве. — Да, верно, не могу понять смысла его слов!

В пронзительном, устремленном на меня взгляде не было ни капли притворства.

— Белла, я умею врать виртуозно и убедительно. Приходится...

Я так и застыла, тело сжалось в комок, будто от сильного удара. Рубец в груди запульсировал, и от боли перехватило дыхание.

Каллен осторожно коснулся моего плеча:

— Пожалуйста, дослушай до конца. Я виртуозный лгун, но ты так легко поверила! — Он поморщился. — Для меня это было настоящим... потрясением.

Не в силах сдвинуться с места, я ждала продолжения.

— Помнишь тот день в лесу... Я сказал тебе «прощай».

Нет, не желаю вспоминать!

— Ты не собиралась сдаваться, — прошептал Эдвард. — Я чувствовал и не хотел тебя отталкивать, боялся, что умру, если решусь на нечто подобное! Но при этом знал: если не поверишь, что я больше тебя не люблю, пережить расставание будет куда труднее. Малодушно надеялся: если поймешь, что у меня новая жизнь, тоже начнешь все сначала.

— Полный разрыв, — сорвалось с моих непослушных губ.

— Я и не рассчитывал так легко тебя убедить. Думал, возникнут непреодолимые трудности и ты будешь настолько уверена в правде, что придется часами выжимать из себя ложь, дабы посеять в твоем сознании хоть зерно сомнения. Я врал... прости меня, прости, что причинил боль, прости, что мой план потерпел крах. Прости, что не смог защитить от самого себя. Хотел при помощи лжи спасти, но ничего не вышло...

Только как же ты поверила? Я тысячу раз повторял, что люблю тебя, а ты позволила одному-единственному слову подорвать веру в мои чувства?

Я не ответила: потрясение было настолько велико, что в голову не приходило ничего вразумительного.

— Тогда я по глазам понял: ты правда поверила, что больше меня не интересуешь. Это же абсурд и нелепость, разве я смог бы жить без тебя?!

Я так и не решилась пошевелиться. Слова Эдварда непостижимы, потому что это... это просто невозможно!

Каллен снова потрепал меня по плечу, не сильно, но к реальности вернул.

— Белла, — вздохнул он, — о чем ты только думала?!

Тут я разрыдалась: слезы застилали глаза и стремительным потоком катились по щекам.

— Так и знала! Знала, что сплю!

— Нет, это невозможно! — раздраженно хохотнул Каллен. — Как же выразиться, чтобы ты поверила? Ты не спишь и не умерла; я здесь и очень тебя люблю, любил и всегда буду любить. Во время разлуки я ежесекундно думал о тебе, а закрывая глаза, видел твое лицо. Можно сказать, я богохульствовал, когда заявил, что ты мне больше н нужна...

Я качала головой, из глаз продолжали литься слезы.

— Ты не веришь? — прошептал Эдвард, и даже в полумраке я заметила, что его лицо стало бледнее обычного. — Почему лжи веришь, а правде — нет?

— Потому что твоя любовь всегда казалась невероятной. — Мой голос срывался буквально через слово.

Темные глаза сузились, брови нахмурились.

— Я докажу, что ты не спишь, — пообещал Каллен и, не обращая внимания на все попытки вырваться, зажал мое лицо стальными ладонями.

— Пожалуйста, не надо! — лепетала я.

— Почему? — спросил он, лаская дыханием щеку. Перед глазами все поплыло.

— Когда проснусь... — Эдвард открыл рот, чтобы возразить, поэтому пришлось перестраиваться на ходу: — Ладно, забыли! Когда ты исчезнешь, и без этого будет непросто.

Отстранившись буквально на несколько сантиметров, он заглянул мне в глаза:

— Вчера на ласку ты реагировала, как раньше, только чуть осторожнее и сдержаннее. Скажи, почему? Потому что я опоздал? Причинил слишком много боли? Или ты по моему совету начала все сначала? Это было бы... вполне справедливо. Не стану оспаривать твое решение, и, пожалуйста, не жалей меня, просто скажи, можешь ли любить меня после всего, что я сделал?

— Какой идиотский вопрос!

— Ответь на него, пожалуйста!

Целую минуту я буравила его мрачным взглядом.

— Мои чувства не угаснут никогда. Конечно же, я люблю, и тебе этого не изменить!

— Больше мне ничего и не нужно.

Эдвард снова склонился надо мной, и на этот раз отстраниться я не смогла. И не потому, что он в тысячу раз сильнее, а потому, что, когда наши губы встретились, сила воли рассыпалась в прах. Поцелуй получился не таким осторожным, как предыдущие, что подходило мне идеально. Раз уж решила себя губить, взамен нужно получить как можно больше.

Я сама впилась в его губы. Сердце отбивало какой-то рваный, судорожный ритм, дыхание превратилось в свист, а пальцы жадно потянулись к любимому лицу. Прижимаясь к безупречному, как у мраморной статуи, телу, я радовалась, что Каллен не послушал меня и не ушел — никакая боль на свете не оправдывала добровольный отказ от такого... Я ласкала холодные скулы, а Эдвард очерчивал контур моих губ и в перерывах между поцелуями шептал слова любви.

От страсти закружилась голова, и он отстранился — для того лишь, чтобы прильнуть ухом к моей груди.

Погруженная в блаженный ступор, я ждала, когда дыхание и пульс придут в норму.

— Кстати, — совершенно будничным тоном произнес Каллен, — я не собираюсь никуда исчезать.

В моем молчании Эдварду почудилось сомнение.

Приподнявшись, он заглянул мне в глаза:

— Я никуда не поеду, разве что только с тобой. Всегда мечтал, чтобы ты жила нормальной человеческой жизнью, и лишь поэтому решился на разлуку. Я понимал, чем чревато наше общение: ты постоянно в опасности, отдаляешься от своего мира, каждую проведенную со мной секунду рискуешь... Поэтому нужно было попытаться. Нужно было что-то делать, и единственный выход, казалось, — уехать. Без твердой уверенности, что ты от этого выиграешь, я бы ни за что не решился. Я ведь настоящий эгоист, а важнее собственных потребностей... собственных желаний для меня только ты. Хочу я одного — быть с тобой и теперь понимаю, что уже никогда не решусь на отъезд. Тем более, хвала небесам, причин остаться хоть отбавляй! Похоже, куда бы я ни прятался, как далеко бы ни бежал, безопасность тебе не гарантирована. Белла Свон физически несовместима с этим состоянием!

— Пожалуйста, не нужно ничего обещать, — прошептала я. Если начну надеяться, а потом окажется, что напрасно... я просто не переживу. То, с чем не справились беспощадные вампиры, сделает несбывшаяся надежда.

В черных глазах холодно блеснул гнев.

— Думаешь, я и сейчас лгу?

— Нет, не лжешь, — покачала головой я, пытаясь мыслить логически и обдумать все с холодной объективностью, чтобы не стать жертвой пустых надежд. — Может, сейчас ты правда так думаешь, но что будет завтра, когда вспомнишь причины, которые заставили тебя уехать в прошлый раз? Или через месяц, когда на меня бросится Джаспер?

Каллена передернуло.

Я вспоминала последние дни до его отъезда, пыталась переосмыслить те события, соотнося их с только что услышанным. Если Эдвардом двигала любовь и он решился на отъезд ради меня, его мрачная задумчивость и молчание приобретают совершенно иной смысл.

— Ты ведь и в тот раз как следует все обдумал, верно? Значит, и сейчас поступишь так, как сочтешь правильным.

— Ну, ты переоцениваешь мои силы, — отозвался Эдвард. — А «правильно» и «неправильно», «хорошо» и «плохо» давно потеряли свою значимость. Я так и так собирался вернуться. Еще до того, как Розали сообщила страшную новость. Недели, да что там, дни казались нестерпимо долгими. Каждый час давил тяжким грузом. Вскоре я постучал бы в твое окно, на коленях умоляя принять обратно. Если хочешь, готов проделать это прямо сейчас.

— Пожалуйста, не надо так шутить!

— Я не шучу, — прожигая разочарованным взглядом, сказал Эдвард. — Может, все-таки выслушаешь? Может, дашь объяснить, что ты для меня значишь?

Он внимательно изучал мое лицо и заговорил, лишь убедившись, что я сосредоточилась.

— Белла, до тебя моя жизнь казалась безлунной ночью, темной, озаренной лишь сиянием звезд — источников здравого смысла. А потом... потом по небу ярким метеором пронеслась ты. Пронеслась и осветила все вокруг, я увидел блеск и красоту, а когда ты исчезла за горизонтом, мой мир снова погрузился во мрак. Ничего вроде бы не изменилось, но, ослепленный тобой, я уже не видел звезд, и все лишилось привычного смысла.

Очень хотелось поверить, только это описание больше подходило моему существованию в тяжелую пору разлуки...

— Глаза привыкнут, — пробормотала я.

— Не могут! В том-то и беда.

— А как же развлечения?

— Развлечения? Часть моей виртуозной лжи! — невесело рассмеялся Каллен. — При... хм, агонии никакие развлечения не нужны. Целых девяносто лет сердце считай, что не билось, но на этот раз все было иначе: оно будто исчезло, покинув пустую оболочку. Моя душа осталась здесь, с тобой.

— Даже смешно... — вырвалось у меня.

— Смешно?

— Хотела сказать «странно», думала, такое происходит только со мной! Меня словно на части разобрали! Все это время даже дышать нормально не могла. — Я с наслаждением набрала в грудь побольше воздуха. — А сердце билось как-то... вхолостую.

Эдвард снова прижал ухо к моей груди, а я окунулась в его волосы, наслаждаясь их шелковистой густотой и завораживающим запахом.

— Получается, слежка отвлечься не помогла? — спросила я не столько из любопытства, сколько стараясь отвлечься сама. Радужные надежды манили и переливались яркими красками. Долго сопротивляться не получится. Сердце бешено колотилось и пело радостный гимн.

— Нет, — вздохнул Каллен, — это было не развлечение, а скорее обязанность.

— Что это значит?

— Это значит, даже не считая Викторию опасной, я бы не оставил безнаказанными ее... Увы, я уже говорил, мои навыки далеко не на высоте. Я шел за ней до Техаса, а потом ложный след увел в Бразилию, а Виктория явилась сюда. Даже с континентом не угадал! — простонал Эдвард. — Подобного я и в наихудшем раскладе не предвидел...

— Так ты охотился на Викторию? — потрясенная, вскричала я.

Мерный храп Чарли на секунду затих, затем послышался снова.

— Без особого успеха, — отозвался парень, смущенно разглядывая мое разъяренное лицо. — В следующий раз будет лучше. Недолго ей осталось портить воздух своим мерзким дыханием!

— Об этом... не может быть и речи! — выдавила я. Что за безумие! Даже если помогут Эмметт или Джаспер. Даже если помогут Эмметт *и* Джаспер. Это куда страшнее, чем являлось мне в кошмарах: зловещая, по-кошачьи гибкая фигура Виктории наступает на Джейкоба Блэка. Представить на его месте Эдварда я даже не решалась, хотя с Калленом справиться куда сложнее, чем с моим другом-оборотнем.

— У нее нет шансов! В иной ситуации я, возможно, не стал бы вмешиваться, но сейчас, после того, как она...

Я снова перебила, стараясь говорить, как можно спокойнее.

— Ты же только что обещал не уходить! — вымучила я, мысленно отторгая слова: нельзя, нельзя, чтобы они отпечатались в подсознании. — Разве это совместимо с интенсивной слежкой?

Эдвард нахмурился, с трудом сдерживаемый рык сотряс грудь.

— Белла, я сдержу слово, но Виктория... — рык чуть не вырвался на свободу, — умрет!

— Давай не будем принимать скоропалительных решений, — пытаясь побороть панику, предложила я. — Вдруг она не вернется? Вдруг стая Джейка ее спугнула? Искать ее бессмысленно, к тому же у меня есть дела поважнее, чем Виктория.

Каллен презрительно сощурился, но все-таки кивнул:

— Точно, с оборотнями хлопот не оберешься.

— Речь не о Джейкобе! — фыркнула я. — Моя задача поважнее и посложнее своры волчат, которым нравится наживать себе проблемы.

Эдвард уже собрался что-то сказать, однако в последний момент передумал. Судорожно стиснув зубы, он процедил:

— Неужели? И что за дела такие? По сравнению с чем даже возвращение Виктории отходит на второй план?

— Ну, назовем это второй по важности задачей... — уклончиво ответила я.

— Хорошо, пусть так, — с подозрением кивнул Каллен.

Я запнулась, не зная, отважусь ли назвать фамилию.

— За мной могут прийти другие, — чуть слышно прошелестела я.

Эдвард вздохнул, но отреагировал не так бурно, как я опасалась.

— Значит, Вольтури всего лишь проблема номер два?

— По-моему, они тебя не слишком беспокоят, — отметила я.

— Ну, времени на подготовку более чем достаточно. Видишь ли, они воспринимают время совершенно иначе, чем ты или даже я. Годы для Вольтури — то же самое, что для тебя дни. Не удивлюсь, если до твоего тридцатилетия они ни разу о нас не вспомнят, — беззаботно пояснил парень.

Я похолодела от ужаса.

До тридцатилетия...

Получается, все обещания были пустыми... Раз мне суждено стать тридцатилетней, значит, Эдвард не рассчитывает остаться надолго. Как больно... А это доказывает, что я все-таки начала мечтать и надеяться, хотя так старалась держать себя в руках.

— Ничего не бойся, — успокоил он, с тревогой наблюдая за слезами, выступившими на моих глазах. — Я не позволю им тебя обидеть.

— Пока ты здесь, да...

Господи, да какая разница, что случится, когда я снова останусь одна?

Зажав мое лицо между мраморными ладонями, Эдвард впился в меня черными, словно ночь, глазами. Как же отвернуться, если они притягивают сильнее любого магнита?

— Я никогда тебя больше не оставлю.

— Сам же говорил о тридцатилетии! — Прорвав невидимую плотину, по щекам покатились слезы. — Говорил же? Ты что, останешься и позволишь мне стареть?

Взгляд смягчился, хотя холодные губы превратились в жесткую полоску.

— Именно так я и собираюсь поступить. А что еще остается? Жить я без тебя не могу, но и душу твою губить не намерен.

— Неужели это так... — Я старалась говорить спокойно, однако вопрос был мне явно не по зубам. Услужливая память тут же воскресила лицо Эдварда, каким оно было, когда Аро чуть ли не умолял сделать меня вампиром. Отвращение и неприязнь — вот что оно выражало. Чем объясняется его упрямство? Стремлением спасти мою душу — или неуверенностью, что я буду нужна ему до скончания веков?

— Неужели?.. — напомнил Каллен, рассчитывая услышать вопрос целиком.

Пришлось задать другой, не менее сложный.

— Что будет, когда я состарюсь и буду годиться тебе в матери или даже в бабушки? — раздраженно спросила я, вспомнив, как во сне увидела в зеркале бабулю.

Родное лицо светилось нежностью и участием, а холодные губы смахнули с моей щеки непрошеную слезинку.

— Для меня ты навсегда останешься самой прекрасной и желанной, — прошептал он. — Конечно... — на секунду помрачнев, запнулся он, — если с возрастом ты потеряешь ко мне интерес и захочешь большего, я пойму. Пойму и, если решишь уйти, не стану задерживать.

Взгляд его был нежен, а судя по тону, Эдвард бесчисленное множество раз обдумывал свой идиотский план.

— Понимаешь, что я рано или поздно умру?

К такому вопросу он тоже подготовился.

— Я последую за тобой при первой возможности.

— Это же самое настоящее... — я лихорадочно подбирала нужное слово, — безумие.

— Белла, другого выхода просто нет.

— Давай вернемся на минутку назад! — Оказывается, злость помогает быть сильной и решительной. — Ты помнишь слова Вольтури? Они не дадут мне умереть от старости, появятся в Форксе и убьют. Пусть даже вспомнят о нас лишь в канун моего тридцатилетия, — процедила я, — ты же не надеешься, что они забудут!

— Не-ет, — качая головой, протянул Каллен, — не забудут. Вот только...

— Что только?

Поймав мой настороженный взгляд, он ухмыльнулся. Может, помощь психиатра не мне одной требуется?

— Есть у меня кое-какие планы...

— И эти планы, — перебила я, и с каждым словом мой голос звучал язвительнее и язвительнее, — все как один основаны на том, что я останусь смертной.

Соответствующая реакция не заставила себя ждать.

— Естественно, — с открытым вызовом процедил Каллен, а на лице застыла надменная маска.

Целую минуту мы буравили друг друга сердитыми взглядами, затем я с тяжелым вздохом расправила плечи и, решив сесть, вырвалась из его объятий.

— Хочешь, чтобы я ушел?

— Нет, я сама уйду!

Под недоверчивым взглядом почерневших глаз я выбралась из постели и, не включая свет, стала на ощупь искать туфли.

— Позволь узнать, куда ты собираешься?

— К тебе домой, — отозвалась я, продолжая вслепую шарить по комнате.

Мгновенно поднявшись, Каллен встал рядом со мной.

— Вот твои туфли! А как доберешься?

— На пикапе поеду.

— Чарли наверняка разбудишь, — попробовал остановить меня Эдвард.

— Знаю, но меня все равно на несколько недель под домашний арест посадят. Терять нечего.

— Тебе — да. Чарли будет винить во всем меня.

— Если есть идеи получше, я с удовольствием выслушаю.

— Останься! — попросил Каллен без особой надежды.

— Ни за что! А вот ты располагайся поудобнее! — подначила я, удивляясь, как непринужденно прозвучала острота, и направилась к двери.

Эдвард опередил меня и загородил дорогу. Нахмурившись, я повернулась к окну. До земли не так уж далеко, да и перед домом почти везде трава.

— Ладно, — вздохнул парень, — я тебя донесу.

— Как хочешь, — пожала я плечами. — Но по-моему, тебе стоит вернуться домой.

— Стоит? Это еще почему?

— Потому что ты необыкновенно упрям и наверняка захочешь получить шанс озвучить свое мнение.

— Мнение о чем? — сквозь зубы процедил он.

— Решать будем вместе. Извини, но ты не центр мироздания. — В тот момент речь шла не о моем маленьком мирке. — Раз решил навлечь на нас гнев

Вольтури только потому, что хочешь оставить меня смертной, думаю, твоя семья тоже имеет право участвовать в обсуждении.

— Обсуждении чего? — чеканя каждое слово, спросил Каллен.

— Моей смертности. Собираюсь выставить ее на голосование.

Глава двадцать четвертая

ГОЛОСОВАНИЕ

Эдвард, конечно, рассердился. И все же, не сказав ни слова, он взял меня на руки, выпрыгнул из окна и по-кошачьи мягко приземлился на траву. Кстати, высота оказалась гораздо большей, чем я думала.

— Ладно, — недовольно процедил Каллен, — залезай!

Посадив меня за спину, Эдвард бросился бежать. Даже после долгой разлуки это казалось совершенно обычным и естественным. Наверное, от подобного отвыкнуть невозможно, так же как от катания на велосипеде.

Дыша спокойно и очень ровно, Каллен бежал по безмолвному темному лесу, мимо проносились размытые силуэты деревьев, и лишь ласкающий лицо ветер выдавал истинную скорость движения. Влажный лесной воздух не жег глаза, как ветер на площади Вольтерры, а, наоборот, успокаивал. Вместо ослепительного солнцепека — ночная мгла; подобно толстому одеялу, под которым я играла в детстве, она защищала и утешала.

Вспомнились первые путешествия на плечах Эдварда: от страха я даже зажмуривалась. Надо же, какая глупость! Широко раскрыв глаза, я уперлась подбородком в его плечо и прижалась щекой к шее. Скорость просто потрясающая, в тысячу раз лучше, чем на мотоцикле!

Повернув голову, я прильнула губами к холодному мрамору кожи.

— Спасибо, — отозвался Каллен. — Значит, все-таки поняла, что не спишь?

Я засмеялась.

Мой смех прозвучал так легко и беззаботно!

— Не совсем! Скорее, наоборот, не хочу просыпаться, только не сегодня!

— Я верну твое доверие, — обращаясь, скорее, к себе, пробормотал Каллен, — чего бы мне это ни стоило.

— Тебе я доверяю, — заверила я, — а сомневаюсь в себе.

— Будь добра, объясни!

Эдвард побежал чуть медленнее — я поняла это, потому что стих обдувающий лицо ветерок, и догадалась: дом близко. Неподалеку во тьме уже слышался плеск реки.

— Ну... — начала я, подбирая нужные слова. — Сомневаюсь в собственных... силах. В том, что достойна тебя, что смогу удержать. Во мне нет ничего привлекательного...

Остановившись, Каллен поставил меня на землю, но из объятий не выпустил, а, напротив, крепко прижал к груди.

— Твоя власть надо мной вечна и нерушима, — прошептал он, — можешь не сомневаться.

Как же мне не сомневаться?

— Ты никогда не говоришь... — прошептал он.

— Что?

— Что тревожит тебя больше всего?

— Попробуй угадай! — вздохнула я и, потянувшись, коснулась его носа кончиком указательного пальца.

Каллен кивнул.

— Получается, я хуже Вольтури, — мрачно произнес он. — Что же, наверное, заслужил.

Я закатила глаза:

— Максимум, на что способны Вольтури, — это убить меня.

Напряженный, как струна, Эдвард ждал дальнейших объяснений.

— А ты можешь бросить, исчезнуть, пропасть. Вольтури, Виктория — они ничто по сравнению с этим.

Даже в темноте было видно, что бледное лицо исказилось от боли. Надо же, совсем как под терзающим взглядом Джейн! Господи, зачем я только сказала ему правду!

— Не грусти, — коснувшись его прохладной щеки, прошептала я, — не надо!

Уголки красивого рта будто нехотя поползли вверх, но глаза натужная улыбка не осветила.

— Как же доказать, что я физически не могу тебя оставить? — шепнул он. — Надеюсь, хоть время поможет...

Время... А что, идея хорошая!

— Посмотрим, — милостиво кивнула я.

На лице Эдварда отражалась все та же мука, и я решила развлечь его болтовней о куда менее важных делах.

— Слушай, раз ты решил остаться, может, вернешь подарки? — как можно беззаботнее спросила я.

В какой-то мере попытка удалась: он улыбнулся, хотя взгляд по-прежнему был грустным.

— Я их и не забирал. Знал, что поступаю неправильно: сам ведь обещал тебе покой без всяких напоминаний. Наверное, глупо и по-детски, но захотелось оставить хоть кусочек себя. Диск, фотографии и билеты в твоей комнате под половицами.

— Правда?

Эдвард кивнул, слегка ободренный тем, как я радуюсь таким мелочам.

— Мне кажется... — медленно начала я. — Не уверена, но похоже... Похоже, я чувствовала это с самого начала.

— Что чувствовала?

Хотелось только одного: чтобы из любимых глаз исчезла боль. Когда я заговорила, мои слова прозвучали даже спокойнее, чем я рассчитывала.

— Какой-то частью души, возможно подсознанием, я все это время верила: моя судьба тебе небезразлична. Наверное, поэтому и слышала голоса.

На секунду воцарилась мертвая тишина, а потом Каллен без всякого интереса спросил:

— Что за голоса?

— На самом деле только один, твой. Долго рассказывать... — Наткнувшись на настороженный взгляд, я тут же пожалела о том, что завела этот разговор. Вдруг Эдвард, как и все остальные, решит, что я сумасшедшая? Вдруг они правы?

— Я никуда не спешу, — как-то напряженно проговорил Каллен.

— История довольно жалкая...

Он ждал.

— Помнишь, Элис рассказывала про экстремальный спорт?

— Да, ты ради удовольствия спрыгнула со скалы, — бесцветной скороговоркой проговорил Эдвард.

— М-м, точно... А чуть раньше на мотоциклах...

— На мотоциклах? — переспросил он, и я, хорошо его зная, почувствовала: за внешним спокойствием что-то зреет.

— Кажется, про это я твоей сестре не рассказывала.

— По-моему, нет.

— Мне чудилось: когда совершаю что-то глупое или опасное... воспоминания о тебе будто оживают, — призналась я, чувствуя себя настоящей душевнобольной. — Представляла, как ты злишься, и твой голос звучал словно вблизи... Вообще-то я старалась о тебе не думать, но те игры боли не причиняли, наоборот, ты будто пытался защитить меня от страданий. Думаю, голос казался таким... настоящим, потому что в глубине души я ни секунды не сомневалась: твоя любовь не угасла.

И снова в моих словах звучала убежденность. Или правота... Что-то, таящееся в закоулках души, подсказывало: я не ошибаюсь.

— Ты... рисковала жизнью... чтобы услышать?.. — придушенным голосом начал Эдвард.

— Ш-ш-ш! — перебила я. — Подожди, меня осенило.

Вспомнился вечер в Порт-Анжелесе, когда впервые случились галлюцинации. Тогда у меня было два объяснения: внезапное умопомешательство или необъяснимое исполнение желаний. Третьего варианта я не нашла.

А что, если...

Что, если человек искренне верит в свою правоту, хотя на самом деле ошибается? Вдруг тупая уверенность не дает разглядеть правду? Что тогда получится? Правда уйдет на дно или постарается пробиться наружу?

Вариант третий: Эдвард меня любит и возникшее между нами чувство не сломает ни разлука, ни время, ни расстояние. Эдвард Каллен красивый, умный и замечательный, но любовь изменила его не меньше, чем меня, причем безвозвратно. Я буду всегда принадлежать ему, а он навечно останется моим.

В этом я пыталась себя убедить?

— Ой...

— Белла!

— Да, да, я поняла...

— Тебя осенило... — нервным, срывающимся голосом напомнил Эдвард.

— Ты меня любишь! — вслух восхитилась я, снова почувствовав силу собственной правоты.

В глазах все еще мелькало беспокойство, но на губах заиграла моя любимая кривоватая улыбка.

— Конечно, люблю.

Раздувшись, словно воздушный шар, сердце вырывалось из груди. Надавив на ребра, оно сжало горло так, что стало трудно говорить.

Я нужна ему не меньше, чем он мне, и навсегда! Только нежелание губить душу и лишать сомнительных прелестей человеческой жизни мешало сделать меня бессмертной. По сравнению со страхом быть отвергнутой это препятствие — сущий пустяк.

Мое лицо между прохладными, как мрамор, ладонями, Эдвард целует, целует, целует... м-м-м, даже лес перед глазами закружился. Прильнув к белоснежной щеке, я почувствовала, что дыхание сбилось не у меня одной.

— Похоже, ты справилась не хуже, чем я.

— С чем справилась?

— С разлукой. По крайней мере, старалась. Просыпалась, вела себя как ни в чем не бывало, занималась обычными делами. А я... когда не вел активную слежку, чувствовал себя совершенно ненужным. Не мог общаться ни с родственниками, ни с посторонними. Стыдно говорить: больше всего хотелось свернуться в клубок и покориться страданиям, — робко улыбнулся Каллен. — По-моему, это куда нелепее, чем слышать голоса. Тем более я ведь тоже их слышу.

Какое счастье, Эдвард все понял и сочувствует. По крайней мере, смотрит не как на прокаженную, а по-другому... С любовью.

— Мне слышался только один голос, — поправила я.

Засмеявшись, парень прижал меня к себе, и мы пошли дальше.

Впереди показалось большое светлое пятно. Дом!

Каллен провел меня в темную гостиную и включил свет. В комнате ничего не изменилось, все так, как я запомнила: рояль, белые диваны, массивная лестница. Надо же, ни пылинки, ни защитных чехлов.

Чтобы позвать родственников, Эдварду даже голос повышать не понадобилось.

— Карлайл! Эсми! Розали! Эмметт! Элис! Джаспер! — как обычно, проговорил он, уверенный, что его услышат.

Оглянувшись, я увидела Карлайла. Словно все время там стоял!

— Добро пожаловать, Белла! — улыбнулся он. — Что-то случилось? Учитывая, который час, вряд ли это обычный визит вежливости.

Я кивнула:

— Хотелось бы поговорить сразу со всеми. Дело очень важное. — Словно намагниченные, глаза метнулись к Эдварду: на его лице — неодобрение и обреченность. Я перехватила взгляд Карлайла: доктор Каллен тоже смотрел на сына.

— Да, конечно, — кивнул он. — Давайте перейдем в соседнюю комнату.

Каллен-старший повел нас через ярко освещенную гостиную в примыкающую к ней столовую и включил свет. Как и в предыдущей комнате, стены белые, потолки высокие. В центре, под массивной люстрой, большой овальный стол, вокруг него восемь стульев.

Карлайл галантно выдвинул для меня стул.

Элегантная столовая — чистой воды бутафория. Ни разу не видела, чтобы Каллены ею пользовались, они ведь не едят дома.

Не успев присесть, я заметила, что мы не одни: за Эдвардом вошла Эсми, а следом — остальные члены семьи.

Карлайл сел справа от меня, Эдвард — слева, остальные молча занимали свободные места. Элис ухмыльнулась, давая понять, что разгадала мой замысел и обязательно поможет. Эмметт с Джаспером выглядели заинтригованными, а Розали робко улыбалась. Моя ответная улыбка получилась такой же неуверенной: нам понадобится некоторое время, чтобы привыкнуть друг к другу.

— Ну, Белла, мы все внимание, — кивнул Карлайл.

Я нервно сглотнула: под их испытывающими взглядами немного неуютно. Эдвард под столом пожал мою руку. Я украдкой на него покосилась, но он уже смотрел на других, а любимое лицо неожиданно стало жестким.

— Итак, — нерешительно начала я, — надеюсь, Элис рассказала вам обо всем, что случилось в Вольтерре?

— Обо всем, — кивнула подруга.

— А по дороге в город? — многозначительно посмотрев на нее, спросила я.

— Тоже.

— Отлично! Значит, все в курсе и поймут, о чем речь.

Каллены терпеливо ждали, когда я приведу в порядок мысли.

— Итак, — во второй раз начала я, — возникла проблема. Элис пообещала Вольтури сделать меня такой, как вы. Думаю, они пришлют кого-нибудь с проверкой, и, боюсь, встреча будет не из приятных.

Выходит, отныне это касается вас всех. Простите, что впутала... — Я по очереди оглядела красивые холодные лица, самое прекрасное оставив напоследок. Рот Эдварда скривила гримаса боли. — Если я вам не нужна, вне зависимости от планов Элис, навязываться не буду.

Эсми открыла рот, чтобы возразить, но я предостерегающе подняла палец:

— Пожалуйста, дайте мне закончить! Всем вам известно, чего хочу я; известна и позиция Эдварда. Единственный способ найти оптимальный выход — проголосовать. Решите, что я вам не нужна, тогда... тогда, наверное, я вернусь в Италию одна. Не допущу, чтобы Вольтури появились здесь. — Наморщив лоб, я лихорадочно обдумывала этот вариант.

Из груди Эдварда вырвался сдавленный рык, но я и бровью не повела.

— С учетом того, что при любом исходе я не стану создавать проблемы для членов вашей семьи, прошу проголосовать «за» или «против», то есть «да» или «нет» моему превращению в вампира.

Криво улыбнувшись на последнем слове, я кивнула Карлайлу, мол, давайте начнем с вас.

— Минутку! — вмешался Эдвард. Прищурившись, я смерила его свирепым взглядом, а он многозначительно поднял брови и снова сжал мою руку. —

Прежде чем перейдем к голосованию, я хочу кое-что добавить.

Я тяжело вздохнула.

— Речь пойдет об опасности, о которой рассказала Белла, — продолжал Каллен. — Не думаю, что нам стоит слишком волноваться. — Лицо Эдварда несколько оживилось. Положив свободную руку на сверкающий полированный стол, он подался вперед. — Видите ли, есть еще одна причина, почему в круглом зале я отказался пожать руку Аро. Кое о чем Вольтури даже не подозревают, и я не хотел открывать им глаза. — Он надменно ухмыльнулся.

— И что же это? — с сомнением спросила Элис. Не знаю, у кого на лице было больше скептицизма: у нее или у меня.

— Вольтури слишком самонадеянны, конечно, не без оснований. Когда хотят кого-то найти, проблем обычно не возникает. Помнишь Деметрия? — повернувшись ко мне, спросил Эдвард.

Я лишь содрогнулась.

— У него талант разыскивать людей, за это его и держат. Пока мы там были, я все время пытался проникнуть в их мысли и собрать как можно больше информации. В частности, я увидел, как проявляются способности Деметрия. Он ищейка, в тысячу раз искуснее Джеймса. Можно сказать, его талант в какой-то степени сродни тому, чем занимаемся мы с Аро. Он улавливает особый... аромат, что ли, или своеобразный уклад мышления своей жертвы и идет на этот мощный сигнал, которому никакие расстояния не помеха. Однако после небольшого эксперимента синьора Вольтури... — Эдвард пожал плечами

— Ты думаешь, он не сможет меня найти, — подвела итог я.

— Не думаю, а уверен, — самодовольно уточнил Каллен. — Деметрий полагается только на свое шестое чувство. С тобой оно не сработает, и Вольтури фактически ослепнут.

— И как это нас спасет?

— Неужели неясно? Элис заранее предупредит об их появлении, и я тебя спрячу. Вольтури окажутся бессильны! — бурно радовался Эдвард. — Будут искать иголку в стоге сена!

Они с Эмметтом многозначительно переглянулись, и на губах обоих заиграла кривая ухмылка.

Что за ерунду он говорит?!

— Но они найдут тебя! — напомнила я.

— Думаешь, я не смогу о себе позаботиться?

Эмметт рассмеялся и протянул через стол широкую ладонь.

— Отличный план, братец! — восторженно пробасил он, и парни ударили по рукам.

— Ну уж нет! — прошипела Розали.

— Ни за что! — согласилась я.

— Здорово! — одобрительно протянул Джаспер.

— Идиоты! — буркнула Элис.

Выпрямившись в кресле, я набрала в грудь побольше воздуха.

— Ладно, Эдвард дал вам пищу для размышлений, — сурово заметила я. — Давайте проголосуем.

Глаза метнулись к Эдварду — пусть лучше выскажется первым!

— Хотите, чтобы я стала членом вашей семьи?

Любимые глаза будто в кремень превратились.

— Только не таким способом. Ты не потеряешь душу.

Стараясь сохранить внешнюю невозмутимость, я кивнула: нужно продолжать.

— Элис?

— Я за.

— Джаспер?

— Тоже за, — с мрачной серьезностью проговорил он. Я слегка удивилась: на его голос я совершенно не рассчитывала.

— Розали?

Красавица замешкалась, кусая полную, нежную, как лепесток розы, губу.

— Против.

Я сделала непроницаемое лицо и уже повернулась к остальным, когда девушка воздела к потолку обе руки, будто прося выслушать.

— Позволь объяснить! Дело не в том, что я не воспринимаю тебя как сестру, просто... Просто такую жизнь я бы и для себя не выбрала. Жаль, в мое время голосований не проводили...

Медленно кивнув, я повернулась к Эмметту.

— Я за, черт подери! — ухмыльнулся он. — А задать трепку этому Деметрию повод всегда найдется...

С трудом напустив серьезный вид, я взглянула на Эсми.

— Белла, конечно же, да! Для меня ты давно как дочь.

— Спасибо, Эсми! — пробормотала я и повернулась к Карлайлу.

Неожиданно засосало под ложечкой: вот чье мнение надо было в первую очередь спрашивать! Этот голос — самый важный, сам по себе большинство означает!

Но доктор Каллен смотрел вовсе не на меня.

— Эдвард! — позвал он.

— Нет! — прорычал парень.

— Это самый разумный выход, — настаивал Карлайл. — Ты решил, что не можешь без нее жить, значит, у меня выбора не остается.

Оттолкнув мою руку, Эдвард с глухим рычанием вылетел из столовой.

— Думаю, ответ тебе уже известен, — вздохнул доктор Каллен.

— Спасибо! — пролепетала я, завороженно глядя вслед любимому. В ответ из соседней комнаты послышался страшный треск.

Я вздрогнула, и слова понеслись бешеным потоком:

— О большем я и мечтать не смела! Спасибо огромное, спасибо за то, что признали своей! Уверяю, все наши чувства взаимны... — От переживаний даже голос задрожал.

Буквально через секунду Эсми уже стояла рядом и обнимала меня:

— Белла, милая!

Сжав ее в объятиях, я заметила, как Розали изучает полировку стола, и поняла: мои слова могут быть истолкованы двояко.

— Ну, Элис, — оторвавшись от Эсми, позвала я, — когда мной займешься?

Подруга подняла круглые от страха глаза.

— Нет, нет... Нет! — заревел Эдвард, врываясь обратно в столовую. Я и рта раскрыть не успела, а он с перекошенным от гнева лицом склонился надо мной. — Ты что творишь? Совсем с ума сошла?

Заткнув уши, я сжалась в комок.

— М-м-м, Белла, — неуверенно проговорила Элис, — боюсь, я переоценила свои силы... Нужно подготовиться.

— Ты обещала! — напомнила я, свирепо глядя на нее из-под руки Эдварда.

— Да, но... Серьезно, Белла, я понятия не имею, как сделать, чтобы ты осталась жива...

Так, нужно срочно приободрить подругу!

— Ты сможешь, я тебе доверяю!

Эдвард глухо зарычал, а перепуганная Элис быстро-быстро закачала головой.

— Карлайл? — Я с надеждой взглянула на доктора Каллена.

Одной рукой Эдвард повернул мое лицо к себе, другую в безмолвном жесте протянул к отцу.

Похоже, пантомима не произвела на Карлайла особого впечатления.

— Да, я могу это устроить, — ответил на мой вопрос доктор. Жаль только, лица его не разглядеть! — Не беспокойся, контроль над собой я не потеряю...

— Звучит обнадеживающе! — промычала я. Надеюсь, разберет: когда тебя держат за челюсть, на внятную речь рассчитывать не приходится.

— Запасись терпением, — едко посоветовал Эдвард. — Случится это явно не сейчас.

— Не вижу ни единой причины для промедления! — неразборчиво пролепетала я.

— А я вижу, и сразу несколько.

— Да, конечно, — кисло согласилась я, — а теперь отпусти!

Убрав ладонь, парень скрестил руки на груди:

— Часа через два за тобой придет Чарли. Не исключено, что полицию приведет! Эти трое...

Я нахмурилась, и Эдвард осекся.

Вот что самое трудное: Чарли, Рене, а теперь и Джейкоб. Всем троим сделаю больно, а потом потеряю... Найти бы какой-нибудь способ, чтобы страдала только я, да только ничего не выйдет!

При этом, оставаясь смертной, я делаю им только хуже: одним присутствием подвергаю постоянному риску Чарли, а еще большему — Джейка, притягивая заклятых врагов на землю, которую ему суждено охранять. А Рене... Даже не могу поехать к маме из страха принести за собой шлейф смертельной опасности!

Я магнит для всяческих невзгод. Со страшной истиной пришлось смириться, я поняла: нужно заботиться о себе и защищать близких, даже если это порой означает разлуку. Нужно быть сильной!

— Чтобы не привлекать лишнее внимание, — Эдвард по-прежнему говорил сквозь зубы, глядя теперь на Карлайла, — предлагаю отложить этот разговор, по крайней мере, до того дня, как Белла закончит школу и уедет от Чарли.

— Знаешь, милая, это вполне разумно!

Я представила, что будет с отцом, если, проснувшись сегодня утром — после всех ужасов прошлой недели: смерти Гарри, нашего с Элис побега, — он обнаружит мою постель пустой. Папа такого не заслуживает. К тому же ждать осталось немного, выпускной совсем близко.

— Хорошо, подумаю, — нехотя согласилась я.

Эдвард тотчас успокоился, недовольно-тревожной гримасы как не бывало.

— Наверное, мне стоит отвезти тебя домой, — проговорил он вроде бы равнодушно, а на самом деле желая поскорее оторвать меня от Карлайла и Элис. — Вдруг Чарли пораньше проснется?

Я посмотрела на доктора Каллена:

— Значит, после выпускного?

— Даю слово!

Тяжело вздохнув, я растянула губы в улыбке и снова повернулась к Эдварду:

— Ладно, поехали.

Опасаясь, что Карлайл пообещает что-то еще, парень поволок меня из столовой. Из дома мы вышли через дверь черного хода: Эдварду не хотелось показывать, что сломал в гостиной.

В Форкс мы ехали молча, хотя душа у меня так и пела. Леденящий страх я тоже чувствовала, однако о плохом старалась не думать. Переживать из-за будущих страданий, хоть духовных, хоть физических, совершенно бесполезно. Вот я и решила не переживать, ну, без крайней необходимости.

Когда добрались до дома, Эдвард, не теряя ни секунды, буквально взлетел по стене в открытое окно моей спальни, осторожно разомкнул объятия и положил меня на кровать.

Догадаться, о чем он думает, не составляло ни малейшего труда, только выражение лица удивило: вместо яростного оно почему-то было сосредоточенным. С растущим недоверием я наблюдала, как Эдвард меряет мою спальню шагами.

— Какие бы козни ты ни строил, предупреждаю: ничего не выйдет! — заявила я.

— Тш-ш, я думаю!

— М-м-м, — простонала я, откинулась на подушки и накрылась с головой одеялом.

Полная тишина, а потом р-раз — и я увидела лицо Эдварда. Подняв одеяло, он оглядел меня с ног до головы, прилег рядом и осторожно убрал с моей щеки непослушную прядь.

— Пожалуйста, не прячь лицо! Я и так слишком долго его не видел... Скажи мне кое-что, ладно?

— Что? — с неохотой отозвалась я.

— Если бы ты могла получить абсолютно все, чего бы ты пожелала?

Что-то в его вопросе меня насторожило.

— Тебя!

— Нет, — нетерпеливо покачал головой Каллен, — из того, что еще не имеешь.

Не понимая, к чему он клонит, я тщательно обдумала ответ и выбрала желание, которое было совершенно искренним, но, скорее всего, несбыточным.

— Мне бы хотелось... чтобы это сделал не Карлайл... Чтобы ты сам мной занялся.

Полная недобрых опасений, я ждала, как он отнесется к моим словам. Все, сейчас вспылит, как в родительском доме!.. К моему удивлению, лицо Эдварда не изменилось; он не рассердился, лишь задумчиво смотрел на меня.

— А что бы ты за это отдала?

Не веря собственным ушам, я глупо таращилась на него и, не взвесив все как следует, выпалила:

— Что угодно!

Эдвард улыбнулся:

— Например, пять лет?

Мои глаза потемнели: в душе боролись ужас и разочарование.

— Сама сказала: что угодно!

— Да, но за это время ты придумаешь отговорку. Мне нужно ковать железо, пока горячо! К тому же смертной быть опасно, по крайней мере для меня! В общем, что угодно, кроме этого!

— Три года? — нахмурился Каллен.

— Нет!

— И это называется «заветное желание»?

Боже, оно ведь и правда заветное! Лучше изобразить невозмутимость: не дай бог, Эдвард догадается, как сильно я мечтаю, чтобы меня изменил именно он. Хоть время для маневров выиграю!

— Давай шесть месяцев!

— Нет, мало! — закатил глаза Эдвард.

— Тогда максимум год.

— Нужно хотя бы два!

— Ни за что! Девятнадцатилетие справить согласна, а двадцатилетие — нет! Раз ты навсегда останешься подростком, почему мне нельзя?

Каллен на секунду задумался.

— Ладно, забудь. Хочешь, чтобы я тебя изменил, — выполни всего одно условие.

— Условие? — От страха голос стал совсем бесцветным. — Какое еще условие?

В темных глазах мелькнула настороженность, и Эдвард медленно проговорил:

— Сначала выйди за меня замуж.

Затаив дыхание, я ждала, ждала...

— Ладно, признавайся, в чем тут подвох?

— Белла, ты меня оскорбляешь! — вздохнул парень. — Я делаю тебе предложение, а оно принимается за шутку...

— Эдвард, пожалуйста, давай серьезно!

— Да я сама серьезность! — В золотисто-карем взгляде вовсе не было насмешки.

— Слушай, — ежесекундно рискуя впасть в истерику, проговорила я, — мне только восемнадцать.

— А мне почти сто десять — самое время остепениться!

Я отвернулась к темному окну, пытаясь совладать с паникой, прежде чем она станет слишком очевидна.

— Знаешь, брак вовсе не предел моих мечтаний. Для Рене с Чарли он стал началом конца.

— «Брак — начало конца»... Какое любопытное наблюдение!

— Ты понимаешь, о чем я!

Эдвард тяжело вздохнул:

— Только не говори, что боишься связывать себя обязательствами!

— Ну, не совсем так, — заюлила я. — Скорее, боюсь Рене: у нее довольно жесткая позиция, замужество до тридцати она не одобряет.

— Потому что ей удобнее, если ты примкнешь к коронованным венцом безбрачия, чем к замужним! — мрачно рассмеялся Каллен.

— Это что, очередная шутка?

— Белла, если сравнить по важности обязательства брачного союза и жертвования душой ради вампирского бессмертия... — Эдвард покачал головой. — Раз не хватает смелости выйти за меня...

— Ладно, а если я согласна? Если прямо сейчас попрошу отвезти в Лас-Вегас? Неужели через три дня я превращусь в вампира?

Каллен улыбнулся, блеснув в темноте белоснежными зубами.

— Конечно! — отшутился он. — Пойду за машиной...

— Черт побери! — пробормотала я. — Даю тебе восемнадцать месяцев...

— Ну уж нет, хочу, чтобы ты выполнила мое условие!

— Ладно, тогда сразу после выпускного пойду к Карлайлу...

— Если тебе так больше нравится, — пожал плечами Эдвард с ангельски невинной улыбкой.

— Ты просто невыносим! — простонала я. — Настоящий монстр...

— Поэтому ты не хочешь за меня замуж?

Я снова застонала.

Каллен потянулся ко мне, и почерневшие, бархатные, как ночь, глаза растопили, сожгли, разбили вдребезги мою решимость.

— Белла, пожалуйста! — выдохнул он.

На секунду я даже забыла, что нужно дышать, а придя в себя, покачала головой, чтобы привести в порядок спутавшиеся мысли.

— Может, успей я раздобыть кольца, показался бы убедительнее?

— Нет, никаких колец! — забыв об осторожности закричала я.

— Ну вот, добилась своего!

— Ой...

— Чарли встает, так что мне лучше уйти, — смиренно проговорил Эдвард.

Сердце чуть не остановилось, а он целую минуту изучал выражение моего лица.

— По-твоему, если я спрячусь в шкафу, будет очень по-детски?

— Нет! — отчаянно замотала головой я. — Пожалуйста, останься!

Каллен улыбнулся и исчез.

Дожидаясь появления Чарли, я так и кипела от негодования. Эдвард прекрасно понимает, что делает, и можно не сомневаться: его уязвленное самолюбие всего лишь часть хитроумного плана. Безусловно, в качестве запасного варианта оставался Карлайл, однако теперь, узнав, что Эдвард не прочь изменить меня сам, я буквально загорелась этой идеей. Надо же, какой обманщик!

Дверь приоткрылась.

— Доброе утро!

— Э-э, привет, Белла! — буркнул папа, не ожидавший, что его заметят. — Ты уже проснулась?

— Ага, жду, когда ты встанешь, чтобы пойти в душ, — поднимаясь с постели, заявила я.

— Подожди! — Чарли щелкнул выключателем. От яркого света я едва не ослепла и, часто-часто моргая, старалась не смотреть на шкаф. — Нужно поговорить...

Не сдержавшись, я раздосадованно поморщилась: надо же, забыла, что Элис еще не сочинила официальную версию.

— Беллз, ты создала себе нешуточные проблемы!

— Понимаю.

— Да за эти три дня я чуть с ума не сошел! Возвращаюсь с похорон Гарри, а тебя нет. От Джейкоба немного добьешься: Белла сбежала с Элис Каллен, ей грозит опасность... Контактного номера не оставила, не позвонила... Я не знал, где ты, когда вернешься, вернешься ли вообще. Хоть представляешь, как... как.. — Папа осекся, с шумом глотнул воздух и лишь потом заговорил снова: — Назови хоть одну причину, мешающую сию секунду отправить тебя в Джексонвилл!

Я зловеще прищурилась: значит, на угрозы перешел? Что же, в эту игру можно играть вдвоем! Резко сев, я натянула одеяло до самого подбородка.

— Пожалуйста, мне не хочется ехать.

— Одну секунду, юная леди...

— Послушай, папа, я признаю, что виновата. Можешь сколько угодно держать меня под домашним арестом. Еще я согласна взять на себя всю уборку, стирку и мытье посуды. Ты имеешь полное право вышвырнуть меня из дома, но это совсем не значит, что я вернусь во Флориду!

Чарли побагровел и отступил на несколько шагов.

— Может, объяснишь, где ты была?

О, черт!

— Ну, просто ситуация сложилась критическая...

Судя по недоуменно поднятым бровям, папа не в восторге от моей находчивости.

Я поглубже вдохнула и с шумом выдохнула.

— Даже не знаю! По большому счету вышло недоразумение: он сказал, что она сказала, — настоящий испорченный телефон.

Папа недоверчиво ждал продолжения.

— Видишь ли, Элис сказала Розали, что я прыгнула со скалы... — Я лихорадочно сочиняла правдоподобное объяснение, дабы природное неумение врать гладко и убедительно не выдало с головой. Однако развить тему помешало выражение лица Чарли, напомнившее, что про скалы он знать ничего не знает.

Упс, небольшой прокол... впрочем, мне, наверное, и так конец.

— Похоже, ты не совсем в курсе... — выдавила я. — Ничего особенного, мы с Джейком просто плавали, баловались, а Розали сообщила о прыжке Эдварду, и он расстроился... Дело в том, что по ее рассказу получалось: я хотела свести счеты с жизнью или что-то подобное... Эдвард перестал отвечать на телефонные звонки, вот Элис и повезла меня... хм, в Лос-Анжелес, чтобы объяснить все лично, — пожала плечами я, отчаянно надеясь, что папа думает не только о моей случайной оговорке и хоть краем уха слышал блестящий рассказ.

Лицо Чарли заледенело.

— Белла, ты пыталась покончить с собой?

— Нет, конечно, нет! Мы с Джейкобом всего лишь со скал ныряли... Парни из Ла-Пуш постоянно этим занимаются! Чистой воды глупость!

Чарли покраснел: за долю секунды гнев превратил лед в бушующее пламя.

— А при чем тут Эдвард Каллен? — рявкнул он. — Он ни разу...

— Очередное недоразумение! — перебила я.

К папиным щекам снова прилила кровь.

— Значит, он вернулся?

— Точно не знаю. По-моему, они все вернулись.

Чарли покачал головой, и я увидела, как на его виске забилась жилка.

— Белла, я не желаю, чтобы ты с ним общалась! Этому парню нельзя доверять! Для тебя Каллен — сущее проклятье. Больше не позволю ему так к тебе относиться!

— Ладно, — согласно кивнула я.

Чарли нервно перекатывался с носка на пятку.

— О-ох! — шумно выдохнул он в замешательстве. — Я боялся, ты начнешь упрямиться.

— Начну, — заглянув ему в лицо, пообещала я, — потому что в виду имела: «Ладно, перееду в другое место».

Папины глаза едва не вылезли из орбит, лицо побагровело, и я испугалась, что ему плохо. В конце концов, он ведь старше Гарри...

— Пап, я не хочу уезжать! — От вызова в моем голосе не осталось и следа. — Я тебя люблю и понимаю: ты беспокоишься, но, пожалуйста, в этом вопросе позволь мне самой принимать решение. А еще, если хочешь, чтобы я осталась, будь помягче с Эдвардом. Так хочешь, чтобы я здесь жила, или нет?

— Белла, это несправедливо, ты прекрасно знаешь, что хочу!

— Тогда попробуй наладить отношения с Эдвардом, потому что он всегда будет со мной! — Уверенность, наполнившая меня после недавних открытий, до сих пор не ослабла.

— Только не в моем доме! — загремел Чарли.

— Послушай, — тяжело вздохнула я, — хватит ультиматумов на сегодняшнюю ночь, точнее, на сегодняшнее утро. Просто обдумай все как следует, ладно? Но учти: нас с Эдвардом стоит воспринимать как единое целое.

— Белла...

— Постарайся спокойно все взвесить, а сейчас, пожалуйста, выйди. Мне срочно нужно под душ.

Пурпур с папиного лица так и не схлынул, но он все-таки вышел, громко хлопнув дверью. Через секунду на лестнице послышался разгневанный топот.

Не успела я откинуть одеяло, как в кресле-качалке уже сидел Эдвард с таким видом, будто присутствовал на протяжении всего разговора.

— Прости, что так получилось, — шепнула я.

— Если честно, в свой адрес я заслуживаю гораздо менее лестных слов... Пожалуйста, не ссорься из-за меня с Чарли!

— Не волнуйся, — пробормотала я, собирая умывальные принадлежности и чистую одежду, — буду ссориться с ним ровно столько, сколько нужно. Или намекаешь, что мне некуда идти? — Изображая тревогу, я сделала большие глаза.

— Переедешь в логово вампиров?

— Думаю, в моем положении это самое безопасное место. Кроме того, — ухмыльнулась я, — если Чарли меня прогонит, выпускного ждать незачем, верно?

Каллен нахмурился.

— Не терпится стать вечно проклятой! — пробормотал он.

— Ты же сам в это не веришь.

— Неужели?! — раздраженно воскликнул он.

— Да!

Буравя меня свирепым взглядом, Эдвард начал возражать, но я перебила:

— Если бы ты и правда верил, что потерял душу, то, встретив меня в Вольтерре, тут же догадался бы, что к чему. А ты не сообразил и сказал: «Ну надо же, Карлайл не ошибся!» — с торжеством напомнила я. — Значит, надежда еще есть.

Чуть ли не впервые со дня нашего знакомства Каллен не нашелся с ответом.

— Так что давай надеяться вместе, — предложила я. — Хотя рядом с тобой мне даже небеса не нужны.

Медленно поднявшись, Эдвард зажал мое лицо ледяными ладонями и посмотрел в глаза:

— Значит, я всегда буду рядом.

— О большем не прошу.

Встав на цыпочки, я прильнула к его губам.

Эпилог

СОГЛАШЕНИЕ

Почти все вернулось к нормальному, то есть привычному дозомбическому состоянию, причем быстрее, чем я ожидала. В госпитале Карлайла приняли назад с распростертыми объятиями, даже не стараясь скрыть радость от того, что Эсми не понравилось в Лос-Анжелесе. Во время поездки в Италию я пропустила тест по матанализу, так что надежды на успешное окончание школы стали куда призрачнее, чем у Эдварда с Элис. Неожиданно главной целью и проблемой стало поступление в колледж (колледж по-прежнему был планом Б, на случай, если я все-таки выполню условие Эдварда, таким образом отказавшись от предложения Карлайла). Многие учебные заведения уже набрали студентов, но Эдвард ежедневно приносил новую стопку заявлений и анкет. В Гарварде Каллен уже учился, поэтому ничуть не беспокоился, что из-за моей нерасторопности мы оба на следующий год могли оказаться в местном колледже Олимпийского полуострова.

Чарли был мной недоволен, и с Эдвардом не разговаривал, зато хотя бы разрешил приходить к нам в четко установленные часы.

Мне из дому выходить запрещалось, только в школу и на работу. Тоскливо-желтые стены классов стали казаться необыкновенно радостными и привлекательными, конечно, во многом благодаря обаянию моего соседа по парте.

Эдвард выбрал то же расписание, что и в начале года, и большинство уроков у нас совпали. Необщительная и вечно хмурая, я после отъезда Калленов сидела одна. Даже Майк, никогда не упускавший благоприятные возможности, держался на расстоянии. С возвращением Эдварда последние восемь месяцев стали казаться кошмарным сном.

Естественно, кое-что изменилось. Во-первых, в сентябре я не находилась под домашним арестом, а во-вторых, не дружила с Джейкобом Блэком и не скучала по нему так, как сейчас.

В Ла-Пуш меня не отпускали, а сам Джейк не приезжал и к телефону не подходил.

Звонила я в основном вечерами, после того, как ровно в девять папа с каким-то мрачным торжеством выставлял Эдварда, и до того, как Эдвард, дождавшись, когда папа заснет, залезал ко мне через окно. Именно это время я выбрала для своих бесплодных попыток, заметив, какие чувства мелькают на лице Каллена, когда речь заходит о Блэках. Неодобрение, настороженность и что-то очень похожее на злость. Вероятно, неприязнь и предрассудки были обоюдными, хотя Эдвард выражал их гораздо реже, чем Джейкоб.

Итак, о Блэках я старалась не заговаривать, а когда была рядом с Эдвардом, все неприятности, включая бывшего приятеля, наверняка страдающего из-за меня, отходили на второй план. Вспоминая Джейка, я всякий раз чувствовала вину за то, что так редко о нем думаю.

Жизнь снова превратилась в сказку. Злые чары разрушились, принц вернулся. Только что делать с другим, ставшим ненужным героем? Как поступить, чтобы он тоже жил долго и счастливо?

Одна неделя сменяла другую, а Джейкоб все не отвечал. Опасение переросло в постоянную тревогу, наподобие текущего крана, который закрыть не получается, а игнорировать невозможно. Кап, кап, кап; Джейк, Джейк, Джейк!

Иногда разочарование и беспокойство выходили из-под контроля.

— Это самая настоящая глупость! — не сдержавшись, сокрушалась я в субботу вечером, когда Эдвард забрал меня с работы. Злиться куда легче и приятнее, чем сгорать от чувства вины. — Чистой воды оскорбление!

В тот день, надеясь добиться лучшего результата, я слегка изменила тактику и позвонила Блэку с работы. Увы, в очередной раз я нарвалась на безразличного Билли...

— По словам Билли, Джейк не хочет разговаривать! — бушевала я, глядя, как по окну стекают дождевые капли. — Мол, он дома, но шагнуть три шага до телефона не желает. Обычно Билли говорил, что он спит, занят или что-то подобное. Я, естественно, знала: это ложь, но он хотя бы элементарную вежливость проявлял. А теперь мистер Блэк тоже меня ненавидит... Какая несправедливость!

— Милая, дело не в тебе, — спокойно сказал Эдвард. — Они оба ненавидят, но не тебя.

— А кажется совсем иначе! — сложив руки на груди, пробормотала я. Это был просто жест упрямства и отчаяния: рана давно затянулась, я почти забыла то леденящее душу ощущение пустоты.

— Джейкоб знает: «холодные» вернулись, и наверняка выяснил, что мы с тобой почти всегда вместе, — заявил Каллен. — Он ко мне даже близко не подойдет: у нашей вражды слишком глубокие корни.

— Какая глупость! Джейк ведь понимает, что ты не такой, как... другие вампиры.

— И все-таки разумнее держать дистанцию.

Тупо глядя на ветровое стекло, я видела лишь лицо Джейкоба, искаженное ненавистной мне маской горечи.

— Белла, мы такие, какие есть, — спокойно проговорил Каллен. — Я-то способен себя контролировать, а вот насчет Блэка не уверен. Он слишком молод... Скорее всего, наша встреча перерастет в драку, и не известно, сумею ли я ее остановить, прежде чем буду вынужден его у... — Он осекся. — Прежде чем сделаю ему больно. Ты расстроишься, а я этого не хочу.

Услужливая память воскресила последнюю встречу с Джейкобом, а в ушах зазвучал знакомый сиплый голос: «Не уверен, что у меня хватит выдержки со всем справиться... Ты тоже не обрадуешься, если я убью твою подругу». Но ведь в тот раз он сумел сдержаться!

— Эдвард Каллен, — прошептала я, — ты почти сказал «убить»?

Отвернувшись, он стал смотреть на дождь. На светофоре, которого я даже не заметила, вместо красного загорелся зеленый, и Каллен двинулся дальше — очень медленно.

— Постараюсь... этого не допустить, — наконец проговорил Эдвард.

Я смотрела на него, разинув рот, а он, не отрываясь, следил за дорогой. На углу у стоп-сигнала пришлось остановиться.

Неожиданно вспомнилось, что произошло между Парисом и Ромео. Сценическая ремарка предельно краткая: «Дерутся. Парис падает».

Но ведь это нелепость, ерунда какая-то!

— Так, — я поглубже вдохнула и покачала головой, чтобы отрешиться от неприятных слов, — ничего подобного не произойдет, беспокоиться не стоит. Зато Чарли сейчас почти наверняка смотрит на часы, так что лучше прибавь скорость, пока не нарвались на неприятности за поздний приход.

Повернувшись к любимому, я робко улыбнулась.

Каждый раз, когда я смотрела на его лицо, его невообразимо прекрасное лицо, я чувствовала, как радостно бьется сердце. Однако сейчас это был не просто бешеный пульс влюбленной девицы: сердце колотилось еще быстрее, потому что я вдруг поняла: Эдвард чем-то встревожен.

— Белла, у тебя и так неприятности, — прошептал он, почти не шевеля губами.

Сжав ледяную руку, я придвинулась ближе, чтобы разглядеть то, о чем он говорит. Даже не знаю, чего ждала: увидеть посреди улицы Викторию с развевающимися по ветру рыжими волосами, высокие фигуры в темных накидках или стаю разъяренных оборотней. Нет, вроде бы ничего подобного не наблюдается...

— В чем дело?

— Чарли... — выдохнул Эдвард.

— Папа? — взвизгнула я.

Каллен повернулся ко мне, он был совершенно спокоен, и мне стало чуточку легче.

— Скорее всего... Чарли тебя не убьет, но мысли такие у него есть. — Снова набрав скорость, Эдвард свернул на мою улицу, но остановился не рядом с домом, а у опушки.

— Что же мне делать? — задыхаясь, спросила я.

Парень посмотрел на дом Чарли, и, проследив за его взглядом, я заметила, чтó стоит рядом с патрульной машиной. Сверкающий, ярко-красный, пропустить невозможно — на подъездной аллее застыл мой мотоцикл.

По словам Эдварда, папа хочет меня убить, значит, ему известно, что мотоцикл мой. Понятно, чьих рук это дело!

— Не-е-ет! — вырвалось у меня. — Почему? Почему Джейк так со мной поступил? — Яд предательства растекался по всему телу. Я ведь доверяла Джейкобу, все секреты рассказала. Думала, он моя тихая гавань, друг, на которого можно положиться. Конечно, отношения стали напряженнее, но я надеялась, что их основа, то, на чем зиждется дружба, не изменится. Мне казалось, она вообще не может измениться!

Чем я такое заслужила? Чарли страшно разозлится, но, что гораздо хуже, изведет себя тревогой. Разве у него без того проблем мало? Никогда бы не подумала, что Джейк окажется таким мелочным и подлым. Глаза заволокло жгучими слезами, но плакала я не от печали и уныния. Меня предали! От злости в висках запульсировало, казалось, голова вот-вот лопнет.

— Джейкоб все еще в доме? — прошипела я.

— Нет, он ждет нас там. — Эдвард показал на тропку, которая делила темную лесную опушку пополам.

Выскочив из машины, я понеслась к деревьям, на бегу сжимая руки в кулаки для первого удара.

Ну откуда у Эдварда такая дикая скорость? Не успела я и до тропки добежать, как он поймал меня за плечи.

— Пусти! Я убью его! Предатель! — обращаясь к ни в чем не повинным деревьям, орала я.

— Чарли услышит! — предупредил Эдвард. — Затащит в гостиную и тотчас забаррикадирует дверь.

Непроизвольно обернувшись к дому, я увидела только сверкающий красный мотоцикл. Перед глазами все красное, в висках стучит...

— Дай поговорить с Джейкобом, а потом разберусь с Чарли! — Я тщетно вырывалась из ледяных объятий.

— Джейкоб Блэк хочет встретиться со мной. Поэтому он еще здесь.

Я перестала дергаться — воинственного порыва как не бывало. Руки безвольно опустились: «Они дерутся. Парис падает».

Да, я злилась, но не до такой же степени!

— Поговорить решил? — вырвалось у меня.

— Да, можно и так сказать, более менее...

— Насколько более? — От ужаса даже голос сорвался.

Каллен осторожно убрал с моих глаз волосы:

— Не беспокойся, он пришел не драться, а... говорить от имени стаи.

— Боже мой...

Снова оглянувшись на дом, Каллен обнял меня еще крепче и подтолкнул к лесу:

— Нужно спешить, а то терпение у Чарли на исходе.

Далеко идти не пришлось: Джейкоб ждал буквально в паре шагов от опушки. Он стоял, прислонившись к дереву; на лице маска горечи, как я и ожидала... Темные глаза метнулись сначала ко мне, потом к Эдварду, и толстые губы растянулись в мрачной усмешке. Совершенно босой, молодой индеец чуть подался вперед, дрожащие ладони сжались в кулаки. Мне показалось, за несколько недель он стал еще мощнее. Удивительно, Джейк не перестает расти и, если встанет рядом с Эдвардом, наверняка окажется выше.

Однако Каллен приближаться не спешил, остановился, едва завидев соперника, и заслонил меня собой. Выглянув из-за мускулистой спины, я пронзила бывшего приятеля осуждающим взглядом.

По идее, циничный, вызывающий вид Джейкоба должен был распалить еще больше. Но почему-то вспомнились наш последний разговор и слезы в его глазах. С каждой секундой злость слабела: мы так давно не виделись и вот, пожалуйста, встретились как враги!

— Белла! — вместо приветствия пробормотал Джейкоб и, не сводя глаз с Каллена, кивнул.

— Зачем? — прошептала я, не обращая внимания на образовавшийся в горле комок. — Джейкоб, зачем ты так со мной?

Усмешка исчезла, и горькая маска стала еще заметнее.

— Для твоего же блага.

— Что это значит? Хочешь, чтобы Чарли меня задушил? Или чтобы у него случился сердечный приступ, как у Гарри? Можешь ненавидеть меня, но его-то зачем доводить?

Блэк молча нахмурил брови.

— Он не собирался никому причинять боль, просто хотел, чтобы тебя посадили под домашний арест и мы не могли встречаться, — пробормотал Эдвард, озвучивая невысказанные мысли Джейка.

Пылая ненавистью, темные глаза индейца вновь устремились к моему спутнику.

— Боже, Джейк! — простонала я. — Меня и так держат взаперти! Почему, думаешь, не приезжаю в Ла-Пуш, чтобы надавать тебе по шее за то, что не отвечал на мои звонки?

В метнувшемся ко мне взгляде отразилось смущение.

— Вот в чем дело! — пробормотал молодой оборотень и стиснул зубы, будто жалея о сказанном.

— Он думал, это не Чарли, а я тебя не пускаю, — снова пояснил Эдвард.

— Прекрати! — рявкнул индеец.

Эдвард не ответил, а Джейк, содрогнувшись, сжал зубы так же крепко, как кулаки.

— Белла не преувеличивала насчет твоих... способностей, — процедил он. — Ты наверняка знаешь, с какой целью я здесь.

— Да, — чуть слышно отозвался Эдвард, — но, прежде чем начнем выяснять отношения, хочу кое-что сказать.

Джейкоб ждал, сжимая и разжимая кулаки, чтобы контролировать сотрясающую руки дрожь.

— Спасибо огромное, — с глубочайшей искренностью проговорил Каллен. — Мою благодарность словами не передать... До конца... существования я твой должник.

От неожиданности Блэк даже трястись перестал, в темных глазах полное недоумение. Он удивленно взглянул на меня, но я была в таком же замешательстве.

— За то, что помог Белле выжить, — пояснил Каллен глухим от волнения голосом, — когда меня... не было рядом.

— Эдвард... — начала я, но он, не спуская глаз с Джейкоба, поднял руку.

На лице Блэка мелькнуло понимание, а потом оно снова превратилось в маску.

— Не для тебя старался.

— Знаю, но это не умаляет моей благодарности. Думаю, объяснять не стоит... Если могу что-нибудь для тебя сделать...

Индеец многозначительно поднял смоляные брови.

— Нет, это не в моих силах, — покачал головой Каллен.

— Так в чьих же? — проревел Джейкоб.

Эдвард кивнул в мою сторону:

— В ее. Я умею делать выводы, Джейкоб Блэк, одни и те же ошибки дважды не совершаю, поэтому останусь здесь, пока Белла сама не велит уйти.

Теплый взгляд любимых глаз тут же подчинил своей власти. Воссоздать немой диалог было нетрудно. Единственное, о чем мог просить заклятого врага Джейкоб, — чтобы тот исчез.

— Ни за что, — прошептала я, купаясь во взгляде Эдварда.

Блэк очень похоже изобразил рвотный позыв.

Неохотно оторвавшись от золотисто-карих глаз, я нахмурилась:

— Джейк, тебе нужно что-то еще? Хотел доставить мне неприятности — поздравляю, миссия успешно завершена! Теперь Чарли отправит беспутную дочь в военное училище! Но даже это не заставит меня отказаться от Эдварда. Отныне мы неразлучны! Ну, что еще тебе угодно?

Джейк впился взглядом в Каллена:

— Только напомнить твоему ненаглядному кровопийце основные пункты соглашения, которое когда-то принял Карлайл. Того самого, что мешает мне сейчас же разорвать ему горло.

— Мы ничего не забыли, — отозвался Эдвард, а я почти одновременно спросила:

— Какие еще пункты?

Блэк не сводил глаз с Каллена, но ответил мне:

— Соглашение не совсем обычное. Стоит кому-то из них укусить человека — перемирию конец. Укусить, а не убить, — подчеркнул он и наконец удостоил меня вниманием. В темных глазах ледяная стужа.

Чтобы понять разницу, хватило доли секунды, и мое лицо стало таким же холодным, как у Джейкоба.

— Тебя это не касается!

— Черт побери... — только и смог выдавить индеец.

Вот уж не ожидала, что необдуманное замечание вызовет такую реакцию. Несмотря на предупреждение, которое решил сделать, Джейк наверняка ни о чем не догадывался и, видимо, считал этот разговор чем-то вроде меры предосторожности. Он не подозревал или не хотел верить, что я сделала выбор и решила стать членом семьи Калленов.

От моих слов индеец чуть в конвульсиях не забился. Сдавив пальцами виски, он сильно зажмурился и, пытаясь контролировать спазмы, сжался в комок. Красновато-коричневая кожа стала какой-то зеленоватой.

— Джейк, ты в порядке? — спросила я и шагнула было к нему, но Эдвард схватил меня за руку и рывком вернул на место.

— Осторожно! Он не в себе!

Однако Джейк уже успокоился, лишь руки мелко тряслись. В устремленном на Каллена взгляде кипела самая настоящая ненависть.

— Хм, я-то ее точно не обижу!

Мы с Эдвардом уловили и глубинный смысл фразы, и скрытое в ней обвинение. С губ моего спутника сорвалось негромкое шипение, а Джейкоб машинально сжал кулаки.

— БЕЛЛА! — со стороны опушки послышался гневный рык Чарли. — СЕЙЧАС ЖЕ ДОМОЙ!

Мы все так и замерли, прислушиваясь к повисшей тишине.

Первой дар речи вернулся ко мне.

— Черт! — пролепетала я.

На секунду гневная решимость изменила Джейкобу.

— Прости, что так получилось, — пробормотал он. — Я должен был сделать то, что мог. Хотя бы попытаться...

— Спасибо! — Голос дрогнул, испортив весь сарказм. Я смотрела на тропинку, ожидая увидеть отца. Сейчас он разгневанным быком пронесется сквозь мокрый папоротник. А красной тряпкой по этому сценарию буду я.

— Подожди секунду, — сказал мне Эдвард и повернулся к Джейкобу: — На своей земле мы не нашли следов Виктории, а вы?

Джейк мог не отвечать — Эдвард прочел только что появившуюся в сознании мысль, — но индеец решил ее озвучить.

— В последний раз мы ее видели во время... Беллиного отъезда. Хотели окружить, а потом напасть из засады...

По спине побежал холодок страха.

— Но рыжая унеслась прочь, будто за ней гнались черти! Насколько мы поняли, она почувствовала запах твоей сестренки и сбежала. С тех пор близко к нашим землям не подходит.

Каллен кивнул:

— Если вернется, мы сами ею займемся. Виктория не станет...

— Рыжая убивала на *нашей* территории! — прошипел Джейкоб. — Значит, она наша.

— Нет... — начала я, пытаясь остановить обоих.

— БЕЛЛА! Я ВИЖУ ЕГО МАШИНУ И ЗНАЮ, ЧТО ТЫ ЗДЕСЬ! ЕСЛИ ТЫ СИЮ СЕКУНДУ НЕ ВЕРНЕШЬСЯ!.. — Чарли даже договорить не потрудился.

— Пошли, — сказал Эдвард.

Потрясенная до глубины души, я обернулась к Джейкобу. Вдруг больше не увидимся?

— Прости меня! — прошептал он так тихо, что пришлось читать по губам. — Пока, Беллз!

— Ты обещал! — в отчаянии напомнила я. — Мы по-прежнему друзья?

Индеец покачал головой, и выросший в горле комок едва меня не задушил.

— Ты знаешь, я старался сдержать свое слово, но... теперь не представляю, как это сделать. Только не сейчас... — Он попытался сохранить маску раздражения и горечи, но она превратилась в карнавальную мишуру, а потом исчезла. — Я так соскучился, — прошептал он и протянул ко мне руку.

— Взаимно, — чуть слышно отозвалась я, машинально последовав примеру бывшего друга.

Пальцы переплелись, а вместе с ними и чувства: моя боль, его боль...

— Джейк! — шагнув к нему, позвала я. Хотелось обнять его и стереть с лица несчастное выражение.

Эдвард оттащил меня обратно, на этот раз сильные руки не защищали, а сдерживали.

— Все в порядке! — заверила я, с надеждой заглядывая в любимое лицо: он все поймет, обязательно!

Увы, карие глаза были непроницаемые, а лицо — пустым и холодным.

— Нет, вряд ли.

— Отпусти ее! — снова разозлившись, прорычал Блэк. — Она хочет ко мне! — Индеец шагнул вперед, темные глаза заблестели в предвкушении боя, а грудь, от мелкой дрожи, раздулась.

Толкнув меня за спину, Каллен повернулся к Джейкобу.

— Эдвард, не надо!

— ИЗАБЕЛЛА СВОН!

— Пойдем, Чарли с ума сходит! — Мой голос звенел от страха, но в тот момент вовсе не из-за Чарли. — Скорее!

Я прижалась к Эдварду, и ему стало немного легче. Не сводя глаз с молодого индейца, он медленно попятился к опушке.

Нахмурившись, за нашим отступлением следил Джейкоб. Боевой задор постепенно затухал, и, прежде чем нас разделила темная стена деревьев, парень скривился словно от невыносимой боли.

Я знала: перекошенное лицо будет преследовать меня в кошмарах, пока я не увижу его улыбку.

Зажмурившись, я поклялась, что заставлю Джейкоба улыбнуться, причем в ближайшее время. Я верну лучшего друга, чего бы это ни стоило.

Эдвард обнял меня и притянул к себе. Лишь благодаря ему я не разрыдалась.

Проблемы у меня серьезнейшие.

Лучший друг причислил к врагам.

Виктория свободно бродит по лесам, подвергая опасности всех, кого я люблю.

Если в ближайшее время я не стану вампиром, меня убьют Вольтури.

Но теперь получается, если стану, квилетские оборотни займутся мной сами, а заодно постараются уничтожить мою будущую семью. Если честно, не верю, что у них получится, но вдруг в этой попытке погибнет Джейкоб?

Действительно, проблемы серьезнейшие, только почему они вдруг отошли на второй план, когда мы появились из-за деревьев и я увидела багровое лицо Чарли?

Эдвард осторожно сжал мои плечи:

— Я здесь, рядом!

Захотелось набрать в грудь побольше воздуха.

Впрочем, Эдвард рядом, я чувствую силу его объятий. Раз так, смогу вынести что угодно!

Расправив плечи, я шагнула навстречу своей участи, навсегда вместе с тем, кого считала судьбой.

ОТ АВТОРА

Выражаю благодарность любимому мужу и сыновьям за бесконечное понимание и жертвы, принесенные во имя моего творчества. Хотя тут выиграла не только я: уверена, владельцы местных ресторанчиков безмерно счастливы, что Стефани Майер больше не готовит.

Огромное спасибо маме, которая была и остается моей лучшей подругой и часами работает со мной над текстами. Еще спасибо за ум и недюжинный творческий потенциал, малая толика которых с генами передалась мне.

Безмерно признательна сестрам Эмили и Хайди и братьям Сету, Полу и Джейкобу за то, что позволили использовать свои имена. Надеюсь, я не сделала с ними ничего плохого и вы об этом не жалеете.

Отдельное спасибо брату Полу за уроки езды на мотоцикле. Милый, из тебя вышел бы отличный учитель!

Я очень обязана брату Сэту за вдохновение и титанический труд, которые он вложил в создание сайта www.stepheniemeyer.com. Спасибо за усилия, которые он, будучи моим веб-мастером, ежедневно прилагает. Братишка, я послала тебе чек (на этот раз — серьезно).

Еще раз благодарю брата Джейкоба за бесконечные консультации по устройству автомобилей.

Выражаю признательность литагенту Джоди Ример за дружеские советы и помощь в моем становлении как писательницы. А еще за то, что с улыбкой выслушивала бесконечные бредни, хотя самой (нисколько не сомневаюсь) страшно хотелось провести на мне пару приемов из арсенала нинзя.

Не могу не отметить своего рекламного агента, красавицу Элизабет Юлберг, которая превратила национальное турне из рутинного мероприятия в увлекательное путешествие, всячески поощряла погружение в киберпространство, убедила заносчивых звезд из КЭЮ (Клуба Элизабет Юлберг) считать меня своей и, самое главное, помогла моим книгам войти в список бестселлеров «Нью-Йорк таймс».

Огромное спасибо всем служащим издательства «Литтл, Браун энд Компани» за поддержку и непоколебимую веру в потенциал моих произведений.

И наконец, благодарю всех певцов и музыкантов, которые меня вдохновляли, особенно группу «Мьюз». Ребята, ваше искусство пропитало эмоциональный настрой этой книги, отдельные сцены и целые сюжетные линии которой созданы под влиянием любимых песен. Кроме того, спасибо группам «Линкин парк», «Трэвис», «Элбоу», «Колдплей», «Марджори фэр», «Май кемикал романс», «Аркейд файр» и «Фрей», которые подпитывали мое вдохновение.

ОГЛАВЛЕНИЕ

Литературно-художественное издание

Майер Стефани

НОВОЛУНИЕ

Ведущий редактор *И. Шишкова*
Редактор *О. Кутуев*
Корректор *Н. Пущина*
Технический редактор *Н. Хотулева*
Компьютерная верстка *Н. Сидорской*

Общероссийский классификатор продукции
ОК-005-93, том 2; 953000 — книги, брошюры

Санитарно-эпидемиологическое заключение
№ 77.99.60.953.Д.009937.09.08 от 15.09.2008 г.

ООО «Издательство АСТ»
141100, Россия, Московская обл.,
г. Щелково, ул. Заречная, д. 96

ООО «АСТ МОСКВА»
129085, г. Москва, Звездный б-р, д. 21, стр. 1

Наши электронные адреса: www.ast.ru
E-mail: astpub@aha.ru

Издано при участии ООО «Харвест». ЛИ № 02330/0494377 от 16.03.2009.
Республика Беларусь, 220013, Минск, ул. Кульман, д. 1, корп. 3, эт. 4, к. 42.
E-mail редакции: harvest@anitex.by

ОАО «Полиграфкомбинат им. Я. Коласа».
ЛП № 02330/0150496 от 11.03.2009.
Республика Беларусь, 220600, Минск, ул. Красная, 23.